»Der neue Roman von Kajsa Ingemarsson handelt von Veränderung und Geborgenheit, Liebe und Freundschaft und von den Wegen, die uns manchmal auf völlig unerwartete Art und Weise weiterführen.«
Svenska Dagbladet

In einer idyllisch gelegenen Vorortsiedlung einer kleinen schwedischen Stadt leben Nina, Ellinor und Miriam. Nina ist Friseurin, geschieden und lebt mit ihrem halbwüchsigen Sohn zusammen.
Ellinor ist eine junge Rechtsanwältin, der das Babyjahr mächtig zusetzt. Sie und ihr Mann wollten sich die Elternzeit eigentlich teilen, doch dann bekam er diesen tollen Job angeboten. Miriam ist Hausfrau und hat zwei erwachsene Kinder. Als ihr Ehemann Frank sie wegen einer anderen Frau verlässt, bricht für sie eine Welt zusammen.
Alle drei Frauen stehen an einem Wendepunkt in ihrem Leben, doch erst die geheimnisvolle Janina, die in das leer stehende Haus am Ende der Straße zieht, wird ihnen zeigen, wie sie neue Wege beschreiten können.

Kajsa Ingemarsson, 1965 geboren, hat 2002 ihren ersten Roman veröffentlicht. Zuvor hat sie sechs Jahre lang bei der schwedischen Sicherheitspolizei gearbeitet, dann als Model in Mailand und anschließend als Übersetzerin und Radiomoderatorin gejobbt. Ihre Bücher erscheinen regelmäßig auf den Bestsellerlisten und werden von der Kritik sehr gelobt.
Die Autorin lebt mit Mann und zwei Töchtern südlich von Stockholm.

Unsere Adresse im Internet: *www.fischerverlage.de*

Kajsa Ingemarsson

Es ist nie
zu spät für alles

Roman

Aus dem Schwedischen von
Stefanie Werner

Fischer Taschenbuch Verlag

10. Auflage: Juli 2010

Veröffentlicht im Fischer Taschenbuch Verlag,
einem Unternehmen der S. Fischer Verlag GmbH,
Frankfurt am Main, Februar 2010

Die schwedische Originalausgabe erschien 2007 unter dem Titel
»Lyckans hjul« bei Norstedts, Stockholm.
© Kajsa Ingemarsson 2007
Die Publikation erfolgte mit freundlicher Genehmigung der
Bengt Nordin Agency, Stockholm.
Für die deutsche Ausgabe:
© S. Fischer Verlag GmbH, Frankfurt am Main 2008
Satz: Pinkuin Satz und Datentechnik, Berlin
Druck und Einband: CPI – Clausen & Bosse, Leck
Printed in Germany
ISBN 978-3-596-18014-1

Es ist nie
zu spät für alles

Sie schnallte den Rucksack ab und ließ ihn neben dem Eingang auf den Boden sinken. Hier war es fast völlig dunkel und erst nach einigem Blinzeln gewöhnten sich ihre Augen an den schwachen Lichtschein. In der Mitte des Raumes saß ein Mann im Schneidersitz auf dem Boden. Unter seinem Mantel stießen nackte Füße hervor. Über seinen Rücken fiel ein geflochtener Zopf und sie bemerkte, wie sich sein abgemagerter Brustkorb mit jedem Atemzug hob und senkte.

Fasziniert starrte sie ihn an. Er hatte die größte Nase, die sie je gesehen hatte. Majestätisch wie ein Berg ragte sie zwischen Stirn und Mund hervor, wo sich schmale Lippen aufeinanderpressten und so etwas wie ein Lächeln versuchten.

Sie ging einen Schritt auf ihn zu, hielt kurz inne und nahm schließlich ihm gegenüber Platz. Er betrachtete sie eine Weile ohne ein Wort zu sprechen, und sie musste ihren Impuls beherrschen, das Schweigen zu brechen.

»So you want advice?«, fragte er schließlich. Ein penetranter Geruch von Curry und Knoblauch schlug ihr ins Gesicht, als er den Mund aufmachte. Er sprach gebrochen Englisch, in jenem ortsüblichen Dialekt, an den sie sich in den vergangenen Monaten gewöhnt hatte.

»Yes, please.« Der Schweiß lief ihr den Rücken hinunter, so stickig war die Luft in der kleinen Hütte, in der sie saßen.

»Darf ich deine Hand haben.« Sie reichte ihm die rechte Hand, doch er schüttelte den Kopf: »Nicht die«, sagte er,

7

»I need to be close to your heart.« *So nahm er ihre linke und hielt sie lange in seinen Händen. Sie versuchte, nichts mehr zu denken und spürte, wie die Verspannung im Nacken langsam nachließ. Als er wieder zu sprechen begann, war sie völlig ruhig.*

»Du bist hier verkehrt«, *sagte er und schüttelte den Kopf.* »You must go home.«

»Home?«

»Ja, du musst dich jetzt auf den Heimweg machen. The people are waiting for you.« *Er lächelte sie an.*

»The people? Wer soll das sein?«

»The people who need you. Sie sitzen zu Hause und warten auf dich.«

»Aber ich habe kein Zuhause.« *Sie versuchte, ihn davon abzubringen. Er musste sich täuschen.*

»Dann musst du dir eins zulegen.« *Er verstummte und schloss die Augen. Langsam ließ er ihre Hand los und sie zog sie zurück, als hätte sie soeben einen wertvollen Gegenstand zurückbekommen.*

»What else?«, *fragte sie ihn, nachdem wieder ein paar Minuten ohne ein Wort vergangen waren. Er öffnete die Augen und sah ihr erstaunt ins Gesicht.*

»Nichts weiter«, *sagte er und schüttelte wieder den Kopf.* »That's all.«

Vorsichtig schob Miriam Larsson die Gardine zur Seite und stützte sich mit den Ellenbogen auf das Fensterbrett. Der Rasen vor ihrem Haus war frisch gemäht und ihre pastellfarbenen Phloxkissen blühten rosa, lila und weiß vor der Hecke. Dicht daneben wucherten jetzt auch die Gartenwicken und kletterten eifrig an ihrem Spalier empor. Es war ein heißer Sommer gewesen, doch in ihrem liebevoll gepflegten Garten hatte die Trockenheit keine Spuren hinterlassen.

Miriam reckte sich noch etwas weiter aus dem Fenster. Hinter der Hecke konnte sie das Nachbargrundstück sehen. Sie schüttelte ungläubig den Kopf, als ihr Blick auf das bräunlich verdorrte Gras fiel und die verblühten Beete. Was würden wohl Bibi und Jan-Åke sagen, wenn sie ihren Garten so sehen könnten? Vermutlich gar nichts. Sie hatten Sävesta abgehakt.

Vor sieben Monaten waren sie weggezogen. Außer einer Karte, auf der die neue Adresse stand, hatte Miriam nichts mehr von ihnen gehört. Ein deutlicher Schnitt. Nachdem sie sich beinahe täglich gesehen hatten und die beiden zu einem Teil ihres Lebens geworden waren, verschwanden sie von einer Sekunde auf die andere. Sie hatte Bibi immer für ihre Freundin gehalten, eigentlich sogar für ihre beste Freundin, doch letzten Endes hatte sie einsehen müssen, dass sie wohl doch nur Nachbarinnen gewesen waren.

Vorsichtig kratzte Miriam mit dem Fingernagel an der Fensterscheibe herum. Der kleine Dreckfleck, der ihr ins

9

Auge stach, fiel sofort ab, doch er hinterließ einen unschönen Abdruck auf dem Glas. Sie hauchte auf den Fleck und wischte dann mit dem Zipfel ihrer Schürze über den Punkt. Als nichts mehr zu sehen war, ließ sie ihren Blick wieder zum Nachbarhaus wandern.

Jan-Åke hatte in Hudiksvall eine neue Stelle angeboten bekommen. Bibi war der Ansicht gewesen, dass dieser Umzug die letzte Chance sei, noch einmal etwas Neues in ihrem Leben zu beginnen. Zu spüren, dass noch etwas in Bewegung war. Typisch Bibi.

Miriam vermisste sie. In den Wochen vor dem Umzug hatten sie sich seltener gesehen, da war es offensichtlich, dass die Nachbarn mit ihren Gedanken woanders waren. Als sie ihr schließlich von den bevorstehenden Umzugsplänen berichtet hatten, war Miriam fast erleichtert gewesen. Eine Zeitlang war sie das Gefühl nicht losgeworden, dass etwas nicht stimmte. Sie hatte sich sogar mit der Frage gequält, ob sie irgendetwas Falsches gesagt oder getan hatte. Dass Bibi und Jan-Åke sich mit dem Gedanken trugen umzuziehen, darauf wäre sie im Leben nicht gekommen.

Auch die Arbeit fehlte ihr. Es war zwar nicht oft gewesen, dass sie Bibi in ihrer kleinen Boutique geholfen hatte, aber die Tage dort waren kleine Höhepunkte in ihrem Leben gewesen. Sie waren ein Anlass, ihrem Haus und der gewohnten Umgebung um den Lingonstig für eine Weile den Rücken zu kehren. Manchmal freute sie sich auf die Stunden in Bibis Präsentstübchen, als wäre sie zu einem Fest eingeladen. Stattdessen war sie auf dem Weg zur Arbeit. Es machte ihr so viel Freude, die Kunden zu beraten und ihnen bei der Auswahl zu helfen. Ihnen wunderbar duftende Lavendelseifen zu zeigen oder Handtuchhalter, auf denen emaillierte Gänse entlangspazierten. Nur selten wussten die Kunden schon genau, was sie wollten, wenn sie in der Ladentür standen. Wenn man etwas Bestimmtes im Kopf hatte, ging man eher in die Buchhandlung oder kaufte woanders eine CD. In Bibis Präsentstübchen kam man, um sich inspirieren zu lassen.

Doch jetzt war es vorbei damit. Kurz vor dem Umzug hatte Bibi ihren Laden an ein junges Paar verkauft und die beiden hatten das kleine Geschäft in eine Tee- und Kaffeestube verwandelt. Miriam hatte noch keinen Fuß hineingesetzt, aber immer wenn sie vorbeiging, warf sie einen Blick durchs Fenster. Noch nie hatte sie dort Kunden gesehen, aber das war vielleicht auch kein Wunder. Schließlich konnte man seinen Kaffee in jedem Edeka kaufen, und wie viele passionierte Teetrinker hatte ein kleiner Ort wie Sävesta? Mit Bibis Präsentstübchen war es etwas anderes gewesen. In solch einen Laden kamen immer genug Kunden. Die Leute feierten ja nach wie vor Geburtstag, heirateten oder machten Abitur. Und Weihnachten und Ostern gab es schließlich auch jedes Jahr einmal.

Einen Moment lang hatte sie damit geliebäugelt, den Laden zu übernehmen. Ihn einfach in Miriams Präsentstübchen umzutaufen und ganztags dort zu arbeiten. Sie hatte sogar mit Frank darüber gesprochen. Nicht dass er nein gesagt hätte. Doch als er ihr vorrechnete, dass sie einen Kredit von mindestens einer Million Kronen benötigte, um den Laden mitsamt Ausstattung und Lagerware zu übernehmen, hatte sie es sich anders überlegt. Das war ein Haufen Geld. Aber es gab natürlich auch noch einen anderen Grund. Sie war nicht mehr die Jüngste, das hatte Frank ganz nebenbei fallen lassen. Erst fand sie seine Bemerkung verletzend, doch je mehr sie sich die Sache durch den Kopf gehen ließ, desto klarer wurde ihr, dass er recht hatte. In ein paar Jahren würde sie sechzig sein, nicht gerade der beste Zeitpunkt, um ein neues Leben anzufangen.

Miriam seufzte und warf noch einmal einen Blick auf den verwilderten Nachbarsgarten, bevor sie sich aufrichtete und die Gardine zurechtzupfte, damit die Schlaufe wieder richtig saß. Hoffentlich fand der Makler bald einen Käufer, damit dort wieder Ordnung herrschte. Ein Haus darf man einfach nicht leer stehen lassen, sonst kann man zusehen, wie es verfällt.

Sie sah auf die Uhr. Viertel nach elf. Kein Mensch auf der Straße. Vermutlich war sie die Einzige, die noch zu Hause war. Die Kinder gingen in die Schule und die Erwachsenen waren bei der Arbeit. Ja, außer Ellinor Hauge natürlich. Eigentlich war das jetzt ihre Zeit, meist drehte sie vormittags eine Runde mit dem Kinderwagen. Miriam lehnte sich noch einmal zum Fenster hinaus, um einen besseren Überblick über die Straße zu bekommen. Tatsächlich, da kam sie angeschoben, mit roten Wangen und schnellem Schritt. Sie schob den Kinderwagen mit einer Hand, die andere hielt sie am Ohr. Es dauerte einen Moment, bis Miriam erkannte, dass Ellinor telefonierte. Schade. Es hätte sie gefreut, mit ihrer jungen Nachbarin ein paar Worte zu wechseln, sie vielleicht sogar auf eine Tasse Kaffee hereinzubitten. Aber jetzt war sie beschäftigt, da wollte sie natürlich nicht stören. Ein anderes Mal vielleicht.

Miriam stand auf, sie hatte lange genug am Fenster gesessen. Einen Moment lang stand sie einfach so da, unschlüssig. Doch dann ging sie in die Küche und nahm eine Filtertüte aus dem Halter mit der blauen Glasur, der an der Wand über dem Herd hing. Für ein Tässchen Kaffee war schon noch Zeit, bis sie sich um den Teig kümmern musste, der nun seit einer halben Stunde auf der Küchenbank stand und aufging.

Ellinor klappte das Handy zu und legte es zurück in ihre Tasche. Sie ärgerte sich. Louise hatte ihr jede Menge Geschichten aus der Kanzlei aufgetischt und das war wirklich nicht das erste Mal. Diesmal war die Rede von einem Flug nach Florida, wo die diesjährige Konferenz des Anwaltsbüros stattfinden würde. Natürlich durfte *nicht jeder* fahren, das hatte sie sicherlich zehnmal betont. Was so viel hieß wie, dass sie zu den viel versprechenden Nachwuchskräften zählte.

Ellinor hatte sich wirklich bemüht, sich mit ihr zu freuen, doch im Grunde wollte sie das Gespräch einfach nur hinter sich bringen. Sie fragte sich ernsthaft, warum Louise sie regelmäßig anrief, die besten Freundinnen waren sie nie gewesen. Vielleicht hatte sie nur wenige Bekannte, die sich ihr hemmungsloses Geprahle anhörten? Und nach Ellinors Befinden erkundigte sie sich eher pflichtschuldig, in der Art »Und, gefällt es dir zu Hause?«, »Wie läuft es denn mit Wille?«, »Und das Kind?« – und damit war es auch schon wieder gut. *Das Kind*, sagte sie immer. Als wäre es nicht möglich, sich Albins Namen zu merken. Und gleichzeitig verlieh ihr Tonfall dabei dem »Kind« etwas von einer lebensbedrohlichen Krankheit, stattdessen sprach sie von einem zehn Monate alten Baby, das das wunderbarste Lächeln der Welt besaß.

Ellinor versuchte auf andere Gedanken zu kommen. Sie war jetzt in dem kleinen Waldstück angekommen, das kurz hinter dem Wohnviertel lag, und als sie an dem steinigen Spazierweg eine Bank entdeckte, legte sie eine kleine Pause ein. Sie betrachtete Albin in seinem Kinderwagen. Er war gerade wach geworden und sobald er seine Mama erblickte, ging ein Strahlen über sein Gesicht, das seine rosigen Wangen noch runder machte, und er streckte ihr die Arme entgegen.

»Hallo, mein Schatz, bist du jetzt ausgeschlafen!« Sie beugte sich zu ihm hinunter und rieb ihre Nase an seiner. Albin gluckste vor Freude und versuchte sich aufzurichten. Ellinor half mit einer Hand nach und stellte mit der anderen die Rückenlehne nach oben. Dann hockte sie sich neben den Wagen. »Hast du Hunger? Wir wär's mit Banane?« Albins Antwort konnte man wohlwollend mit einem »nane« deuten. Gleichzeitig begann er wild mit den Armen zu fuchteln, sodass sie in Deckung gehen musste, um nicht einen Schlag ins Gesicht zu bekommen. Ellinor musste lachen. »Ja, ja, kommt doch schon«, sagte sie und holte die Banane aus der Wickeltasche. Kaum hatte er sie in der Hand, begann er genussvoll zu schmatzen.

Ellinor stand auf und gab dem Wagen wieder kleine Schubser vorwärts. Sie machte große Schritte und versuchte, die Arme durchzustrecken, als sie den letzten Anstieg nahm. Durch das Stillen waren die vielen Kilos von der Schwangerschaft schnell wieder verschwunden, obwohl sie im Moment keinen anderen Sport machte als die täglichen Spaziergänge mit Albin. Eigentlich hatte sie sich seit dem Umzug nach Sävesta vorgenommen, wieder ins Studio zu gehen. Denn diese eine Stunde pro Woche wäre immerhin eine willkommene Gelegenheit gewesen, von zu Hause wegzukommen.

Nun war sie wieder in der Björnbärsgata angekommen, die als Ringstraße das ganze Viertel umschloss. Nur vereinzelt fuhren Autos an ihr vorbei, als sie im Stechschritt die Abzweigungen der Stichstraßen passierte. Wirklich phantasievoll, dachte sie voller Ironie, als sie die Straßenschilder las – sie waren nach Himbeeren, Vogelbeeren und Moltebeeren benannt. Irgendein kreativer Beamter im Straßenverkehrsamt hatte sich da etwas einfallen lassen, als das Gebiet bebaut wurde. Sie fragte sich, wie viele verschiedene Vorschläge man damals wohl auf dem Tisch hatte, bis man sich für die Beeren entschied. Vögel? Fische, Säugetiere, Gerichte oder Krankheiten …? Wohl kaum.

Als sie an dem kleinen Weg, der nach Preiselbeeren benannt war, angekommen war, bog sie mit ihrem Kinderwagen rechts ab und war wieder in der schmalen Straße mit den kleinen Häuschen. An beiden Seiten standen sie wie Puppenhäuser in ihren hübschen kleinen Gärten, manche hellgrau verklinkert, andere aus Holz und einige in sanften Pastelltönen gestrichen. Und dann ganz hinten ihr eigenes Haus, die Nummer neun, das mit der gelben Holzfassade und den weißen Fensterrahmen.

Sie hatten wirklich Glück gehabt, dass das Eckgrundstück zu verkaufen gewesen war, denn es war das größte in der ganzen Straße, wenn auch in keinem besonders guten Zustand. Die Beete waren vom Unkraut überwuchert und die Johannisbeersträucher hatten nur eine Handvoll Beeren getragen. Sie hatten sich einige Häuser in der Gegend angeschaut, bevor sie ihren Entschluss fassten. Manche waren erheblich günstiger gewesen, doch sie war froh, dass sie nicht gleich zugegriffen hatten. Ihr Haus war zwar verwohnt, weil man es seit den achtziger Jahren nicht renoviert hatte, aber es war solide gebaut und die Obstbäume auf ihrem Grundstück waren so wunderschön wild gewachsen.

Keine Frage, sie liebte ihr Zuhause. Die drei Schlafzimmer des Gebäudes lagen alle in einer Reihe auf der Rückseite. Von ihrem Zimmer aus konnte man durch die Terrassentür direkt in den Garten gehen. Im Sommer, als es so warm war, hatten sie bei offener Tür geschlafen. Auf der anderen Seite des Hauses befanden sich die Küche und das Wohnzimmer, das schön hell war und wo in der Mitte ein Kamin stand.

Was die Möbel anging, so besaßen sie zwar ein merkwürdiges Sammelsurium aus alten Erbstücken, Teilen vom Sperrmüll und IKEA-Möbeln, aber eigentlich machte das nichts. Alles der Reihe nach. Zuerst mussten sie schließlich den Hauskauf abwickeln, um die Einrichtung würden sie sich nach und nach kümmern. Wenn sie beide wieder arbeiteten, dann hätten sie auch wieder mehr Geld zur Verfügung. Immerhin hatten sie die Küche renoviert. Der Makler, der ihnen die Immobilie zeigte, hatte sich für die Risse im Linoleum und das abgefallene Furnier an den Kanten neben der Ofentür fast entschuldigt. Mittlerweile hatten sie die Schränke ersetzt, auf dem Boden Fliesen gelegt und einen neuen Kühl- und Gefrierschrank angeschafft.

Neuerdings hatte Wille auch davon gesprochen, Albins Zimmer zu renovieren. Noch hatte ihr Sohn sein Gitterbettchen im Elternschlafzimmer, aber früher oder später würde er wohl in ein eigenes Zimmer umziehen. Sie hatten sich vorgenommen, Farbe einzukaufen und schon an diesem Wochenende loszulegen. Wenn sie die Zeit fanden. Ellinor hatte bereits im Internet recherchiert und verschiedene Tapeten für Kinderzimmer angeschaut. Sie hatte sich für eine hellgrüne mit kleinen gelben Dinosauriern begeistert, aber die war sehr teuer, fast siebenhundert Kronen für eine Rolle. Dann würde es wohl eher etwas Schlichtes werden.

Ellinor war nun am Ende der Straße angelangt und steuerte auf das gelbe Haus zu, während Albin unmissverständlich kundtat, dass er keine Lust mehr hatte still zu sitzen. Sie hob ihn aus dem Wagen, an dem er sich gleich darauf auf wackligen Beinen festhielt. Da entdeckte er die Schaukel.

»Da! Da!«, rief er und zeigte auf den Apfelbaum, an dem die Schaukel hing.

»Kann die Mama jetzt nicht mal Pause haben? Wir sind doch so lange spazieren gegangen!«

»Da!« Albin drehte sich zu ihr um und machte so große Kulleraugen, dass Ellinor laut lachen musste.

»Aber nur kurz, denn wir wollen gleich Mittag essen.« Sie nahm ihren Sohn auf den Arm und trug ihn hinüber zum Apfelbaum. Als sie ihn auf die Schaukel gesetzt hatte, gab sie ihm ordentlich Anschwung. Albin zappelte begeistert und sein Lachen erfüllte den ganzen Garten. Ellinor schubste ihn immer wieder an, bis dem kleinen Jungen vor lauter Lachen fast die Luft weg blieb.

Einen kurzen Moment lang schloss sie die Augen. Es war einfach sich vorzustellen, wie diese Szene auf Außenstehende wirken musste. Das Haus, der Apfelbaum, die Mutter und das glückliche Kind. Plötzlich spürte sie, wie ihr die Tränen in die Augen schossen. Sie zwinkerte und wischte sich mit dem Handrücken über die Augenlider. Dann lachte sie ihren Sohn an, der noch voller Freude schaukelte. Was wollte man eigentlich noch mehr von diesem Leben?

So. Bitte schön. Und – was sagen Sie?«

»Prima. Richtig gut!«

»Ich habe ein bisschen von der Länge weggenommen, wie wir es besprochen hatten und dann habe ich die Stufen etwas angehoben. Das gibt einfach mehr Fülle. Ich glaube, damit kommen Sie jetzt gut zurecht.« Nina hielt ihr den Handspiegel in den Nacken und legte ihn dann zurück auf die Ablage vor dem Stuhl. Danach öffnete sie den silberfarbenen Umhang und bürstete noch ein paar Härchen weg, die sich darunter versteckt hatten.

»Danke!« Die Kundin lächelte sie an. Sie war zum ersten Mal bei Nina. Ein hübsches junges Mädchen, vielleicht fünfundzwanzig, schulterlanges Haar mit selbst gelegten Wellen und einem Pony, der wieder wachsen sollte. Nina hatte vorgeschlagen, die Haare im Nacken ein bisschen zu kürzen und das Ergebnis war wirklich gut geworden. Ihr Haar hatte viel mehr Volumen bekommen und wirkte jetzt voller und gesünder. Oft war das Schneiden ein Drama. Die Mädchen hingen an jedem Zentimeter, als ob nur die Länge zählte. Nina grinste, schließlich wusste sie, wie es später war: Wenn es nur noch auf die Fülle ankam.

Sie begleitete ihre Kundin an die Kasse und nahm den Fünfhundert-Kronen-Schein an.

»Möchten Sie gleich einen neuen Termin?«

»Nein danke, ich melde mich.«

»Okay.« Nina lächelte. »Ich hoffe, Sie sind zufrieden.«

»Ganz bestimmt.«

Sie verabschiedeten sich und als die junge Frau die Tür schloss, erklang der helle Gong. Nina sah ihr durch die Schaufensterscheibe hinterher, dann ging sie zurück an ihren Platz. Genug für heute, Zeit zum Aufräumen. Sie griff nach dem Besen und begann, die Haarbüschel auf dem Boden zusammenzukehren. Dann öffnete sie den Gürtel, an dem Schere und Kämme hingen und verstaute ihn wieder in der Schublade unter dem Spiegel.

Eigentlich hatte sie vorgehabt, mit Camilla auszugehen. Das war schon lange geplant. Erst einen Drink bei Camilla zu Hause, dann Essen gehen und vielleicht ins Kronan zum Tanzen. Aber Nina hatte abgesagt. Sie hatte sich eine Notlüge einfallen lassen und erzählt, dass eine Erkältung im Anmarsch sei, aber Camilla hatte trotzdem säuerlich reagiert und gejammert, dass sie sich extra für diesen Abend ein neues Kleid gekauft habe. Beinahe hätte Nina sich überreden lassen, als sie das hörte. Aber was sollte das, man kann sich schließlich nicht zum Ausgehen zwingen lassen, nur weil die andere sich neu eingekleidet hat. Nina hatte stattdessen einen neuen Termin in der kommenden Woche vorgeschlagen und Camilla wollte es sich überlegen.

Normalerweise ging sie sehr gern aus, aber in letzter Zeit hatte sie nur wenig Lust verspürt und war lieber zu Hause geblieben. Wahrscheinlich war das keine gute Entwicklung. Wenn sie jetzt nichts unternahm, würde sie den Rest ihres Lebens alleine zubringen. Nicht dass sie es vor Sehnsucht nach einem Mann nicht aushalten würde. Wenn ihr »danach« war, stellte die Sache eigentlich kein größeres Problem dar, und wenn sie Gesellschaft brauchte, dann gab es immerhin noch Matthias. Aber in ein paar Jahren würde er auch aus dem Haus sein und sie ginge dann auf die fünfzig zu. Und ob das so witzig wäre, allein in einem verklinkerten Bungalow zu sitzen und das Ende abzuwarten?

Nein, sie musste sich einen Ruck geben. Nur nicht heute. Matthias war beim Judotraining und sie hatte das Haus für sich allein. Da sie ihm Geld für eine Pizza nach dem Sport mitgegeben hatte, musste sie sich auch keine Gedanken ums Abendessen machen. Sie konnte sich einen Tee aufsetzen und ein paar Brote schmieren und sich dann den ganzen Abend lang nur um sich selbst kümmern. Vielleicht ein Bad nehmen, ein bisschen Pediküre und Nagellack. Allein bei dem Gedanken daran, ihre schmerzenden Füße in warmes Wasser zu tauchen, bekam sie eine Gänsehaut.

Nina ging ins Personalzimmer und holte ihre Tasche, dann verabschiedete sie sich von Maggan und Robert und verließ den Friseursalon.

Draußen auf der Straße war die Wärme des Sommers noch spürbar, obwohl es schon auf den Abend zuging und bald der September da sein würde. Der Herbst stand vor der Tür, auch wenn man es an einem Abend wie diesem kaum glauben mochte. Nina trauerte dem Sommer dieses Jahr nicht hinterher, sie hatte aber auch fünf Wochen Urlaub gehabt und drei davon in Griechenland verbracht. Was hieß, dass sie weder in den Herbstferien noch zu Weihnachten frei haben würde, aber Matthias war das mittlerweile ziemlich egal. Für einen Sechzehnjährigen gab es wichtigere Dinge im Leben als die Mama.

Der Sommer war schön gewesen. Zwei Wochen hatte sie für sich gehabt, als Matthias bei seinem Vater und Eva auf dem Hof in Mönsterås in den Ferien gewesen war. Jens' Berichten zufolge hatte Matthias sich jedoch die meiste Zeit gelangweilt oder sich mit Robin und Melker angelegt. Aber was hatte sein Vater erwartet? Matthias mochte seine Halbgeschwister, aber man kann doch keinen Halbstarken auf dem Dorf festbinden und hoffen, dass er es spitze findet, vierzehn Tage lang Dinosaurier zu spielen.

Auf den Urlaub in Griechenland hatten sie sich beide schon lange gefreut. Zwei Jahre hatte sie darauf gespart und sie waren fast drei Wochen auf den Inseln im Ägäischen Meer herumgereist. Paros, Naxos, Kos, Mykonos. Sogar bis nach Samos an die türkische Grenze. Braun gebrannt wie Pfefferkuchen waren sie heimgekommen und Matthias war wieder so blond und zerzaust wie damals, als er klein war. Nina hatte bemerkt, wie die Mädchen ihm hinterherschauten. Fast ein Meter achtzig und richtig muskulös, weil er so viel Sport trieb. Und dann diese leuchtend blauen Augen. Keine Frage, er sah gut aus, es war nicht zu übersehen.

Nina ging die Brogata entlang und versuchte mit ein paar kreisenden Bewegungen, ihre Schultern zu entspannen. Sie war verspannt, aber seit sie mit der Krankengymnastik angefangen hatte, war es besser geworden. Sie musste aufpassen, dass die Beschwerden nicht chronisch wurden. So viele Friseure konnten irgendwann nicht mehr arbeiten, weil ihr Körper nicht mehr mitmachte. Sie war jetzt schon zwanzig Jahre in diesem Beruf und hatte mit Rücken- und Nackenproblemen zu tun.

Am Ende der Brogata bog sie rechts in die Tyvaldsgata ab und ging noch die letzten Meter bis zur Bushaltestelle. Dort ließ sie sich dankbar auf der Bank nieder, für die irgendein umsichtiger Kommunalbeamter gesorgt hatte, und streckte die Beine lang auf den Gehweg aus. Die Füße taten ihr weh, und als der Bus ein paar Minuten später um die Ecke bog, erhob sie sich mühevoll wie eine alte Frau.

Eine Viertelstunde später hielt er in der Björnbärsgata. Mit ihr stieg noch eine ganze Bande Schulkinder aus. Nina hörte sie von »Pillan« erzählen, der »da oben total durchgeknallt« sei. Nina fragte sich, was der Arme wohl verbrochen hatte. Wahrscheinlich gar nichts. Sie hatte genügend Gespräche zwischen Matthias und seinen Freunden mitbekommen, um zu wissen, dass es manchmal schon reichte, die falschen Turnschuhe zu tragen, um für »da oben total durchgeknallt« gehalten zu werden. Und Matthias war noch gemäßigt. In seiner Freizeit trieb er viel Sport und wenn er sich mit seinen Freunden traf, ging es meist ganz friedlich zu. Zumindest wenn Nina in der Nähe war.

Ein paar Minuten später war sie zu Hause. Sie stand an ihrem Häuschen vor der Eingangstür und kramte in ihrer Tasche nach dem Schlüsselbund. Wo hatte sie den nun wieder gelassen? Das Portemonnaie, der Timeplaner und unzählige Bons und kleine Zettel segelten zu Boden und lagen nun auf der Treppe, als sie endlich ihren Schlüssel fand, der sich im Futter der Tasche verhakt hatte. Dieses kleine Loch musste sie unbedingt stopfen, sonst würde sie die Tasche wegwerfen können. Nina hob die Dinge, die um sie verstreut auf dem Boden lagen, wieder auf und öffnete die Tür.

Zu Hause. Endlich.

Sie ließ ihre Sandalen in die Ecke fallen, nahm die Post mit und legte sie auf dem Küchentisch ab. Nichts Erfreuliches, nur Rechnungen und wieder einmal Werbung von einem dieser Buchclubs, die sie nicht interessierten. Wenn die Post doch nur einmal eine Überraschung brächte! Eine, die ihr Leben veränderte. Zum Beispiel die Nachricht, sie habe ein Vermögen von ihrer Großtante, die sie gar nicht gekannt hatte, geerbt. Oder einen Brief von einer Jugendliebe, in dem er schrieb, dass er nie über sie hinweggekommen sei und nun alles dafür geben würde, noch einmal eine Chance bei ihr zu bekommen.

Nina seufzte laut vor sich hin. Das sah ihr ähnlich, sie

saß da und hoffte auf ein Geschenk des Himmels. Den Abend mit Camilla in der Stadt ließ sie sausen und wartete stattdessen auf Briefe von unbekannten Verehrern und auf Prinzen auf weißem Ross, die an ihre Tür klopften! Als Strafe für ihre Naivität öffnete sie den Umschlag von Comviq und tatsächlich versetzte ihr die Summe ganz unten nahezu einen Schock. Es war offensichtlich an der Zeit, dass Matthias seine Handyrechnungen selbst bezahlte. Oder nur noch mit Karten telefonierte. Sie konnte es sich einfach nicht leisten, Hunderte von Kronen im Monat zu bezahlen, damit er ständig und überall seine Freunde anrief.

Die restliche Post ließ Nina ungeöffnet auf dem Küchentisch liegen und ging hinüber ins Badezimmer. Auf dem Badewannenrand stand die Badeschaumflasche, die Matthias ihr im Frühling zum Geburtstag geschenkt hatte. Sie goss einen ordentlichen Schuss dieser himbeerroten Flüssigkeit in die Badewanne und drehte den Wasserhahn auf. Kurz darauf war das Zimmer von heißem, süß duftendem Wasserdampf erfüllt. Sie zog ihr T-Shirt über den Kopf und streifte mit Mühe ihre Jeans herunter, die so eng war, dass sie an ihren Hüften rote Abdrücke hinterließ. Die Unterwäsche pfefferte sie in die Ecke auf dem Boden und dann stieg sie in die Wanne. Sie schloss die Augen und spürte, wie die Hitze des Wassers ihre Haut erröten ließ.

Wozu brauchte man schon einen Mann, wenn man im Besitz einer Badewanne war?

Ellinor zuckte zusammen, als Miriams Kopf plötzlich hinter der Hecke auftauchte. Doch sie wollte nicht unhöflich sein, ging einen Schritt langsamer und sagte freundlich »hallo«. Miriam grüßte zurück. Dann schaute sie nach oben zum Himmel und ein Lächeln huschte über ihr Gesicht.

»Was für ein herrliches Wetter!«

»Ja, Sie haben recht.« Ellinor machte Anstalten weiterzugehen, doch Miriam setzte die Unterhaltung fort.

»Man hat fast das Gefühl, als würde der Herbst in diesem Jahr gar nicht kommen.«

»Nein.« Diesem Smalltalk über das Wetter hatte Ellinor noch nie etwas abgewinnen können. Man hatte sowieso keinen Einfluss darauf, ebenso wenig wie auf die Jahreszeiten. Was war dann so interessant daran, ob es am Abend möglicherweise Regen gäbe oder ob der Herbst in diesem Jahr früher oder später käme? Doch Miriam schien da völlig anderer Auffassung zu sein.

»Obwohl der Herbst ja auch wunderschön sein kann«, meinte sie und an ihrem Gesicht war abzulesen, dass sie es tatsächlich so meinte.

»Ja, sicher, das stimmt.«

»Klare Tage und reine Luft.«

»Mmh …« Ellinor versuchte sich wieder in Bewegung zu setzen. Sie wollte heim. Albin war gerade eingeschlafen, da galt es, die Zeit zu nutzen. Nur ein paar Telefonate in Ruhe! Miriam hatte sie auf dem Heimweg abgefangen.

Man konnte fast glauben, sie hätte da gestanden und Ellinor abgepasst.

»Ach, ich sehe, der Kleine schläft.«

»Ja.«

»Haben Sie vielleicht Lust, auf eine Tasse Kaffee hereinzukommen?« Eine simple Frage, doch Miriams Blick wirkte ein kleines bisschen unsicher.

»Ja …«

Die Nachbarin bemerkte ihr Zögern.

»Aber wahrscheinlich haben Sie eine Menge zu tun.«

»Das stimmt, man muss die Zeit nutzen, in der er schläft.«

»Ja, das kann ich verstehen.«

Jetzt wäre der Zeitpunkt gewesen, sich zu verabschieden, aber irgendetwas hielt Ellinor davon ab. Sie betrachtete die Frau, die auf der anderen Seite der Hecke stand. Wie altmodisch sie aussah, in ihrem hellgrünen Leinenkleid, mit der Perlenkette um den Hals, die Hände vor dem Bauch gefaltet wie zum stillen Gebet. Ihr Haar, das in einem Pagenschnitt das ungeschminkte Gesicht umrahmte, war sorgfältig frisiert. Miriam Larsson war keine impulsive Frau, so viel war klar. Vermutlich war die Einladung gar keine spontane Idee und das Tablett wartete möglicherweise schon fertig gedeckt in der Küche, die Kaffeemaschine war bereits gefüllt, dass man nur noch den Knopf drücken musste … Ihre Vermutungen wurden von Miriams nächster zaghafter Bemerkung noch bestärkt.

»Im Übrigen habe ich gerade einen Rührkuchen aus dem Ofen geholt … Hätten Sie nicht Lust, sich mal einen Augenblick hinzusetzen?« Ihr Blick war so eindringlich, dass Ellinor kurz überlegte. Die Telefonate waren nicht eilig. Die konnte sie auch morgen noch erledigen.

»Doch, das ist eigentlich keine schlechte Idee«, antwortete sie, gab sich einen Ruck und fügte hinzu: »Danke, eine Tasse Kaffee wäre wunderbar.«

Ellinor schob ihren Kinderwagen wieder an und fuhr ihn in die Garageneinfahrt des Nachbargrundstücks. Sie stellte den schlafenden Albin im Schatten des Carports ab und ging hinter Miriam her, die sie zur Terrasse neben der Haustür führte.

Miriam beeilte sich, in die Küche zu kommen, um den Kaffee aufzusetzen und Ellinor machte es sich auf einem Stuhl mit gelb geblümten Sitzkissen bequem. Von ihrem schnellen Spaziergang war sie ziemlich verschwitzt und versuchte mit diskreten Handbewegungen, ein bisschen Luft unter ihr T-Shirt zu fächern, das überall auf der Haut klebte. Es war *wirklich* schön, hier zu sitzen, und als Miriam mit einer Kanne Holunderblütensaft zurückkam und sie die Eiswürfel klirren hörte, nahm sie dankbar ein Glas entgegen.

»Der Kaffee ist gleich fertig.« Miriam lächelte etwas gestresst. »Sie haben es hoffentlich nicht allzu eilig.«

»Nein.«

Miriam verschwand wieder im Haus und Ellinor nahm einen ordentlichen Schluck Saft, während sie sich im Garten umschaute. Er war wunderschön. Kein Unkraut weit und breit, nur Blumen, so weit das Auge reichte. Nicht so wie bei ihnen zu Hause. Wille und sie hatten keine Ahnung vom Gärtnern und woher sollten sie auch die Zeit nehmen, sich um Büsche und Blumenbeete zu kümmern? Im Sommer waren sie gerade einmal dazu gekommen, den Rasen zu mähen, als er allzu wild zu wuchern begann. Aber es würde sicher besser werden, Albin wurde ja größer, und was die Beete und Büsche anging, das würden sie schon noch lernen. Sie wohnten ja gerade erst ein halbes Jahr hier.

»Was für einen wunderbaren Garten Sie haben«, sagte

sie, als Miriam zum zweiten Mal erschien, nun mit einem vollbeladenen Tablett in der Hand.

»Finden Sie wirklich? Na ja, ich selbst sehe immer nur die Arbeit, die noch vor mir liegt.«

Miriam stellte das Tablett ab und deckte den Tisch mit Tassen und Untertassen.

»Aber was ist hier denn zu tun?« Ellinor sah sich verdutzt um.

»Zum Beispiel muss der Sonnenhut zusammengebunden werden.« Miriam zeigte auf die langstieligen, gelb blühenden Blumen, die an der Hauswand entlangwuchsen. »Sie fallen schon beinahe zusammen. Und das viele Unkraut zwischen den Steinplatten.« Sie wies auf den Boden zu ihren Füßen.

Ellinor sah hinunter. »Unkraut? Aber wo denn?«

Miriam beugte sich hinab und zupfte ein bisschen grünes Moos weg, dass zwischen zwei Platten wucherte. »Mein Gott, das wird man wohl nie los«, schimpfte sie und warf es in ein Beet, wo lilafarbene Blumen blühten.

»Das hier nennen Sie Unkraut?« Ellinor musste lachen. »Dann müssten Sie uns mal besuchen kommen! Das Allerschlimmste sind die Disteln. Ich versuche immer sie abzureißen, wo ich sie sehe, aber ich habe das Gefühl, sie werden immer mehr.«

»Sie müssen sie mit den ganzen Wurzeln herausziehen. Sonst kommen sie immer wieder.«

»Ach wirklich?« Ellinor seufzte. »Ich habe das Gefühl, wir bekommen unseren Garten nie in den Griff.«

»Keine Sorge, Sie sind doch gerade erst eingezogen. Und Sie haben ein kleines Kind, da hat man keine Zeit, sich um Unkraut zu kümmern. Unser Garten sah damals auch nicht so aus, als die Kinder klein waren.«

»Da haben Sie schon hier gewohnt?«

»Ja, wir sind im Frühjahr 1970 hier eingezogen, da war das Haus ganz neu. Susanne kam im Oktober zur Welt und Christer zwei Jahre später.«

»Dann hatten die beiden hier sicherlich eine schöne Kindheit?« Ellinor warf einen Blick hinüber zum Kinderwagen. Noch schlief er.

»Ja, die Gegend hier ist ganz ruhig. Und damals war sie noch ruhiger. Anfangs gab es nur den Lingonweg und den Hjortronweg. Dann wurde es allmählich immer mehr. Aber die Kinder hatten hier im Viertel immer Spielkameraden. Viele Familien zogen her, als die Häuser gebaut wurden. Aber jetzt sind nur noch ein paar von den alten Leuten übrig. Wie Frank und ich.« Miriam lächelte. »Aber bitte, bedienen Sie sich!« Und sie schob Ellinor die Platte mit dem Kuchen hin.

»Mmh …« Ellinor biss ab und kaute genussvoll, dann fuhr sie fort. »Ein selbstgebackener Kuchen … was für ein Unterschied! Bei uns ist es das Höchste, eine Backmischung in den Ofen zu schieben.«

Miriam machte ein zufriedenes Gesicht. »Zitronenschale«, verriet sie und setzte ein Gesicht auf, als hätte sie soeben den Mörder in einem Agatha-Christie-Krimi entlarvt. »Das ist das Geheimnis. Fein geriebene Zitronenschale und dann noch ein paar Esslöffel Saft. Ich gebe Ihnen gern das Rezept.«

»Sehr gern.« Das war pure Höflichkeit, fast ein Reflex. Ihr war sonnenklar, dass sie nie dazu kommen würde, das Rezept nachzubacken. Und selbst wenn plötzlich Zeit wäre, so hätte sie noch tausend andere Dinge auf ihrer Liste. Sie musste an die vielen ungelesenen Bücher denken, die sich zu Hause neben ihrem Nachttisch stapelten. Einen Moment lang schwiegen beide, während sie ihren Kuchen aßen. Er war wirklich lecker. Sehr saftig und ein bisschen säuerlich. Ellinor legte ihr Stück auf den Teller zurück und nahm einen Schluck Kaffee.

»Wir kennen bislang noch nicht viele Nachbarn«, sagte sie und sah nachdenklich die Straße hinunter.

»Nein, früher war das anders. Heute ist jeder für sich. Damals hatten wir viel mehr Kontakt. Und wir waren eine ganze Reihe Mütter, die mit den Kindern zu Hause waren. Jeder kannte jeden. Doch jetzt wohnen nicht mehr dieselben Leute hier. Wir sind jetzt die letzten aus dieser Generation, seit Bibi und Jan-Åke fortgezogen sind.«

»Bibi und Jan-Åke?«

»Ach, entschuldigen Sie. Die haben Sie wohl gar nicht mehr kennengelernt.« Miriam drehte den Kopf Richtung Hecke und zeigte zum Nachbargrundstück. »Ich meine die Nachbarn, die dort gewohnt haben, in dem Haus, das jetzt leer steht.«

»Ach so. Waren Sie eng befreundet?«

»Ja, wir hatten Kinder im gleichen Alter und haben viel gemeinsam unternommen. Jan-Åke und mein Mann haben zusammen Golf gespielt und manchmal sind wir auch alle gemeinsam verreist. Aber nur kurze Urlaube, nach Åland zum Beispiel.« Miriam hielt einen Moment inne, dann fuhr sie fort. »Bibi hatte eine kleine Boutique in der Stadt. Bibis Präsentstübchen. Jetzt ist dort ein Kaffeefachgeschäft.«

Ellinor nickte. »Dann weiß ich, was Sie meinen.«

»Ich habe da mitunter ausgeholfen.« Miriam schluckte. »Daher hatten wir schon viel miteinander zu tun«, schob sie hinterher.

»Und wo sind sie hingezogen?«

»Nach Hudiksvall. Jan-Åke wurde die Filialleitung einer neuen Zweigstelle angeboten. Er ist bei einem Revisionsunternehmen – vielleicht haben Sie den Namen Lauritzons schon einmal gehört?«

Ellinor schüttelte den Kopf. »Nicht dass ich wüsste …«

»Nein, sicher nicht. Ich dachte nur, dass Ihnen möglicherweise das Schild aufgefallen sein könnte. Sie haben auch hier in Sävesta ein Büro. In der Lindgata.« Miriam bemerkte, dass Ellinors Teller leer war. »Bitte, bedienen Sie sich!« Sie hielt ihr den verlockenden Kuchen hin.

»Gern.« Ellinor griff zu. »Aber es steht doch schon eine ganze Weile leer, oder?« Sie nickte zu dem Haus gegenüber von der Hecke.

»Seit Januar. Es lässt sich wohl nur schwer verkaufen.«

»Ja, wir haben es auch besichtigt, als wir uns mit dem Gedanken trugen, hierher zu ziehen. Aber uns gefiel das Grundstück nicht so gut. Auch wenn dort kein Unkraut wuchs …«

»Ja, es ist ziemlich klein. Im Frühjahr waren sehr viele Interessenten da und haben es besichtigt, aber keiner wollte es kaufen. Und dann kam der Sommer. Aber ich nehme an, jetzt wird der Makler sich wieder darum kümmern. Am vergangenen Wochenende muss ein Besichtigungstermin gewesen sein, aber da wir unterwegs waren, habe ich nicht gesehen, wie viele Leute kamen.«

»Dann hoffen wir mal, dass sie einen Käufer gefunden haben.«

»Ja, es ist traurig mitanzusehen, wie es leer steht. Obwohl man natürlich auch nicht jeden als Nachbarn haben möchte.«

»Nein, auf keinen Fall.«

»Für Sie wäre es doch sehr schön, wenn eine Familie mit Kindern einziehen würde, damit Albin jemanden zum Spielen bekäme.«

»Ja, das wäre phantastisch.«

Die beiden Frauen verstummten. Ellinor sah noch gedankenverloren auf das Nachbarhaus, während Miriam

Kaffee nachschenkte. Wenn man davon absah, dass das Grundstück etwas kleiner als die anderen war, sah das Haus aus wie alle anderen in der Straße. Braun gestrichene Holzpaneele und eine kleine Betontreppe vor der Eingangstür, die zur Hälfte aus grünlich schimmerndem Glas bestand. Es gab an dem Haus wirklich nichts auszusetzen, bis auf dass es eben leer stand. Ellinor hatte noch gut in Erinnerung, wie unbehaglich sie es innen gefunden hatte. Wie ungemütlich es ohne Möbel wirkte! Und dann die Ränder auf den Tapeten, wo die Bilder an der Wand gehangen hatten, und die Abdrücke der Bettpfosten auf dem Boden im Schlafzimmer. Alles Dinge, die mit wenig Aufwand zu beheben waren, doch den Eindruck vermittelten, als wäre ein Haufen Arbeit fällig. Vielleicht war es deswegen so schwer, einen Käufer zu finden.

Miriam räusperte sich. »Ja, und Sie? Was hat Sie denn hierher verschlagen? Sie kommen doch nicht aus Sävesta, oder?«

»Nein, mein Mann Wille stammt aus Gävle und ich bin aus Uppsala. Da haben wir uns auch kennengelernt. An der Uni.«

»Dann sind Sie sehr weit weg von den Eltern?«

»Ja, was nicht besonders praktisch ist, wenn man Kinder hat …« Ellinor lächelte.

»Sie haben vermutlich in der Stadt ein paar Freunde?«

Ellinor druckste. »Nein, kaum. Die Kollegen meines Mannes, aber es dauert seine Zeit, bis man an einem neuen Wohnort Beziehungen geknüpft hat.«

»Das kann ich verstehen.« Miriam verstummte eine Weile. »Und wie kam es, dass Ihre Wahl auf Sävesta fiel?«

»Wohl aus demselben Grund, aus dem Ihre Nachbarn weggezogen sind, nehme ich an. Wille ist Betriebswirt und hat hier eine Stelle angeboten bekommen. Bei Forsvik.«

»Das ist ein gutes Unternehmen.« Miriam nickte. »Und selbst?«

»Ich bin eigentlich Juristin, mit Schwerpunkt Gesellschaftsrecht. Ich war in einer Kanzlei in Uppsala angestellt, bis wir hierher zogen.«

»Und jetzt sind Sie in der Elternzeit?«

»Ja.«

»Es ist eine so wunderbare Zeit, wenn die Kinder klein sind. Genießen Sie sie, diese Jahre kommen nie zurück.«

»Nein, da haben Sie wohl recht.« Ellinor nahm noch einen Schluck Kaffee.

»Hat Ihr Mann denn eine gute Stelle bekommen?«

»Er ist im Controlling. Berichte, Zahlen und so, Sie wissen schon. Sicher kein Spitzenjob, so wie ich das sehe, aber ein guter Anfang. Forsvik ist immerhin ein Konzern, also verspricht dieser Einstieg durchaus Karrierechancen.«

»Das klingt nicht schlecht. Dann hoffe ich, dass auch Sie hier in der Stadt eine Arbeit finden, wenn es an der Zeit ist. Ich weiß nicht, wie schwierig es für Juristen ist, aber vielleicht würden Sie ja auch etwas anderes machen?«

»Na ja … Hoffen wir mal, dass sich eine Lösung findet. So weit habe ich noch gar nicht gedacht. Albin ist ja noch so klein.« Ellinor versuchte zu lächeln, doch es sah unbeholfen aus. Das Gespräch nahm eine Wendung, die ihr nicht gefiel.

Sie waren sich einig gewesen, dass sie umziehen wollten, denn wenn sie ehrlich war, hatte sie sich bei Björklund & Schultz auch nie besonders wohl gefühlt. Als sie gekündigt hatte, empfand sie es fast wie eine Befreiung. Doch der Umzug bedeutete für sie auch, dass sie ihre Absprachen bezüglich Albins Betreuung nicht einhalten konnten. Eigentlich war geplant, sich die Elternzeit zu teilen, doch so wurde es nur ein einziger Monat, den Wille im Sommer zu

Hause war. Aber in solch einer Situation musste man eben Kompromisse machen, und im Grunde freute sie sich ja auch darüber, dass Wille die Stelle bei Forsvik bekommen hatte. Das konnte ein Sprungbrett sein.

Ein lauter Schrei ertönte aus der Nähe der Garageneinfahrt, sodass Ellinor und Miriam sich gleichzeitig umdrehten. Ellinor war fast dankbar für diese Unterbrechung und sprang sofort auf. Kurz darauf erschien sie wieder mit Albin auf dem Arm. Vielleicht hatte er schlecht geträumt, jedenfalls zeigten seine Mundwinkel regungslos nach unten und er machte ein Gesicht, als wolle er jeden Moment in Geschrei ausbrechen.

»Ich glaube, er hat Hunger«, entschuldigte sich Ellinor. »Am besten, wir brechen jetzt auf.« Dann wandte sie sich dem Kleinen zu. »Na, Albin, was hältst du von ein bisschen Chinapfanne?«

Miriam war aufgestanden und betrachtete ihn nun aus der Nähe. Sie versuchte, den Kleinen aufzuheitern und Späße mit ihm zu machen, doch Albin zeigte keine Reaktion.

»Vielen herzlichen Dank für Kaffee und Kuchen.« Ellinor lächelte. »Sie hatten recht, es tat wirklich gut, sich mal eine Weile in Ruhe hinzusetzen.«

»Ach, keine Ursache, die Kaffeepause mit Ihnen war wirklich nett.« Miriam begleitete Ellinor noch bis zum Tor. Albin protestierte lautstark, als seine Mutter ihn wieder in den Wagen setzte.

»Jetzt aber schnell. Nochmals vielen Dank!« Ellinor schob den schreienden Albin im Wagen auf die Straße. Dort drehte sie sich kurz um, und winkte Miriam zu, die noch am Tor stand. »Bis bald!«, schrie sie, um Albins Protest zu übertönen.

»Ja, bis bald!« Miriam winkte zurück. »Und viele Grüße an Ihren Mann!«

Jetzt musst du aber aufstehen, es ist gleich elf!« Nina packte den Zipfel seiner Bettdecke und zog. Aus dem Bett erklang Protest.

»Aufhören!« Ein zerzauster Kopf tauchte zwischen den Kissen auf. »Lass mich!«

Nina ließ die Decke los und seufzte, während Matthias sie wieder über den Kopf zog. Er schimpfte leise vor sich hin, gut, dass es nicht zu verstehen war. Nina hatte genügend Phantasie, sich seine Worte vorzustellen.

»Noch fünf Minuten. Wenn ich dann wiederkomme, habe ich einen Eimer kaltes Wasser dabei. Hast du mich gehört?« Sie drehte sich um und war schon in der Tür, da fiel ihr etwas ein. »Ach übrigens, da hat ein Mädchen für dich angerufen. Felicia. Ich habe ihr gesagt, dass du noch schläfst.«

Funkstille, eine halbe Sekunde lang. Dann saß Matthias aufrecht im Bett. Sein Gesicht hatte rote Abdrücke vom Kissen und sein hellblondes Haar stand in alle Richtungen ab.

»Was sagst du?« Seine Stimme klang belegt.

»Ich habe gesagt, dass ein Mädchen namens Felicia mit dir sprechen wollte.«

»Wie? Hat sie hier angerufen? Bei uns zu Hause?«

Matthias tastete nach seinem Handy, das auf dem Nachttisch lag. »Mist, mein Akku ist leer.«

»Aber warum hast du mich denn nicht geweckt?«

»Willst du mich auf den Arm nehmen?! Soll ich dir mal sagen, wie viele Versuche ich in der letzten Stunde unternommen habe, dich wach zu bekommen?«

»Na ja, aber du hättest doch gleich sagen können, dass das Telefon geklingelt hat.«

»Ich hätte auch sagen können, dass wir uns im Atomkrieg befinden und du wärst liegen geblieben.«

»Wann hat sie denn angerufen?« Matthias warf einen Blick auf den Wecker, der neben seinem Bett stand.

»Vielleicht vor einer Stunde. Sie wollte sich wieder melden. Hat sie jedenfalls gesagt …« Nina konnte es nicht lassen, ihn zu necken, doch als sie sein unglückliches Gesicht sah, schob sie schnell hinterher: »Ach was, natürlich wird sie sich melden. Wer ist das eigentlich?«

Matthias legte das Handy aus der Hand und sank zurück auf sein Kissen. »Kennst du nicht«, murmelte er, die Decke wieder bis übers Kinn gezogen.

»Wirst du etwa rot?«

»Nein, werd ich nicht.« Matthias musste grinsen und drehte sich demonstrativ um. »Du kannst jetzt gehen, ich komme gleich.«

Nina schmunzelte, als sie den Raum verließ. Mit einem Mal waren Mädchen ein Thema, von einem Tag auf den anderen. Man merkte, dass er erwachsen wurde.

Auf dem Küchentisch stand noch immer das Frühstück. Sie selbst war auch nicht gerade früh aufgestanden, aber trotzdem war es schon etwa eine Stunde her, dass sie den Tisch gedeckt hatte. Sie musste feststellen, dass der Käse geschwitzt hatte und nicht mehr besonders appetitlich aussah. Doch Matthias war selbst schuld, sie hatte immerhin versucht ihn zu wecken.

Von der Küche aus hörte sie ihn im Badezimmer hantieren und kurz darauf erschien er in Unterhose und T-Shirt.

Er setzte sich an den Tisch und begann stillschweigend, Cornflakes und Milch von seinem Teller zu löffeln. Nina schenkte die zweite Tasse Kaffee ein.

»Und, was hast du heute vor?«, fragte sie ihn.

»Nichts besonderes.« Matthias schluckte. »Vielleicht treffe ich mich mit Chrippa.«

»Und Felicia …?«

»Mama!«

»Man darf doch wohl fragen.«

»Nein.«

Nina setzte sich zu ihm und sah aus dem Küchenfenster. »Du könntest mal wieder den Rasen mähen.«

»Mmh …«

»Was sagst du?«

»Vielleicht morgen.«

»Versprochen?«

»Mmh.« Matthias kaute. Er war ein Morgenmuffel. Schon immer gewesen. Als er klein gewesen war, gab es regelmäßig einen Kampf beim Anziehen und Frühstücken.

»Schau mal!« Nina zeigte zum Nachbargrundstück. »Was ist das denn?«

Matthias sah hinaus. »Sieht aus, wie ein Pick-up. Zieht jemand ein?«

»Keine Ahnung.« Nina stand auf und stellte sich ans Fenster. Das Auto hielt mitten auf der Straße und zwei Männer stiegen aus dem Fahrerhaus. Matthias wurde auch neugierig und kam zu ihr.

»Die halten vor Lundgrens Haus.«

»Meinst du?«

»Ja, schau doch mal. Jetzt gehen sie aufs Grundstück.«

»Ja … Vielleicht ist es ihnen endlich gelungen, das Haus zu verkaufen?«

»Vielleicht.« Matthias ging wieder an seinen Platz. Was es

bei den Nachbarn Neues gab, war für ihn nun nicht gerade weltbewegend. »Haben wir kein anderes Brot mehr?« Er zeigte auf den Brotkorb, in dem ein paar Scheiben dunkles Vollkornbrot vor sich hin trockneten. »Gibt es kein Toastbrot?«

»Da musst du im Gefrierschrank nachschauen.«

Nina stand noch immer am Fenster. Sie war einfach neugierig. Das Haus stand immerhin seit dem Winter schon leer, da waren die Lundgrens ausgezogen. Alle hatten gedacht, dass man schnell einen Käufer finden würde, doch dann verstrich Monat um Monat, ohne dass etwas geschah. In der Nachbarschaft wurde schon geredet, man wunderte sich und war auch ein bisschen beunruhigt. War ihr Wohngebiet nicht mehr gefragt? Und wenn sie selbst eines Tages ihr Haus verkaufen wollten? Sie hatte auch schon das eine oder andere Mal darüber nachgedacht. Besonders abends, wenn sie nach Hause kam und das Nachbarhaus wie ein schwarzer Klotz im Dunkeln lag. Kein gutes Gefühl. Wie schön, dass nun endlich jemand einzog.

Nina drehte sich zu Matthias um. »Ich gehe mal raus und sehe mich um.« Dann nahm sie ihre Kaffeetasse, zog die Clogs an, die sie immer überstreifte, wenn sie die Zeitung holte, und ging.

Draußen war es viel wärmer als vermutet. Der leichte Nebel vom Morgen war verschwunden und nun schien wieder die Sonne. Es war schon September, doch der Sommer hielt sich hartnäckig. Auf der anderen Seite der Straße sah sie Frank und Miriam in ihrem Garten. Nina ging ein paar Schritte die Treppe hinunter, den gepflasterten Weg entlang, bis zum Briefkasten. Nicht um hineinzuschauen, die Zeitung hatte sie ja bereits geholt und samstags kam auch gar keine Post. Trotzdem öffnete sie die Klappe und tat so, als sähe sie hinein. Dabei schielte sie hinüber zu dem Auto, das auf der anderen Straßenseite vor dem unbewohnten Haus parkte. Nachdem sie den Briefkasten so eingehend inspiziert hatte, dass es peinlich zu werden drohte, schloss sie wieder ab und begab sich stattdessen zum Zaun, wo sie an einem losen Brett rüttelte. Sie seufzte laut und deutlich, als hätte sie soeben erst bemerkt, dass es wackelte. Ganz nebenbei nahm sie wahr, dass einer der zwei Männer wieder auf dem Weg zum Wagen war. Als er am Auto stand, sah sie auf.

»Hallo!«, grüßte sie.

»Hallo.« Der Mann öffnete die Ladeklappe, ohne sie weiter zu beachten. Er trug einen Bart und ausgebeulte Jeans mit kariertem Hemd.

»Sind Sie die neuen Nachbarn?«

»Nein.« Er sprang auf die Ladefläche.

Nina wartete, dass er fortfuhr, doch er schwieg. »Wissen Sie denn, wer hier einziehen wird?«

»Ja.« Dann begann er, ein paar Kartons, die ganz hinten standen, nach vorn zu bugsieren. Er schien nicht gerade gesprächig zu sein.

»Ist es eine Familie mit Kindern?«

»Nein.«

»Ein älteres Paar?«

»Nein.« Als er den nächsten Karton vorgezogen hatte, stieg er noch weiter hinein in den Laderaum. Dann tauchte er mit einem großen schwarzen Sack über der Schulter wieder auf.

»Aber wer kommt denn dann?«

»Da müssen Sie sie schon selber fragen.« Und er wies Richtung Straße, wo in dem Moment ein kleines rotes Auto um die Ecke bog. Es kam auf sie zu und parkte hinter dem Pick-up. Es war ein alter Renault. Die Kotflügel waren voller Rostlöcher und der Rücksitz quoll über vor Kartons und Plastiktüten. Als die Tür an der Fahrerseite aufging, hatte Nina schon völlig vergessen, ihre Neugierde zu tarnen. Stattdessen stand sie wie angewurzelt da, noch immer die Kaffeetasse in der Hand, und starrte die Frau an, die aus dem Wagen stieg.

Miriam drehte sich zu Frank um, der auch innehielt und sich auf seine Harke stützte. Sie zog fragend die Augenbrauen hoch und nickte dabei diskret in Richtung Nachbargrundstück. Frank zuckte mit den Schultern. Miriam sah wieder zurück zu der Frau, die soeben aus dem kleinen roten Auto gestiegen war.

Wie alt mochte sie sein? Schwer zu sagen. So in den Vierzigern? Älter? Jünger? Ihre Kleidung war kein Anhaltspunkt. Sie trug Jeans und so eine Strickjacke mit Kapuze, dazu ganz normale Turnschuhe. Trotzdem zog sie alle Blicke auf sich. Lag es vielleicht an den Haaren? Ihr langer, hennarot gefärbter Zopf war lässig im Nacken zusammengebunden. Ein paar Strähnen hatten sich gelöst, sodass sie sich besonders die eine, die ihr ins Auge fiel, immer wieder aus dem Gesicht streichen musste. Miriam starrte sie entgeistert an. Sollte das etwa ihre neue Nachbarin sein?

Die Frau stand nun da und unterhielt sich mit den beiden Männern, die den Umzugswagen gefahren hatten. Sie fuchtelte mit den Armen und zeigte hierhin und dorthin. Was sie sagte, war nicht zu verstehen, aber die Männer nickten und kurz darauf begannen sie alle drei, verschiedene Dinge ins Haus zu schleppen.

Miriam warf einen Blick über die Straße und sah Nina Heinonen mit einer Kaffeetasse am Briefkasten stehen. Miriam wäre gern zu ihr hinübergegangen und hätte sie gefragt, ob sie irgendetwas gehört habe, doch sie ließ es sein. Was würde das für einen Eindruck machen! Als wäre sie eine dieser Tratschtanten, die überall herumliefen und tuschelten. Stattdessen ging sie zu Frank hinüber, der noch immer an seiner Harke lehnte.

»Hast du das gesehen?«, fragte sie ihn leise. Frank nickte. »Meinst du wirklich, das ist die neue Besitzerin?«

»Es sieht ganz danach aus.«

Miriam schüttelte bedächtig den Kopf. »Ich frage mich, ob Bibi und Jan-Åke wissen, wem sie da ihr Haus verkauft haben.«

»Das hat sicherlich der Makler abgewickelt. Und sie waren bestimmt nicht in der Lage, es sich aussuchen zu können.«

»Stimmt, da hast du sicher recht.«

Miriam sah über die Hecke und beobachtete, wie die zwei Männer eine große, schwarze Kiste trugen. Sie schien schwer zu sein. Die Frau kam wieder aus dem Haus heraus. Jetzt hatte sie die Strickjacke ausgezogen und sich ein lilafarbenes Tuch um den Kopf gebunden. Sie trug ein schwarzes, ärmelloses T-Shirt. Auf dem Weg zum Wagen wechselte die Frau mit den beiden Männern ein paar Worte. Kurz darauf sah man sie wieder ins Haus gehen, dieses Mal mit einem Korbstuhl beladen, auf dem eine Papiertüte lag. Als sie mit Miriam und Frank auf einer Höhe war, blieb sie mit einem Mal stehen und setzte den Stuhl ab. Dann kam sie vor an die Hecke.

»Hallo«, sagte sie. Ihre Stimme klang etwas heiser. »Ich bin Ihre neue Nachbarin.« Sie streckte den Arm über die akkurat geschnittenen Zweige. »Jeanette Falck.«

Miriam gab ihr die Hand. »Ich bin Miriam Larsson und das ist mein Mann Frank.«

Frank war nun auch dazu gekommen und grüßte. »Herzlich willkommen!«

»Danke. Ich bin froh, wenn ich das hinter mir habe. Umziehen ist wirklich die Hölle.«

Miriam lächelte etwas geniert. Jetzt fluchte sie auch noch. »Ja, das kann ich mir vorstellen«, antwortete sie. Aus der Nähe konnte sie sich ein viel besseres Bild von ihr machen. Ihre neue Nachbarin war nicht direkt hübsch, doch ihr Gesicht hatte etwas Besonderes. Die Nase länglich und leicht geschwungen, ihr Mund klein, aber die Lippen voll. Sie hatte Katzenaugen, grüngrau und etwas schräg. Am Haaransatz konnte man ihre natürliche Haarfarbe erahnen, sie musste ursprünglich blond sein. Ihr Aussehen gab auf den ersten Blick keinen Aufschluss über ihr Alter, doch wenn man die Falten betrachtete, konnte man schließen, dass sie um die Vierzig sein musste, vielleicht auch ein paar Jahre darüber. Was sie nicht davon abhielt, keinen BH zu tragen, denn ihre Brust zeichnete sich unter dem dünnen T-Shirt deutlich ab.

Frau Falck wollte gerade ihren Korbstuhl wieder anheben, da nahm Frank den Gesprächsfaden auf.

»Woher kommen Sie denn?«

Unweigerlich bemerkte Miriam, wie sein Blick an ihren Brustwarzen hängen blieb.

»Von überall und nirgends.« Sie lachte laut. »Geboren bin ich in Örebro, aber es ist Jahre her, dass ich dort gewohnt habe. Ich bin viel herumgereist. Im Ausland«, fügte sie hinzu. »Ich hatte schon lange keine feste Adresse mehr.«

»Ach so.« Frank sah sie skeptisch an. »Und jetzt ... werden Sie hier in Sävesta arbeiten?« Miriam sah, wie er sich bemühte, wieder in ihr Gesicht zu schauen.

»Ja, das will ich doch hoffen.« Sie musste wieder lachen.

»Und was sind Sie von Beruf?« Frank ließ nicht locker.

Miriam hoffte inständig, er würde aufhören. Es war nicht besonders höflich, die neue Nachbarin derart auszufragen, doch sie schien es ihm nicht übel zu nehmen.

»Ich bin selbständig.« Sie zögerte einen Moment, dann fügte sie hinzu: »Consultant«. Daraufhin lächelte sie, drehte sich um und nahm wieder ihren Korbstuhl. Die Papiertüte auf dem Sitzkissen kippte, als sie das Möbelstück anhob, doch es gelang ihr, sie in Schach zu halten.

»Und Ihre Familie?« Miriam konnte sich diese letzte Frage nicht verkneifen.

»Wie bitte?« Die Frau im T-Shirt sah sie fragend an.

»Ihr Mann kommt wohl später nach?«

Jeanette Falck schmunzelte. »Das wird sich zeigen. Noch habe ich ihn nicht gefunden.«

Dann zog sie mit dem Stuhl davon. Miriam und Frank blieben an der Hecke stehen und sahen ihrer neuen Nachbarin hinterher. Die Umzugshelfer kamen wieder vorbei. Sie schleppten etwas Schweres und Unförmiges. Eine Art breites, hohes Eisentor, mit Messingknöpfen besetzt und geschnitzten Verzierungen. Miriam hielt die Luft an, als der Groschen fiel. Es waren Teile eines Bettes. Und die machten nicht gerade einen seriösen Eindruck.

Miriam schluckte und warf Frank einen vielsagenden Blick zu. Eines stand fest, was die neue Nachbarin betraf. Mit ihr würde es anders werden als mit Bibi und Jan-Åke.

Ich habe immer bezweifelt, dass sie einen Käufer finden.«

»Offensichtlich mussten sie mit dem Preis runtergehen. Ich glaube, fast dreihunderttausend Kronen.«

»Es war auch in keinem guten Zustand.«

»Das war aber unser Haus auch nicht.«

»Aber wir haben mehr Möglichkeiten. Überleg mal, das große Grundstück und der Kamin. Das andere kam mir so beengt vor. Und im Keller war so ein modriger Gestank.« Ellinor schüttelte sich, als hätte sie den Schimmelgeruch noch in der Nase.

Wille stand auf und ging hinüber zum Herd. »Darf ich den Rest nehmen?«

»Ja, gerne.«

Wille füllte seinen Teller mit Penne Pesto und stellte ihn in die Mikrowelle. »Wie war denn heute dein Tag?«

»Ganz gut. Nichts Besonderes. Am Nachmittag hat Albin gebrochen, dass ich erst Angst hatte, er hätte sich einen Virus geholt. Aber es blieb bei dem einen Mal. Vielleicht hat er etwas Falsches gegessen.«

»Bestimmt.«

Die Mikrowelle surrte und Wille nahm seinen Teller heraus und trug ihn auf den Esstisch. Ellinor beobachtete ihn, wie er die ersten Löffel hineinschob. Er schien richtig ausgehungert zu sein.

»Und bei dir?«, fragte sie und setzte sich auf den Stuhl gegenüber.

»Stressig.« Er schluckte und wischte sich mit einem Stück Küchenrolle etwas Öl von der Lippe. »Ich muss den Monatsabschluss fertig bekommen. Eigentlich hätte ich ihn schon letzte Woche abgeben sollen, aber da fehlten noch ein paar Zahlen. Es kann sein, dass ich in dieser Woche ein paar Abende dranhängen muss, um es zu schaffen.«

Ellinor zog die Augenbrauen hoch, sodass zwischen ihnen eine tiefe Falte entstand. »Muss das wirklich sein, dass du Überstunden machst, um deine ganz normalen Aufgaben zu erledigen? Ich dachte, Forsvik hätte eine Unternehmenskultur, die Rücksicht auf Arbeitnehmer mit kleinen Kindern nimmt.«

»Schon. Aber was soll ich tun? Der Abschluss muss fertig werden und das ist mein Arbeitsgebiet. Vielleicht bin ich einfach zu langsam.«

»Meinst du?«

Wille seufzte. »Nein. Aber ich habe eigentlich keinen Grund, mich zu beschweren. Zumindest jetzt noch nicht. Erst muss ich zeigen, was ich kann, bevor ich Forderungen stelle.«

»Und wie lange wird das dauern?« Ellinor erwartete darauf keine Antwort. Die Diskussion war nicht neu. Wille musste sich jetzt profilieren, das war ihr klar. Aber an Tagen wie heute kam er so spät nach Hause, dass Albin schon schlief und sie eingeschnappt vor dem Fernseher hockte. Da war es nicht leicht, noch Verständnis aufzubringen. Sicher, sie waren sich einig gewesen, dass sie anfangs die Verantwortung für Albin übernehmen und dafür später zum Zug kommen sollte. Aber so wie es jetzt war, hatte sie es sich nicht gerade vorgestellt.

Sie seufzte. Irgendwie musste sie sich mit der Situation arrangieren. Man konnte froh sein, eine Stelle bei Forsvik zu bekommen, in den Wirtschaftszeitungen wurde das

Unternehmen immer hochgelobt, aber Wille war eben neu und musste sich beweisen, einsatzbereit und motiviert sein. Sie kannte es ja nur zu gut, bei Björklund & Schultz war es nicht anders gewesen. Eine normale Arbeitswoche hatte um die sechzig Stunden. Mindestens. Das war eine Tatsache und dafür gab es auch kein Dankeschön.

Zu Beginn ihrer Schwangerschaft war sie manchmal derart müde gewesen, dass sie am Schreibtisch eingeschlafen war. Und als sie ihren Vorgesetzten mitgeteilt hatte, dass sie schwanger war, wurde diese Neuigkeit nicht gerade überschwänglich aufgenommen. Björklund & Schultz den Rücken zu kehren, war ihr nicht schwer gefallen. Die Arbeit selbst hatte ihr Spaß gemacht, denn sie fand Gesellschaftsrecht wirklich spannend, aber Stefan Björklund und George Schultz führten die Kanzlei im konservativen Stil. Dass deren Ehefrauen keinerlei Ambitionen hatten, Karriere zu machen, und ihnen zu Hause die Putzfrauen und Kindermädchen die Arbeit abnahmen, hatte sie schnell begriffen.

Wille wechselte das Thema. »Hast du eigentlich die neuen Nachbarn gesehen?«

»Ich glaube, es ist nur eine. Eine Frau. Ich bin ihr begegnet, als ich mit Albin spazieren war.«

»Und?«

»Na ja, was soll ich sagen? Scheint etwas originell.«

»Wie meinst du das?«

»Weiß ich auch nicht so genau. Ich habe sie ja nur im Vorbeigehen gesehen. Rote Haare, so ein Boheme-Typ. Aber Frau Larsson meinte, sie sei ziemlich eigenartig.«

»Inwiefern?« Wille war wirklich interessiert.

»Allein die Tatsache, dass sie ganz alleine einzieht. Warum mietet sie dann ein ganzes Haus?«

»Aber Ellinor, es gibt doch wohl kein Gesetz, das besagt,

man muss in einer Wohnung wohnen, nur weil man alleinstehend ist.« Wille amüsierte sich. »Vielleicht mag sie einfach das Leben in einem Haus und wühlt gern im Garten und so.«

»Ja, das kann schon sein …«

»Und woher kommt sie?«

»Ich glaube, es hieß von Örebro.«

»Soso.« Wille warf einen Blick auf die Küchenuhr. »Ich würde jetzt gern schauen, was es im Fernsehen gibt. Kommst du mit?«

»Ja, ich komme gleich.« Ellinor stand auf und ließ Wasser in den Topf, der auf dem Herd stand, während Wille schon auf dem Weg ins Wohnzimmer war. Auf dem Esstisch stand nach wie vor der leere Pastateller.

Miriam hatte das Rezept in einer Zeitschrift entdeckt. Mit Lammhaschee gefüllte Paprika, dazu Naturreis und kalter Gurkenjoghurt. Sie selbst fand es wirklich gelungen, doch Frank hatte nur etwas vor sich hin gemurmelt, als sie nachgefragt hatte. Sie hatte anschließend die Küche aufgeräumt und nun saßen sie beide im Wohnzimmer vor dem Fernseher. Frank im Sessel, sie auf dem Sofa. Aus dem Augenwinkel heraus betrachtete sie ihn. Müde sah er aus. Wie immer, wenn er nach Hause kam. Dieses Mal hatte er nicht so weit fahren müssen, aber immerhin hatte er in drei Tagen Jönköping, Värnamo, Växjö, Kalmar und auch noch Oskarshamn besucht. Jede Menge Kaffeemaschinen, die Service benötigten.

Manchmal machte sie sich richtig Sorgen um ihn; als Vertreter zu arbeiten, war anstrengend. Sie hatte ihm einmal vorgeschlagen, auf eine Stelle im Büro zu wechseln, doch das wäre ein Rückschritt gewesen. Frank wollte kein Wort davon hören. Es gefiel ihm, unterwegs zu sein und Kunden zu besuchen, argumentierte er. Und das Wichtigste an der Arbeit war doch, dass sie Spaß machte. Das musste auch Miriam einsehen.

»Susanne hat heute angerufen«, erzählte sie, und Frank sah nur widerwillig vom Fernseher auf.

»Ach ja, wie geht es ihr denn?«

»Gut. Am Wochenende ist sie in New York gewesen.«

»Tatsächlich.«

»Ja, es hat ihr wohl Spaß gemacht. Sie sagte, sie war shoppen.«

Frank nickte relativ uninteressiert und richtete seine Aufmerksamkeit wieder auf die Nachrichtensendung. Miriam ließ es dabei bewenden. Sie selbst hatte alles über diesen Ausflug wissen wollen und ihrer Tochter tausend Fragen gestellt, sodass Susanne über jeden Einkauf genau Bericht erstattete. Miriam interessierte sich für alle Details, es gab ihr das Gefühl, ihrer Tochter nahe zu sein, obwohl sie so weit weg war. Sie wollte wissen, wie Susannes Alltag ablief. Was sie aß, welche Filme sie im Kino sah, mit wem sie mittags Essen ging. Susanne stöhnte immer wieder über die Neugierde ihrer Mutter, doch sie gab brav Auskunft. Vielleicht durchschaute sie es, dass das einfach daran lag, dass ihre Mutter sie vermisste. Frank war völlig anders. Er wollte in erster Linie wissen, wie es bei der Arbeit lief. Und natürlich, wie lange sie fort sein würde.

Obwohl Frank seinen Blick nicht vom Fernseher abwandte, fuhr Miriam fort zu erzählen. »Und dann hat sie die Vertretung offenbar verlängert«, sagte sie und bemühte sich, ihre Enttäuschung zu verbergen.

Frank sah auf. »Und das heißt?«

»Ich bin mir nicht sicher, aber ich glaube, noch einmal sechs Monate. Derjenige, den sie vertritt, kommt im Herbst zurück in die USA, aber jetzt nimmt ein anderer Mitarbeiter am Institut eine Elternzeit. Und so wird wieder eine Stelle frei.«

»Ach, das ist ja schön.« Frank war stolz auf seine Tochter, auch wenn sie beide über ihre Berufswahl gestaunt hatten. Er redete oft von ihr, auch wenn Miriam sich nicht erinnern konnte, dass er Susanne selbst einmal gelobt hatte.

»Ja.« Mehr fiel Miriam nicht ein. Susanne rief meist einmal im Monat an und sie selbst auch. Die Tochter fehlte ihr, doch es war tröstlich zu wissen, dass sie dort glücklich war. Ihr war nichts aufgefallen, was darauf hinwies, dass Susanne Heimweh nach Schweden hatte.

Susanne hatte an der Universität von North Carolina einen Forschungsauftrag. Anfangs war es ein Stipendium der Universität Lund gewesen, wo sie Biochemie studiert hatte, doch als ihr Projekt dort abgeschlossen war, hatten sie ihr eine Stelle für weitere sechs Monate angeboten. Nun schien sich ihr Aufenthalt also nochmals um ein halbes Jahr zu verlängern. Natürlich war es für sie wunderbar, dass man ihre Arbeit so schätzte, doch Miriam machte sich viele Gedanken um ihre Tochter, sie konnte nun einmal nicht aus ihrer Haut.

Susanne würde dieses Jahr sechsunddreißig werden und soweit Miriam informiert war, hatte sie keinen festen Partner. Eine Weile war von einem Richard die Rede gewesen, doch schon ein paar Monate lang war der Name nicht mehr gefallen, sodass Miriam vermutete, dass er nicht mehr aktuell war.

Sie versuchte einzusehen, dass ihre Tochter ihr Leben nach ihren Vorstellungen führte und eben die Arbeit für sie an erster Stelle stand, aber gleichzeitig wollte sie die Hoffnung auf weitere Enkelkinder nicht aufgeben. Jenny und Matilda, die zwei Töchter von Christer, waren ja schon so groß. Jenny war neun und Matilda demnächst elf. Da Christer und Veronika ihre Kinder sehr jung bekommen hatten, war sie oft zur Stelle gewesen, um ihnen unter die Arme zu greifen. Wie hatte sie diese Zeit genossen! Und jetzt sollte es damit vorbei sein? Veronika hatte ihr deutlich zu verstehen gegeben, dass sie ihr Soll erfüllt hatte, also musste sie nun auf Susanne hoffen. Aber es ging auch gar nicht nur um sie selbst. Auch für Susanne hätte sie sich gewünscht, dass sie bei jemandem ein Zuhause fand und das

Glück erleben durfte, Mutter zu werden und eine Familie zu gründen. Doch dieses Thema war heikel. Immer wenn sie darauf kamen, was nicht oft der Fall war, gab Susanne ihr deutlich zu verstehen, dass sie keine Lust hatte, darüber mit ihrer Mutter zu diskutieren.

Miriam wandte sich nun auch zum Fernseher um und saß eine Weile schweigend davor. Der Bericht darüber, wie zwei Gemeinden in Schonen kooperierten, um zu verhindern, dass die »Demokraten für Schweden«, diese Rechtsextremisten, noch mehr Einfluss in der Region erhielten, interessierte sie eigentlich nicht. Miriam stand auf.

»Eine Tasse Kaffee, Frank? Oder hast du für heute genug?«

»Nein, eine Tasse täte gut.« Frank machte es sich auf dem braunen Ledersofa nun so richtig bequem und legte die Füße auf dem grau getönten Glastisch ab. Aus der Brusttasche seines Hemdes zog er ein Paket Prince und klopfte eine Zigarette heraus. Miriam ärgerte sich, als sie das sah. Sie wollte nicht, dass er im Haus rauchte. Der Rauch brannte ihr in den Augen und hing überall, in den Gardinen und den Teppichen. Man brauchte Tage, bis man so lange gelüftet hatte, dass er verschwand. Normalerweise hätte sie ihn davon abzubringen versucht, doch da er gerade erst nach Hause gekommen war, hielt sie an sich.

Also setzte sie in der Küche den Kaffee auf und stellte zwei Tassen auf ein Tablett mit Blumenmuster. Aus einer Plastikdose nahm sie ein paar Haferkekse und legte sie auf einen Teller. Sie ließ sich auf einem Küchenstuhl nieder und wartete, dass das Kaffeewasser kochte.

Draußen war es dunkel, aber die Straßenlaternen leuchteten und in den Fenstern ringsum in den Straßen sah man das helle Licht von Lampen und Dekorationen. Auf der anderen Straßenseite konnte sie in die beleuchtete Küche von Nina Heinonen sehen. Ihr Sohn Matthias saß dort und beugte sich über den Küchentisch. Es schien, als sei er beschäftigt, vielleicht las er etwas. Machte er Hausaufgaben? Im Haus neben Heinonens war auch Licht. Es kam aus dem Wohnzimmer, wahrscheinlich saß die Familie vor dem Fernseher. Wenn die Kinder nicht schon im Bett waren. Die älteste von den Mädchen war ja auch gerade erst acht und es war schon spät geworden.

Dann schaute Miriam in die andere Richtung, über die Hecke zum Nachbarhaus. Viel hatte sie von der neuen Nachbarin noch nicht gesehen. Normalerweise würde sie sie mit einer Einladung zum Kaffee willkommen heißen, doch etwas hielt sie davon ab. Diese Frau war ihr einfach nicht geheuer. Sie grüßten zwar aus Höflichkeit, wenn sie sich vor der Haustür begegneten, aber seit ihrem Einzug hatte sich keine Gelegenheit zu einer Unterhaltung mehr ergeben. Na ja, man musste seine Nachbarn ja nicht alle ins Herz schließen. Das Wichtigste war, dass man sich nicht gegenseitig belästigte.

Miriam wollte gerade aufstehen, als sie ein Auto die Straße entlangfahren sah. Ihr kamen weder Farbe noch Modell bekannt vor, daher wunderte es sie nicht, als das Auto genau vor Jeanette Falcks Haus anhielt. Sie sah eine Person aussteigen, aber da das Baubetriebsamt sich noch nicht um die kaputte Straßenlaterne vor dem Haus gekümmert hatte, konnte sie nur wenig erkennen. Nachdem die Person das Auto abgeschlossen hatte, ging sie eilig den Weg durch den Vorgarten. Miriam wusste genau, wie jetzt der vertraute Gong an der Haustür ihrer Nachbarin klang. Neugierig beobachtete sie, wie sich die Tür öffnete und der Gast eintrat. Sie sah noch eine Weile hinüber, aber das Einzige, was passierte, war, dass jemand die Jalousien im Wohnzimmer herunterließ und es vor dem Haus wieder dunkel wurde.

Ein gurgelnder Laut erinnerte sie daran, dass sie das Wasser aufgesetzt hatte und sie stand auf, um den Kaffee aufzubrühen. Dann trug sie das Tablett ins Wohnzimmer und stellte es auf dem Tisch ab. Gerade hatte sie begonnen, Frank von ihren Beobachtungen zu erzählen, da schaute er plötzlich vom Fernseher auf und fiel ihr ins Wort.

»Miriam, wärst du so lieb und holst mir einen Aschenbecher?«, bat er und hielt die glühende Zigarette demonstrativ in die Luft, um ihr zu zeigen, wie viel Asche gerade auf den Sessel zu fallen drohte. Ohne ihre Antwort abzuwarten, griff er nach einer Kaffeetasse und drehte sich wieder zum Nachrichtensprecher um. Offensichtlich waren im Irak schon wieder bewaffnete Auseinandersetzungen im Gange.

Nina saß im Bus. Sie war mit Camilla in der Stadt verabredet. Jeden Freitag war im Kronan Disco und da Nina beim letzten Mal kurzfristig abgesagt hatte, war dieser Abend ihr Vorschlag zur Wiedergutmachung gewesen. Ins Kronan zu gehen, versprach immer einen Abend voller Spaß. Auch wenn die Musik, die die Bands dort spielten, nicht gerade hip war und das Publikum sehr gemischt. Bislang hatten Camilla und sie sich dort noch immer ordentlich amüsiert.

Nina hatte ihren neuen schwarzen Rock angezogen, den sie im Sommerschlussverkauf gefunden hatte, und hochhackige Stiefel. Dazu eine grüne Volantbluse. Die war zwar schon ein paar Jahre alt, aber sie hatte am Abend zuvor noch ein paar kleine blaue und silberne Perlen an den Ausschnitt genäht. Mehrere Stunden hatte sie damit zugebracht, doch das Resultat konnte sich sehen lassen und für ein paar Kronen hatte sie das langweilige alte Oberteil in ein glitzerndes Partyblüschen verwandelt. An ihren Ohren baumelten Ohrringe mit den gleichen Perlen. Sie waren noch übrig geblieben und beim Nähen war ihr die Idee gekommen, sie dafür zu verwenden.

Schminken wollte sie sich erst bei Camilla. Das war ein altes Ritual: gemeinsam vor dem kleinen Badezimmerspiegel zu stehen und sich gegenseitig anzustacheln, den etwas dunkleren Lidschatten aufzulegen und extra Lip Gloss aufzutragen. Wie damals, als sie noch Teenies waren.

Nina stieg an der Västra Parkgata aus und ging den kurzen Weg zu Camillas Haus zu Fuß. Obwohl sie nur in den zweiten Stock musste, nahm sie den Aufzug. Ihre Stiefel drückten besorgniserregend an den kleinen Zehen. Vielleicht sollte sie lieber gleich Pflaster darüber kleben, um den Abend nicht zu ruinieren?

»Hallo, komm rein!« Camilla stand in der Tür und umarmte sie, vorsichtig, um den Wein nicht zu verkippen, den sie in der Hand hielt. Nina trat ein, legte ihre Lederjacke ab und holte ein Fläschchen aus ihrer Handtasche hervor.

»Hier, für dich, ein Souvenir aus Griechenland.«

»Oh, vielen Dank!« Camilla warf einen skeptischen Blick auf das Etikett. »Ouzo?«

»Echter griechischer.«

»Schmeckt nach Lakritz, oder?«

»Mmh.«

»Trinkt man den einfach so?«

»Mit Eis. Oder als Longdrink mit Soda.«

Camilla zögerte. »Wollen wir ihn öffnen und probieren? Ich hätte sonst auch noch Wein da.«

»Wein ist perfekt.« Nina hatte nichts anderes erwartet. Camilla war kein Mensch für Experimente, zumindest nicht beim Essen und Trinken. Na ja, wenn man Ouzo als Experiment bezeichnen wollte.

Nina machte es sich auf dem Sofa bequem und Camilla setzte sich zu ihr, nachdem sie ein zweites Weinglas geholt hatte. Auf dem Couchtisch stand ein Schälchen mit Käsestangen und ein zweites mit Chilinüssen.

Seit Nina denken konnte, war es so, wenn Camilla und sie sich trafen. Sie redeten über Männer, tranken ein Glas und gingen aus. Jetzt steuerten sie auf die Vierzig zu, sie waren immerhin schon achtunddreißig, und Nina fragte sich manchmal, ob das in den nächsten fünfundzwanzig Jahren so weiterginge. Ob es nicht langsam an der Zeit wäre, erwachsen zu werden. Kunstausstellungen anzuschauen, Literaturkreise zu veranstalten und Busreisen nach Holland zu unternehmen. Aber richtig vorstellen konnte sie sich das nicht. Sie lächelte, als Camilla das Glas erhob.

»Na dann Prost! Auf das Jagdglück …«

»Prost!«

Der Wein war nicht besonders. Vielleicht eine Spur besser als der französische Landwein, den sie mit vierzehn noch getrunken hatten, aber nicht wesentlich. Camilla lag nicht viel daran, ihr Geld für guten Wein auszugeben. Sie schmecke sowieso keinen Unterschied, meinte sie, aber Nina kannte sie zu gut, um zu wissen, dass auch ein gewisser Geiz der Grund dafür war.

»Wärst du noch so lieb, dich um meine Haare zu kümmern?«, säuselte Camilla und grinste breit. Diese Frage hörte Nina nicht zum ersten Mal. Sie war vielmehr gang und gäbe.

»Keine Verschnaufpause …« Nina seufzte extra laut. »Dann hol mal einen Kamm und Haarspray. Oder Wachs oder Gel oder was du willst«, rief sie hinterher, als Camilla schon auf dem Weg nach oben war. »Und mach das Plätteisen an!«

»Wird gemacht!«

Kurze Zeit später erschien Camilla wieder und legte alle Utensilien auf den Couchtisch. Dann setzte sie sich. Nina begann, Camillas blondes, welliges Haar durchzubürsten. Sie nahm sich Lage für Lage vor, toupierte und sprühte. Als Camillas Haarschopf aussah wie ein Vogelnest, fing sie an, die Haare vorsichtig wieder herunterzukämmen. Am Ende sahen sie genauso aus, hatten aber ungefähr doppelt so viel Volumen wie zuvor. Vor dem Flurspiegel legte Nina noch einmal letzte Hand an. Mit dem Plätteisen glättete sie die

Spitzen ganz leicht und fixierte sie mit etwas Haarwachs. Schließlich kam noch eine Lage Haarspray darüber und sie ermahnte Camilla, die Finger aus den Haaren zu lassen, bis alles getrocknet war.

»Du bist wirklich ein Genie!«, rief Camilla begeistert, als sie das Ergebnis im Spiegel bestaunte. »Warum wohnst du eigentlich nicht hier und machst das jeden Morgen?«

»Meinst du, du könntest dir das leisten?«, feixte Nina.

»Ach komm, von einer alten Freundin würdest du doch nichts kassieren!«

Sie gingen zurück ins Wohnzimmer.

»Ja, was wollen wir denn nun mit dem Abend anfangen?«

»Ach, das übliche Programm, oder? Pelle Gradén gibt einen Gin Tonic aus und zieht über seine Ex-Frau her, Mia Bengtsson beschwert sich über ihren Ex-Mann – allerdings ohne Gin Tonic, Jonas Vängman lässt sich volllaufen und macht plumpe Annäherungsversuche und du gehst mit Ola Martinsson heim …«

»Tue ich nicht!«

»Nein, natürlich nicht, irgendwann wirst du es schaffen.«

»Ehrlich, das letzte Mal liegt mindestens ein halbes Jahr zurück, das war noch vor dem Sommer.«

»Na, dann hättest du bestimmt mal wieder Lust …?«

»Hör auf! Ich meine das total ernst.«

Nina sah ihre Freundin mitleidig an. Camilla trank einen Schluck Wein und ignorierte ihren Blick. Sie kannte Ola ungefähr seit Ninas Trennung von Jens vor sechs Jahren. Seitdem ging es hin und her. Und in der ganzen Zeit war er noch verheiratet, deshalb fand Nina, dass er sich wie ein Schwein benahm. Sowohl Camilla als auch seiner Frau gegenüber. Außerdem wusste sie, dass ihre Freundin sich immer noch Hoffnungen machte, auch wenn Camilla das nie zugeben würde, was die Sache noch verschlimmerte. Wenn Ola wirklich zu dem stand, was er sagte, dann sollte er jetzt in die Puschen kommen. Camilla wünschte sich Kinder und die biologische Uhr tickte.

Eigentlich komisch. Zwischen Camillas Leben und ihrem lagen Welten. Ihr Sohn Matthias war mitten in der Pubertät und die Vorstellung, mit einem neuen Mann und einem weiteren Kind noch einmal von vorn anzufangen, lag ihr völlig fern. Sie war glücklich geschieden, auch wenn Jens und sie jahrelange Auseinandersetzungen hinter sich hatten, bis sie sich dazu durchringen konnten, sich zu trennen. Eigentlich war es von Anfang an schwierig gewesen. Sie waren ja auch grundverschieden. Wäre sie nicht so schnell schwanger geworden, dann wären sie vermutlich gar nicht zusammengeblieben. Jens war so langsam in vielem und das regte sie furchtbar auf. Sie wollte Leben und Action haben, sie wollte reisen und etwas unternehmen, doch er konnte dem meist nichts abgewinnen. Manchmal hatte sie das Gefühl, seine Trägheit hielt das wahre Leben von ihr fern. Enthusiasmus entwickelte er nur dann, wenn es um Motorräder ging. Er konnte Stunden in der Garage verbringen und an seiner alten BSA herumbasteln.

Und schließlich sagte sie es ihm offen. Ihre Liebe war irgendwo auf dem Weg verloren gegangen. Das war kurz vor Matthias' zehntem Geburtstag und sie hatten sich immerhin darauf einigen können, dass er nicht unter die Räder kommen sollte und weiterhin bei Nina wohnen würde. Nicht dass Jens ein schlechter Vater gewesen wäre, aber die Geborgenheit fand Matthias bei Nina. Sie durfte auch das Haus behalten. Am Anfang hatte sie noch darüber nachgedacht wieder auszuziehen, weil der Gedanke beklemmend war, mit zwei Dritteln der Familie übrigzubleiben.

Aber Matthias zuliebe wollte sie es wenigstens versuchen und ganz entgegen ihren Befürchtungen fühlte sie sich dort nun wohl.

Es dauerte nicht lange, da hatte Jens auch schon eine Neue und als er mit Eva zusammenzog, war Nina die Erste, die ihnen gratulierte. Eva war genau das Gegenteil von ihr: Sie war Hebamme, völlig gelassen, und liebte es, vor dem Fernseher zu sitzen und zu stricken. Kurzum, das perfekte Paar. Und Matthias fühlte sich bei ihnen wohl, wenn er das Wochenende dort verbrachte. Besonders seit die Zwillinge auf der Welt waren.

Sie selbst war, von ein paar kürzeren Episoden abgesehen, Single geblieben. Das war für sie auch völlig okay, als alleinerziehende Mutter hatte sie weder Zeit noch Lust, sich mit Beziehungsproblemen herumzuschlagen. Aber das Leben veränderte sich, Matthias wurde erwachsen. In Griechenland war es ihr so bewusst geworden. Als ihr Sohn die Abende mit immer neuen Bekanntschaften verbrachte, während sie selbst allein auf dem Balkon oder in einer Bar zurückblieb, da fehlte es ihr an Gesellschaft. Männlicher Gesellschaft. Sie hatte versucht, dieses Gefühl abzuschütteln, doch auch nach ihrer Heimkehr hatte es sich irgendwie festgesetzt.

»*Make-up time?*« Camilla trank ihr Glas aus und stand auf. Nina folgte ihr ins Bad. Eine halbe Stunde später waren sie fertig und betrachteten das Gesamtergebnis in dem großen Spiegel, der im Flur hing. Nina versuchte noch, die schwarze Farbe um die Augen ein bisschen wegzuwischen. Sie wollte hübsch aussehen, nicht billig.

Dann zogen sie die Jacken über und machten sich auf den Weg zum Restaurant Kronan.

Die Musik war eigentlich durchschnittlich, doch Nina schloss die Augen und ließ sich treiben. Links, rechts, links, links. Rechts, links, rechts, rechts …

Die Stimme des Sängers klang schwammig und nichtssagend. Er sang von einem Platz in der Sonne, von Palmen und Sand zwischen den Zehen. *Hier ist unser Paradies, unser Strand, wo die Nacht so warm ist wie deine Hand …*

Der Mann, mit dem sie tanzte, beugte sich zu ihr und sagte etwas, das sie nicht richtig verstehen konnte. »Du bist schön«, wiederholte er, nachdem er ihren fragenden Blick gesehen hatte.

»Danke.«

»Wie heißt du?«

»Nina. Und du?«

»Thomas. Thomas Linge.« Sein Pony fiel ihm ins Gesicht und durch die Hitze wellten sich seine Haare über den Ohren. Er sah nett aus. Nicht außergewöhnlich gut und einen Bauchansatz hatte er auch, aber er hob sich eindeutig vom Durchschnitt ab. Nach ein paar Tänzen zu Beginn des Abends war er wieder auf sie zugekommen und nun waren sie schon beim fünften Song am Stück. Er war ein guter Tänzer, und nach ein paar Liedern Jive war ihr Puls ordentlich auf Touren. Jetzt tanzten sie wieder Wange an Wange, und als das Lied ausklang mit der schmachtenden Zeile *Wir gehören zusammen wie Welle und Strand, wie Sterne und Himmel, wie Wasser und Sand,* spürte sie, wie Thomas sich fest an sie drückte und eine Hand über ihren Nacken gleiten ließ. Nur ein paar massierende Bewegungen waren genug – und sie war sofort wieder wach. Und spürte die Lust vom Nacken ausgehend durch ihren ganzen Körper fließen. Er nahm ihre Hand und sie verließen die Tanzfläche. Einen Moment lang standen sie schweigend an der Bar. Sie wusste, dass man das eigentlich nicht fragte, aber in dem Moment waren ihr die Spielregeln völlig egal.

»Willst du mit zu mir kommen?« Sie lehnte sich wieder an ihn. Ihr Mund war ganz nah an seinem Hals und ihre Lippen berührten seine Haut, die ganz warm und von ihrem Atem ein bisschen feucht war.

Er schob sie etwas von sich. »Möchtest du das?«

Nina nickte. Thomas sah ihr in die Augen, als würde er gerade in sich gehen.

»Ich bin verheiratet.«

»Ich weiß.« Nina sah auf seinen Ehering, den er am Ringfinger der linken Hand trug.

»Aber es nicht so, wie du denkst …«

»Lass mich raten. Ihr wollt euch trennen.«

Thomas sah sie verdutzt an. »Woher weißt du das?«

»Weil ich das Spielchen kenne. Kein Problem. Wenn du meinst, ihr werdet euch trennen, *schön*. Aber ich bin erwachsen und du auch. Du musst deine Entscheidungen selbst treffen und vor dir verantworten.«

»Aber …« Thomas wollte widersprechen, doch Nina schnitt ihm das Wort ab.

»Es spielt keine Rolle.« Sie trat ein paar Schritte zurück, dann blieb sie stehen und drehte sich noch einmal zu dem Mann um, der mit einem verwirrten Gesichtsausdruck noch immer da stand. »Kommst du?« Ihr Blick war eindeutig.

Ein paar Minuten später saßen sie im Taxi.

Miriam hatte Teller und Tassen in den Garten getragen. Die Luft war jetzt kühler, denn der Herbst war nun doch gekommen, aber in der Sonne war es noch schön warm und sie hatte den Gartentisch ein Stückchen aus dem Schatten gerückt. Sie rief Frank und bat ihn, die Thermoskanne aus der Küche mitzubringen. Kurz darauf stand er mit der Wildlederjacke über den Schultern auf der Treppe, an den Füßen noch die alten Sandalen. In der einen Hand die Pumpthermosflasche und die Tageszeitung unter den Arm geklemmt.

Die Tradition ihres Elf-Uhr-Kaffees war vermutlich mittlerweile überholt. Heute trank jeder Kaffee, wann er Lust dazu hatte, vor dem Fernseher oder am PC, aber Miriam wollte sich von diesem Ritual nur ungern trennen. Zumindest nicht an den Tagen, an denen sie beide zu Hause waren. Es hatte doch auch etwas mit Lebensstil zu tun, sich um eine bestimmte Uhrzeit an den Tisch zu begeben.

Frank setzte sich auf den Stuhl ihr gegenüber.

»Ganz schön warm«, sagte er pustend, zog seine Jacke aus und legte sie auf dem Stuhl neben sich ab.

»Aber schön.« Miriam schenkte Kaffee in die Tassen mit dem blauen Blumenmuster ein. Sie genoss diese Momente.

»Habe ich dir eigentlich schon gesagt, dass ich am nächsten Wochenende unterwegs bin?«

»Nein.«

»Da haben wir eine Konferenz in Kopenhagen, die neuen Modelle werden präsentiert.«

»Schon wieder? Habt ihr dieses Jahr nicht schon einmal neue Geräte bekommen?«

»Stimmt. In der Branche tut sich gerade einiges.«

Frank streckte sich, als ob er sich auf eine wichtige Ansprache vorbereitete. »Die Kunden verlangen immer mehr. Du weißt doch, vor ein paar Jahren war noch gar nicht überall bekannt, was Espresso ist. Mittlerweile kann jeder einen Espresso von einem Cappuccino und einem Macchiato unterscheiden. Und den Kundenwünschen müssen wir Rechnung tragen. Bei den Führungskräften, denen wir die Maschinen ausleihen und mit denen ich zu verhandeln habe, stehen zu Hause eigene Espressomaschinen, und zwar die, die mehrere tausend Kronen kosten. Dann kann ich nicht ankommen und vorschlagen, dass sie sich mit dem ganz einfachen …« Er sah abschätzig auf die Tasse, die er in der Hand hielt. »… Kaffeemaschinenkaffee an ihrem Arbeitsplatz begnügen sollen.«

Frank war während seiner Ausführungen richtig laut geworden. Als müsste er seine Ehefrau davon überzeugen, dass es nötig sei, 4595 Kronen pro Monat inklusive Mehrwertsteuer und Zwölf-Stunden-Service zu investieren, um eine *CoffeDeLuxe Superieur*, Modelljahr 2006 mit integrierter Kaffeemühle und Milchaufschäumer zu erstehen. »Wir müssen alles für unsere Kunden tun und ihnen das Beste anbieten, was es auf dem Markt gibt. Sonst laufen sie uns davon. Meisterkaffee ist ja nicht das einzige Unternehmen in der Branche. Die Konkurrenz schläft nicht.«

Er atmete aus und lehnte sich zurück, doch kurz darauf setzte er von neuem an und fuhr fort. »Das, was vor nur fünf Jahren unser Luxus-Modell war, ist heute unsere einfachste Standardmaschine. So schnell rennt die Zeit!«

Miriam nickte. Sie war ganz ergriffen von seinem Engagement. Ihr Mann regte sich wirklich nur selten auf. Sie kannte das von ihm nur, wenn er übers Golf spielen sprach, da spürte man die Leidenschaft.

»Ich weiß«, antwortete sie. »Mir war nur nicht klar, dass du deswegen am kommenden Wochenende weg bist.«

Frank druckste herum, er schien ein schlechtes Gewissen zu haben. »Vielleicht habe ich es auch noch gar nicht erwähnt, ich weiß es nicht. Alle Verkäufer aus Skandinavien treffen sich dieses Jahr in Kopenhagen. Es gibt Seminare und Workshops zu den neuen Geräten.«

»So wie letztes Jahr in Oslo?«

»Mmh.« Frank nahm sich ein Stück Rosinenkuchen und kaute an ihm herum, als wäre er ein Vollkornbrötchen.

»Und die Ehefrauen sind dieses Jahr nicht mit eingeladen?«

Frank kaute weiter vor sich hin, ehe er antwortete. »Schon. Aber ich dachte mir, dass es für dich eher langweilig werden würde.«

»Letztes Jahr hat es mir aber richtig Spaß gemacht …« Miriam zog die Augenbrauen hoch und Frank räusperte sich, ehe er mit seiner etwas gequälten Stimme fortfuhr.

»Ja, aber … Jetzt sind bei uns viele neue Angestellte, jüngere, und dann ist unser Terminplan viel enger als letztes Jahr. Ich werde keine Minute übrig haben, so wie in Oslo. Und das Abendessen … Da wird nur übers Geschäft geredet. Da dachte ich mir …« Er verstummte.

»Was hast du dir gedacht?«

»Na ja, dass du sicher mehr davon hättest, zu Hause zu bleiben.« Frank räusperte sich erneut, als hätte er etwas im Hals stecken, und nahm noch einen Keks aus der Schale, die seine Frau für ihn hingestellt hatte.

»Hättest du mich nicht wenigstens fragen können?«

Miriam fiel es schwer, ihre Enttäuschung zu verbergen. Zu einem Wochenende in Kopenhagen hätte sie bestimmt nicht nein gesagt. Sie hätte ein bisschen durch die Stadt bummeln, am Ströget durch die Boutiquen streifen, die Glyptothek besuchen und sich mittags irgendwo einen Snack holen können. Und die Sache mit dem Abendessen war wirklich übertrieben, in Oslo hatte sie so einen netten Abend gehabt, da war sie die Tischdame eines Gebietsleiters aus Norwegen gewesen. Da hatte niemand übers Geschäft gesprochen, vielmehr hatte sie bei dem anschließenden Fest getanzt, bis ihr die Füße weh taten.

»Ja, stimmt, das hätte ich wohl tun sollen. Ich habe nicht daran gedacht.« Er machte ein trauriges Gesicht. »Nimmst du dir dann für das nächste Wochenende allein etwas Nettes vor? Du hattest doch davon gesprochen, dass du Bibi in Hudiksvall besuchen wolltest. Und wenn du das machst?«

»Ich hatte gedacht, da fahren wir zusammen hin.«

»Das eine schließt das andere doch nicht aus. Du kannst doch dieses Mal einfach allein zu ihnen fahren.«

Miriam schwieg. Sicher, sie würde Bibi gern besuchen, aber ganz so einfach war die Sache nicht. Außer der Karte mit der neuen Adresse hatten sie seither nichts von den alten Nachbarn gehört. Sie selbst hatte kurz nach dem Umzug bei ihnen angerufen. Da hatte Bibi versprochen, sich bald wieder zu melden, doch darauf hatte Miriam bislang vergeblich gewartet.

Nun saßen sie beide schweigend da. Die nette Pause, die Miriam sich vorgestellt hatte, war von einer säuerlichen Stimmung infiziert worden, zumindest was sie betraf. Frank hatte sich einfach die Zeitung genommen und vertiefte sich in die Nachrichten. Miriam trank den letzten Schluck kalten Kaffee aus und begann dann, den Tisch abzuräumen. Frank sah auf.

»Danke für den Kaffee«, sagte er förmlich.

»Bitte.«

Sie stellte das Geschirr in der Küche ab und ging wieder hinaus in den Garten. Dort streifte sie die Gartenhandschuhe über und machte sich daran, an der Hecke weiterzuschneiden. Am Morgen hatte sie damit schon begonnen. Auch wenn es nicht unbedingt nötig war, Ligusterhecken im Herbst zu schneiden, die meisten taten das nur im Frühjahr, so störte sie sich doch an den kleinen Zweigen, die hier und da herausstießen. Sie hatte schon viel geschafft, jetzt blieb nur noch die Seite zur Straße hin. Als sie die Heckenschere gerade ansetzen wollte, fiel ihr Blick auf ein Taxi, das auf der anderen Straßenseite hielt. Es stand mit laufendem Motor vor Heinonens Haus und wartete.

Miriam ließ die Schere sinken und tat so, als wäre sie damit beschäftigt, ein paar Äste von Hand stutzen. Dabei schielte sie wieder zur anderen Seite. Die Tür von Heinonens Haus ging auf und sie sah, wie Nina einen Mann zum Abschied umarmte. Dann verließ er das Haus, die Tür ging wieder zu und er stieg in das Taxi. Miriam erhaschte noch einen Blick, bevor er im Wagen verschwand. Der Mann war ziemlich groß, hatte aschblondes Haar und einen etwas herausgewachsenen Haarschnitt. Es war doch bestimmt keine Absicht, dass ihm der Pony derart in die Augen fiel? Er trug einen dunklen Anzug. Das weiße Hemd war zwar ordentlich geknöpft, wenn auch ohne Krawatte, aber er machte dennoch einen etwas merkwürdigen Eindruck.

Miriam sah dem Taxi hinterher, als es die Straße hinunter verschwand. Sie kannte den Mann nicht, doch natürlich hatte sie eine Vermutung. Nina war jetzt schon so lange allein mit ihrem Sohn, warum sollte sie nicht jemanden kennenlernen? Sie war noch jung und attraktiv, modisch gekleidet und ihre dunkelbraunen Haare lagen immer perfekt. Zumindest soweit Miriam es beurteilen konnte. Außerdem war sie wirklich nett und man konnte sich gut mit ihr unterhalten. Ach ja, es hatte auch schon einmal andere Zeiten gegeben. Ihr fiel ein Mann ein, der vor ein paar Jahren plötzlich auf der Bildfläche erschienen war. »Die Lederhose« hatten Frank und sie jenen Verehrer genannt, er hatte einen Pferdeschwanz und fuhr ein amerikanisches Auto. Ein paar Monate lang sah man ihn in dem Haus auf der anderen Straßenseite ein- und ausgehen, doch dann blieb er fort und in den letzten Jahren war ihr niemand mehr aufgefallen.

Sie sah zu Frank hinüber, um festzustellen, ob er den Mann und das Taxi bemerkt hatte, aber er saß noch da und war in seine Zeitung vertieft und so griff Miriam wieder zu ihrer Heckenschere. Sie drückte den Knopf und schon brummte ihr das Geräusch des Motors in den Ohren. Sie bemerkte, dass Frank aufsah und ihr einen verärgerten Blick zuwarf. Dann stand er auf und ging ins Haus.

Nina musste lachen. »Ja, stell dir vor!«

Camillas Stimme in der Leitung klang immer ungeduldiger. »Los, erzähl schon!«

»Was willst du wissen?«

»Alles!«

»Er heißt Thomas. Wohnt in Finspång mit Frau und Kindern. Wir hatten eine schöne Nacht zusammen und werden uns vermutlich nie wiedersehen. *That's it.*«

»Ist er verheiratet?«

»Klar. Nun sei doch nicht so scheinheilig. Das wissen wir doch alle, jeder in unserem Alter ist verheiratet. Außer den ganz hoffnungslosen Fällen und denen, die geschieden sind, aber ob das nun wirklich besser ist …«

»Aber hallo, wenn es um Ola geht, sprichst du ganz anders. Da ist es ein Drama, dass er verheiratet ist.«

»Nein, der Punkt ist nicht der, dass er verheiratet ist. Sondern der, dass er dir ständig erzählt, dass er sich scheiden lässt.« Nina legte eine Pause ein, sie musste daran denken, was Thomas über seine Ehe gesagt hatte. Dass er vorhabe, sich zu trennen und dass er noch niemals vorher fremdgegangen sei. Am Morgen hatte er erneut einen Versuch unternommen, das Thema anzuschneiden. Erklärungen, Entschuldigungen. Da hatte sie ihm das Wort abgeschnitten, sie wollte nichts dergleichen hören. Es war, wie es war. Er hatte traurig ausgesehen, doch sie war nicht darauf eingegangen. Seine Gewissenbisse mussten nicht ihr Problem sein.

Dass es so schwer sein konnte, sich ein bisschen zu amüsieren. Immer gab es einen, dem man dadurch weh tat. Nicht dass sie Seitensprünge guthieß, Jens und sie hatten es beide ausprobiert und sie konnte es wirklich nicht empfehlen. Aber gleichzeitig war sie es auch so leid, immer auf alle Rücksicht zu nehmen. Manchmal ging es einfach nur um Sex und schließlich wurde ja niemand gezwungen. Sie selbst war, wie man so schön sagte, vogelfrei, warum sollte sie sich da mit der Verantwortung der anderen belasten?

Camilla fuhr fort. »Gestern habe ich jedenfalls nein gesagt.«

»Wie, zu Ola?«

»Ja. Er wollte mit zu mir kommen. Katarina und die Kinder waren nämlich bei ihrer Mutter in Göteborg.«

»Und du hast nein gesagt … Mensch, ich bin stolz auf dich!«

»Ich war aber nah dran …«

»Das ist egal, nein heißt nein. Und er musste allein nach Hause gehen. Das ist das Einzige, was zählt.«

Einen Moment lang war es still in der Leitung, dann wechselte Camilla das Thema.

»Du – war es denn gut?«

Nina ließ ihre Gedanken zurückwandern. Ja, es war gut gewesen. Ziemlich schön sogar. Thomas hatte sie lange im Arm gehalten, ihr in die Augen geschaut und dann langsam ihren Körper liebkost. Aber eben nicht so, wie sie es hasste, wenn sie das Gefühl hatte, die Männer arbeiteten eine Art Vorspielkatalog ab. Ein paar Zungenküsse, dann ein bisschen Brustwarzen, ein bisschen Klitoris und dann ruck, zuck. Nein, sie hatten miteinander geschlafen, als wären sie ineinander verliebt gewesen. Neugierig, sich gegenseitig erforschend und ein bisschen nachdenklich. Es war eine wunderschöne Nacht gewesen und dass sie den Zettel, auf den er seine Telefonnummer geschrieben hatte, am Morgen ablehnte, war gar nicht so klar gewesen.

»Ganz gut«, antwortete sie kurz angebunden.

Camilla seufzte unzufrieden. »Und du bist sicher, dass es kein zweites Mal gibt?«

»Ja.«

»Du bist sonderbar.«

»Camilla, jetzt hör mir mal zu. Manchmal ist eine Zigarre nur eine Zigarre. Okay?«

Camilla kicherte. »Okay.«

»Apropos sonderbar …« Nina, die mit dem schnurlosen Telefon am Küchentisch saß, stützte sich auf ihre Ellenbogen und warf einen Blick aus dem Fenster. Es war ziemlich dunkel draußen und sehr windig. Wenn das so weiterging, würden die Blätter bald ganz von den Bäumen gefegt sein. Sie blinzelte, ihr eigenes Spiegelbild störte sie im Sichtfeld. »Wir haben jetzt neue Nachbarn in der Straße. Genau gegenüber.«

»Aha. Wieder so eine Kombi-Kinder-Katzen-Familie?«

»Nein, gar nicht. Eine alleinstehende Frau.«

»Rentnerin?«

»Nein, vierzig plus, vielleicht ein paar Jahre älter, keine Ahnung. Aber der Punkt ist, dass sie einen etwas mysteriösen Eindruck macht.«

»Wieso?«

»Na ja, als erstes ist sie schon einmal eine sehr ungewöhnliche Erscheinung. Wallendes hennarot gefärbtes Haar, lange Röcke, Tücher und Ketten, du weißt schon …«

»So eine Alternative?«

»In der Art. Und dann bekommt sie abends jede Menge Besuch.«

»Sehr mysteriös.« Camilla schien das nicht aus der Ruhe zu bringen.

»Nein, hör mal. Da kommen Autos und parken vor ihrer Haustür, jeden Abend sind es andere. Und wenn die Typen hineingehen, sieht man, dass sie Unmengen von Kerzen anzündet und dann die Jalousien herunterlässt.«

»Und das kommt häufiger vor, meinst du?« Camilla wurde nun doch hellhörig.

»Manchmal zwei- oder dreimal pro Abend. Dann wieder ein paar Tage lang gar nichts. Sie halten sich etwa eine Stunde lang bei ihr auf. Gerade jetzt ist jemand gekommen.«

Camilla schwieg einen Moment. »Sex«, sagte sie dann mit fester Stimme. »Sie betreibt wohl eine Art Massageinstitut. Sind ihre Gäste immer Männer?«

»Keine Ahnung. Die Straßenlaterne da draußen ist kaputt, deshalb sieht man immer nur schemenhafte Figuren.«

»Dann musst du das ausspionieren! So tun, als würdest du mit dem Hund Gassi gehen, abends geht doch jeder mit seinem Köter auf die Straße.«

»Camilla, ich habe keinen Hund!«

»Jetzt sei doch nicht so widerspenstig! Du musst doch nur pfeifen und »Fido« oder »Hitler« rufen und dann denkt dieser Mensch doch, dass du nur mit deinem Hund, der schlecht hören kann, Gassi gehst.«

»Und du meinst, es fällt nicht auf, wenn ich mich hier auf die Straße stelle und »Hitler« rufe …?«

Camilla kicherte. »Okay, die Idee war vielleicht nicht so besonders.«

»Nein, wirklich nicht.«

»Wie wär's dann mit ›Liebling‹.«

»Liebe Camilla, warum nicht gleich Karl-Heinz? Ich hoffe inständig, dass ich in meinem nächsten Leben nicht als dein Hund auf die Welt komme.« Sie mussten beide lachen.

»Nein, ganz im Ernst, du musst feststellen, was das für eine Nachbarin ist.«

»Ich werde mir einen Trenchcoat überziehen und mich an der nächsten Straßenecke hinter einer Zeitung verstecken …«

»Dann vergiss nicht, ein Loch hineinzuschneiden.«

»Nein.« Nina gähnte. »Du, ich glaube, ich gehe jetzt mal ins Bett.«

»Es ist erst halb zehn …«

»Ja, aber gestern war es ganz schön spät. Und morgen kommt Matthias von Jens zurück, also muss ich noch ein bisschen Kräfte sammeln.«

»Na, dann schlaf dich aus.« Camilla gähnte auch. »Mist, jetzt hast du mich angesteckt! Ich wollte mir doch noch den Spielfilm mit George Clooney anschauen.«

»Dann machst du bis dahin ein paar Liegestütze.«

»Super Idee. Schlaf schön!«

»Gute Nacht und bis bald.«

Nina legte das Telefon zurück auf den Tisch und reckte sich. Sie war wirklich hundemüde. Thomas und sie waren erst gegen vier Uhr morgens eingeschlafen. Und dann war auch nicht mehr viel von der Nacht übrig gewesen. Sie war es gar nicht mehr gewöhnt, neben jemandem zu schlafen, und immer wenn sie sich umdrehte, einen Arm oder ein Bein ausstreckte, wurde sie daran erinnert, dass ein fremder Mann in ihrem Bett lag. Glücklicherweise hatte sie trotzdem ein bisschen Schlaf bekommen, als Thomas sie mit sanften Küssen auf ihren Rücken weckte. Sie liebten sich noch einmal, dann verschwand er unter der Dusche. Sie stand auf und deckte den Frühstückstisch mit Cornflakes und Joghurt, Kaffee und Brot.

Als er dann aus dem Badezimmer kam, schon in Hemd und Anzug, lehnte er das Frühstück dankend ab. Beim

Blick auf die Uhr hatte er ein richtig trauriges Gesicht gemacht und erklärt, dass er auf der Stelle los müsste. Nina hatte nicht gefragt, warum.

Was hätte das auch genützt?

Ellinor blätterte die Zeitung durch. Das war ihr neustes Projekt. Sie hatte beschlossen, jeden Tag wenigstens die Überschriften der wichtigeren Nachrichten zu lesen. Albin war gerade eingeschlafen und die Stille im Haus hatte etwas Befreiendes. Eigentlich musste die Wäsche zusammengelegt und eine neue Maschine angestellt werden. Und auch in der Küche sah es schlimm aus, der Abwasch von gestern stand noch da und die Teller und Tassen vom Frühstück waren nun auch noch dazugekommen. Zudem lief der Motor ihres neuen Geschirrspülers nicht richtig und sie hätte schon seit Tagen beim Händler anrufen und um einen Reparaturtermin bitten müssen.

Sie faltete die Zeitung zusammen und legte sie beiseite. Manchmal hatte sie das Gefühl, als wäre der letzte Funken Energie verbraucht, wenn Albin endlich schlief. Sie konnte eine Stunde lang auf dem Sofa sitzen und einfach nur in die Luft starren. Und sie schämte sich dafür, es war so gar nicht ihre Art, nutzlos herumzusitzen.

Bevor Albin auf der Welt war, hatte sie sich auf die Monate zu Hause richtig gefreut. Endlich Zeit, wieder Romane zu lesen, statt Quartalsabschlüsse und Aktennotizen, die ihr die Freizeit stahlen. Wie naiv sie gewesen war! Daran war nicht zu denken und die ungelesenen Bücher stapelten sich auf ihrem Nachttisch. Wenn sie ihre Schwiegereltern in Sävesta besuchten, hatte Willes Mutter immer eine Handvoll Neuerscheinungen dabei. »Ich weiß doch, wie viel du liest«, sagte sie immer, wenn sie ihre Geschenke auf den Tisch legte. Das letzte war das aktuelle Buch von Zadie Smith gewesen – ein dicker Schmöker. Und dann noch ein französischer Roman. Marianne hatte sich entschuldigt, als sie ihn ihr in die Hand gedrückt hatte. Weil er angeblich ganz einfach geschrieben sei, aber er war gerade in aller Munde und es sei doch eine gute Gelegenheit, ihr Französisch nicht ganz zu vergessen.

Ihr Französisch nicht zu vergessen. Ach ja. Vielleicht hatte Marianne sich damit beschäftigen können, als Wille und Sophia klein gewesen waren. Sie selbst hatte vollauf damit zu tun, sich selbst nicht zu vergessen, während sich alles um Albin drehte. Und hin und wieder ein bisschen Zeitung zu lesen.

Dass ein kleines Kind so viel Kraft kostete! Immerhin schlief er jetzt nachts besser, kein Vergleich zu den ersten Monaten. Mittlerweile mussten sie höchstens zwei- oder dreimal aufstehen und nach ihm sehen. Meist war es schon genug, neben seinem Gitterbettchen zu sitzen und ihm eine Weile den Rücken zu streicheln, damit er wieder einschlief. Aber das war auch ermüdend. Manchmal war sie selbst mit dem Kopf an den Gitterstäben eingeschlafen.

Trotzdem waren es nicht mehr die Nächte, die so viel Kraft brauchten. Es war vielmehr das Tempo an den Tagen. Wenn Albin wach war, dann ging es zur Sache, pausenlos. Er wirbelte mit einer erstaunlichen Schnelligkeit umher, und so folgte ein Abenteuer auf das andere. Man konnte ihn nicht eine Minute aus den Augen lassen. Eine Zeitlang hatte sie sich Gedanken gemacht, ob mit ihm alles in Ordnung sei, aber die Kinderärztin hatte nur gelacht und erklärt, dass das in der Natur von Kleinkindern läge. Das hatte sie natürlich beruhigt, aber deshalb war es nicht weniger anstrengend. Ellinor legte die Zeitung aufs Sofa und stand seufzend auf. Es wäre schon wunderbar, wenn sie den Abwasch schaffte, bevor er wieder wach wurde.

Gerade hatte sie Gläser und Teller abgespült, da hörte sie die Geräusche aus dem Schlafzimmer. Sie legte die Bürste hin und trocknete sich die Hände ab. Albin stand in seinem Gitterbett und hielt sich am Holz fest. Er sah ganz zufrieden aus und es war nicht schwer zu begreifen warum, wenn man eine gute Nase hatte.

»Hallo, mein Schatz«, begrüßte sie ihn liebevoll. »Möchtest du vielleicht eine frische Windel?« Sie hob ihn hoch und ging mit ihm ins Bad, wo der Wickeltisch stand. Als sie fertig waren, setzte sie ihren Sohn auf dem Boden ab. Mit ein paar raschen Bewegungen krabbelte er zur Dusche und begann, ein paar Haare aus dem Abfluss zu zupfen.

»Nein, igitt, lass das!«, sagte sie und schob Albin mit einer Hand zur Seite, während sie mit der anderen nach einem Stück Toilettenpapier griff und den Abfluss sauber wischte. Albin verschwand und war den Geräuschen nach nun im Wohnzimmer angekommen. Die dumpfen Schläge kannte sie schon und tatsächlich saß er vor dem Bücherregal. Er hatte nämlich vor kurzem festgestellt, dass man Bücher aus dem Regal herausziehen konnte und so war sie mehrere Male am Tag damit beschäftigt, sie wieder zurückzustellen. Sie hatte versucht, es ihm zu verbieten, doch er schien dieses neue Hobby daraufhin noch spannender zu finden.

»Nein, nein!«, sagte sie und hob ein paar Bücher vom Boden auf. »Das darfst du nicht!« Sie schüttelte dabei den Kopf und machte ein ernstes Gesicht. »Wollen wir spazierengehen? Mit dem Buggy?«, fragte sie ihn, während sie die Bücher wieder einsortierte. Albin schien die Idee zu gefallen, denn er grinste bis über beide Ohren. Ellinor trug ihn in den Flur. Den ganzen Vormittag lang hatte es genieselt, aber jetzt hatte es aufgehört und hier und da konnte man fast ein paar Fleckchen blauen Himmels erahnen. Sicherheitshalber zog sie Albin trotzdem Buddelhose und Gummistiefel an. Überall auf dem Boden waren schließlich Pfützen, die er einladend fand, und sie wusste aus Erfahrung, dass Albin jede Möglichkeit nutzen würde, sich in ihnen niederzulassen.

Die Luft war erfrischend nach dem Regen und Ellinor genoss es, aus dem Haus zu kommen. Wenn sie sich schon nicht ausruhen konnte, dann tat es immerhin gut spazierenzugehen. Drinnen wurde sie nur immer schläfriger. Albin sah sich neugierig um, während er im Wagen saß, und sie ging mit raschem Schritt die Straße entlang. Als sie an den Waldrand kam, lief ihr schon der Schweiß herunter und sie hielt kurz an, um ihre Strickjacke auszuziehen, die sie sicherheitshalber noch unter ihrer Jacke trug. Etwas weiter vor ihnen ging ein Mann mit seinem Hund spazieren. Ellinor zeigte auf das Tier.

»Schau mal, ein Wauwau!«, sagte sie zu Albin. Als der Mann hinter der Kurve verschwand, hob sie ihren Sohn aus dem Wagen. Ihm gefiel es sehr, selbst zu laufen und wenn sie seine Hand festhielt, dann kamen sie immerhin ganz gemächlich vorwärts. Und sofort entdeckte er eine große Pfütze, die ein paar Meter vor ihnen lag. Ellinor versuchte, ihn davon abzuhalten sich hineinzusetzen, aber er quengelte und wurde richtig wütend, als sie ihn festhielt. So ließ sie seine Hand los und er ließ sich im Matsch nieder. Wenigstens hatte er die Buddelhose an, versuchte sie sich zu trösten. Und die anderen Kleider würden schnell trocknen, wenn sie nach Hause kamen.

Eine Dreiviertelstunde später waren sie wieder auf dem Heimweg Richtung Lingonstig. Albin hatte zum Laufen nun keine Lust mehr und saß ganz zufrieden wieder in seinem Buggy. Ellinor warf einen Blick auf die Uhr. Zeit für die Zwischenmahlzeit, zu Hause gab es gleich Obst und Joghurt. Sie selbst hatte auch Hunger. Mittagessen gab es bei ihr nur selten, wenn nichts vom warmen Abendessen übrig war, schmierte sie sich meistens nur ein Brot.

Als sie in ihre Straße einbog, sah sie Miriam im Garten werkeln. Ihre Nachbarin war oft draußen, wenn sie vorbeikam, und meist hielt Ellinor kurz an und sprach ein paar Worte mit ihr. Miriam war lieb und nett, aber Ellinor hatte immer ein bisschen das Gefühl, als würde ihre Nachbarin sie abpassen. Es war, als würden sie und Wille unter einer gewissen Beobachtung stehen. Wenn sie Handwerker im Haus hatten, dann wusste Miriam immer ganz genau, um welche Zeit sie begonnen hatten und von welcher Firma sie gekommen waren, und wenn Wille abends einmal spät heimkam, konnte es schon vorkommen, dass sie am nächsten Morgen gefragt wurde, ob ihr Mann gerade viele Überstunden machen müsse. Aber so war das wohl, wenn man in diesen Wohnvierteln wohnte, zumindest vertrat Wille diese Meinung. Er war so aufgewachsen, sie selbst hingegen war in einer Wohnung groß geworden.

»Hallo!« Ellinor fuhr eine Spur langsamer, als Miriam an die Hecke kam, um sie zu begrüßen.

»Hallo!« Miriam lächelte. »Das schlechte Wetter verzieht sich.«

»Ja, herrlich.« Ellinor sah hinauf zum Himmel und überlegte angestrengt, was man noch zu den grauen Wolkenbändern sagen konnte, die sich unruhig über den blauen Himmel bewegten. Ihr fiel nichts ein. »Und Sie arbeiten wieder im Garten?«, fragte sie stattdessen.

»Ja, ich harke das Laub zusammen. Jeden Tag ein bisschen, nach und nach.«

Ellinor sah auf den Rasen ihrer Nachbarin. Nicht ein

einziges Blatt war zu sehen, aber in einer Ecke des Gartens lag ein Laubhäufchen, das etwa so groß wie eine Schwarzwälder Kirschtorte war. Eine kleine Schwarzwälder Kirschtorte.

»Tja …« Miriam senkte ihre Stimme und sah sich um. Ein merkwürdiges Bild, als versuchte sie, jemanden zu entlarven, der sie hinter den Büschen hockend beobachtete. »Tja …«, wiederholte sie sich. »Ich musste gerade an unsere neue Nachbarin denken …« Sie blickte zu Jeanette Falcks Haus hinüber. »Was haben Sie denn für einen Eindruck von ihr?«

Ellinor war die Frage nicht ganz klar. »Wieso, wie meinen Sie das?«

»Na ja, ich weiß nicht recht …« Miriam zuckte leicht mit den Schultern, als ob sie andeuten wollte, dass ihre Meinung vermutlich ganz unwesentlich sei. Trotzdem fuhr sie fort. »Na ja, Sie haben von Ihrem Grundstück aus keine direkte Sicht auf dieses Haus. Aber haben Sie vielleicht bemerkt, dass hier abends recht viele Autos auftauchen, seit sie eingezogen ist? Die drehen ja alle vorn bei Ihnen auf dem Wendeplatz.« Miriam zog die Augenbrauen hoch und wartete auf eine Reaktion von Ellinor.

»Tja … ich weiß auch nicht so genau … Wille hat das auch schon beobachtet, aber mir ist das noch nicht aufgefallen. Warum?«

»Ich weiß ja nicht, ob man sich wirklich Sorgen machen muss, aber sonderbar ist es ja schon.« Miriam machte ein sorgenvolles Gesicht. »Jeden Abend andere Autos, manchmal mehrere nacheinander und jedes Mal Männer, die aussteigen und …« Miriams Stimme wurde leiser. »Und dann die Sache mit den Jalousien …«

»Mit den Jalousien?«

»Ja, wenn sie Besuch empfängt, geht sie durchs Haus,

zündet Kerzen an und lässt dann die Jalousien herunter.«
Miriams bleiche Wangen bekamen langsam wieder Farbe.
Sie sah hinüber zum Grundstück ihrer neuen Nachbarin
und auch Ellinor schaute dorthin. Der rote Renault stand
nicht in der Garageneinfahrt und es war auch kein Licht
zu sehen. Miriam hatte sich mittlerweile wieder beruhigt.
»Man fragt sich natürlich …«, erklärte sie und zwinkerte.

Ellinor biss sich auf die Lippen. »Wie gesagt, bislang ist
mir nichts Besonderes aufgefallen, aber ich werde die Augen mal offen halten.« Ein bisschen lächerlich kam sie sich
schon vor, als hätten sie gerade heimlich beschlossen, Verstecken zu spielen, doch Miriam machte einen zufriedenen
Eindruck.

»Tun Sie das«, sagte sie. »Sie haben immerhin ein kleines
Kind, da möchte man doch wissen, was die Leute hier in
der Nachbarschaft treiben, nicht wahr?«

Ellinor lächelte nur, und als Albin anfing zu jammern,
weil es ihm zu langweilig wurde, beendete Ellinor dankbar
ihre Unterhaltung. Sie verabschiedete sich und schob los
zu ihrem Haus. Miriam stand noch immer hinter ihr an der
Hecke.

Miriam putzte ihre Stiefel ordentlich an der Fußmatte ab, auf der sie ein rotes Herz willkommen hieß. Sie war ein Weihnachtsgeschenk von Bibi und Jan-Åke gewesen und Miriam gefiel sie wirklich gut. Sie stellte die Stiefel ab und hängte ihre dünne Stoffjacke, die sie immer für die Gartenarbeit überzog, zurück an den Haken.

Dann ging sie ins Wohnzimmer und nahm sich ein »Wohnjournal«, das auf dem Couchtisch lag. Das große Kreuzworträtsel war zur Hälfte gelöst, das hatte sie gestern Abend schon angefangen, und jetzt wollte sie es fertig machen, einen Stift hatte sie schon in der Hand.

In den letzten Jahren war sie richtig gut geworden. Frank fehlte die Geduld für diese Rätsel. Manchmal fing er mit einem an, doch sie musste es dann zu Ende bringen. Meist radierte sie am Anfang die Hälfte der Lösungsworte aus, die er eingetragen hatte. Wenn er nicht mit dem Kugelschreiber geschrieben hatte, obwohl sie ihn immer bat, den Bleistift zu benutzen. Sie selbst nahm nie einen anderen Stift und wenn sie sich nicht sicher war, wie jetzt mit dem Wort *Zinn*, dann schrieb sie sogar extra dünn, war es *Zn* oder *Sn*?

Innerhalb einer Stunde hatte sie das Kreuzworträtsel fertig. Dann trug sie Namen und Adresse in die Absenderzeilen ein. Wenn sie daran dachte, würde sie eine Postkarte mit der Lösung einschicken. Einmal hatte sie ein Lotterielos gewonnen, aber das war schon lange her. Man konnte nicht gerade sagen, dass sie Glück im Spiel hatte und die Kreuzworträtsel waren für sie in erster Linie ein Zeitvertreib.

Miriam stand auf und ging ans Fenster. Draußen sah sie den roten Renault gerade in den Lingonstig einbiegen. Kurz darauf parkte er in der Garagenauffahrt hinter ihrer Hecke. Jeanette Falck stieg aus und Miriam beobachtete, wie sie einige Tüten aus dem Kofferraum holte und dann ins Haus ging. Miriam blieb noch am Fenster stehen, bis ihre Nachbarin hinter der Eingangstür verschwunden war. Noch einen Moment lang ließ sie ihren Blick die Straße hinunterwandern, bevor sie mit einem Seufzer hinüber in die Küche ging und die Zutaten für die Pfannkuchen aus dem Schrank holte, die es zum Abendessen geben sollte.

Sie hatte versucht, sich mit Frank über die Geschehnisse im Nachbarhaus zu unterhalten. Normalerweise hielt er die Augen offen und wusste, was in der Nachbarschaft vor sich ging, doch nun schien er kein größeres Interesse daran zu haben. Natürlich waren ihm die Autos auch aufgefallen, und Miriam hatte ihm einige Male die zwielichtigen Typen gezeigt, die dann Jeanette Falcks Haus betraten, aber er machte sich keine Gedanken darüber wie sie. »Lass sie doch, das wird schon seinen Grund haben«, antwortete er, wenn sie das Gespräch auf das Thema lenkte. Zudem schien ihn dieser Gesprächsstoff zu ärgern, er reagierte zunehmend unfreundlicher. Bald traute sie sich gar nicht mehr, es anzusprechen.

Ellinor hatte auch nicht so reagiert, wie sie es gehofft hatte. Ob sie vielleicht mal die anderen Nachbarn fragen sollte? Landahls vielleicht, die hatten Kinder und waren bestimmt an der Sicherheit in ihrem Wohngebiet interessiert. Doch ganz geheuer war ihr der Gedanke nicht. Frank und sie hatten noch nie besonders guten Kontakt zu dieser

Familie gehabt. Man grüßte sich zwar, aber das war auch schon alles. Wahrscheinlich hatten Frank und sie sich das selbst zuzuschreiben.

Kaum eingezogen hatten die Landahls zum traditionellen Krebsessen eingeladen. Im Garten wurde eine große Tafel aufgebaut und sie hatten bestimmt zwanzig Gäste geladen. Später am Abend trugen sie die Lautsprecher nach draußen und begannen zu tanzen. Die Musik war überall zu hören und auch die Gäste wurden immer lauter. An schlafen war nicht zu denken. Gegen Mitternacht ging Frank das erste Mal zu ihnen hinüber und bat sie höflich, leiser zu sein. Doch es tat sich nichts, und eine Stunde später ermahnte sie Frank noch einmal und drohte mit der Polizei. Das zeigte Wirkung, das Fest war mit einem Mal beendet.

Im Nachhinein dachte sie sich, dass Frank vielleicht unnötig hart gewesen war, aber sie hatten sich beide über das rücksichtslose Verhalten der neuen Nachbarn sehr geärgert. Daraufhin waren sie mit der Familie Landahl nie mehr richtig warm geworden. Wenn sie sie jetzt auf ihre Meinung in Sachen Jeanette Falck ansprach und um Unterstützung bat, würde das vermutlich nur alte Wunden aufreißen.

Auch was die Familien Persson und Stridh betraf, war das Verhältnis nicht ungetrübt. Sie waren etwa zur gleichen Zeit hergezogen wie die Landahls und Miriam hatte bemerkt, dass sich die drei angefreundet hatten. Ihr selbst war ein freundlicher Umgang mit den Nachbarn im Wohngebiet immer wichtig gewesen, aber Frank und Jan-Åke hatten es mit der Ordnung im Viertel vielleicht ein bisschen übertrieben. Sie überlegte kurz. Nein, Landahls, Perssons und Stridhs musste sie wirklich nicht ansprechen.

Aber Nina Heinonen. Nicht weil sie sie so gut kannte, doch sie hatten auf jeden Fall Respekt voreinander. Als

Matthias noch klein war, hatte Miriam mitunter als Babysitter ausgeholfen.

Ja, die Idee war nicht schlecht. Heute Abend würde sie hinübergehen und mit Nina Heinonen sprechen. Irgendetwas musste sie schließlich unternehmen.

E_s *war schon fast dunkel draußen,* als Nina sich langsam Richtung Lingonstig bewegte. Ihr taten die Füße höllisch weh, im Rücken und Schulterbereich verspürte sie fast stechende Schmerzen. Elf Kunden an einem Tag. Normalerweise hatte sie selten mehr als sechs oder sieben, doch ihre Praktikantin hatte es in der letzten Woche tatsächlich geschafft, mehrere Termine doppelt zu belegen, als sie Telefondienst hatte. Und dann war Robert auch noch krank geworden. Die meisten Kunden wollten zwar einen Ersatztermin, doch ein paar ganz verzweifelte beknieten daraufhin Nina und Maggan, sie noch irgendwie einzuschieben. Eineinhalb Überstunden hatte es sie gekostet, die Situation zu retten. Zum Mittagessen war sie nicht gekommen und erst gegen drei Uhr hatte sie sich über den Nudelsalat hergemacht, der seit ewigen Zeiten im Mitarbeiterkühlschrank stand.

Nun war sie völlig erledigt und wollte sich eigentlich nur noch aufs Sofa fallen und vom Fernseher berieseln lassen. Matthias hatte sie schon vorgewarnt, dass es heute spät werden würde. Er hatte gemeint, er würde sich einfach ein paar Nudeln kochen und dann zu Chrippa abhauen. Was bedeutete, sie hatte zu Hause ihre Ruhe. Welch ein Segen! Manchmal belagerte eine ganze Horde Jungs ihr Wohnzimmer, wenn sie abends von der Arbeit kam. Besonders anstrengend wurde es, wenn sie die Musik so laut aufgedreht hatten, dass es schon von der Straße aus zu hören war. Da musste sie ganz schön mit sich kämpfen, um sie nicht alle auf der Stelle hinauszuwerfen. Immerhin war es auch Matthias' Zuhause und er hatte das gleiche Recht wie sie, seine Freunde einzuladen. Auch wenn ihre Freunde nicht den Kühlschrank und die Speisekammer plünderten.

Nina ließ ihre Tasche im Flur auf den Boden sinken und zog sich die Stiefel aus. Sie flogen auf einen Haufen neben der Tür. Im Moment war ihr einfach alles zu viel. Sie schlurfte ins Wohnzimmer und ließ sich auf dem Sofa nieder. Die Beine legte sie auf der Rücklehne ab, um sie möglichst hochzulagern. Dann schloss sie die Augen und bedeckte sie zusätzlich mit ihrem Unterarm.

So lag sie eine Weile völlig bewegungslos. Sie atmete bald tiefer und ruhiger und spürte, wie sie nahe am Einschlafen war. Ein paar Minuten Schlaf könnte sie sich doch gönnen ... Nur ganz kurz ... Es kribbelte in den Armen und Fingern, als ihr Körper sich langsam entspannte. Doch dann zuckte sie plötzlich zusammen, als der Gong von der Tür sie jäh aus ihrer Ruhe riss. Wahrscheinlich ein Kumpel von Matthias, der fragen wollte, ob er zu Hause sei. Oder ein Kind, das vor Weihnachten Zeitungsabonnements verkaufen wollte. Das ging doch jetzt schon im Herbst los, oder? Nina seufzte und setzte sich auf. Das war also ihre Pause gewesen. Sie stand auf und ging in den Flur.

»Ja, hallo, ich hoffe, ich störe nicht?«

Auf der Treppe vor ihrer Haustür stand Miriam Larsson. Nina sah sie erstaunt an. »Nein, kein Problem«, antwortete sie und zwinkerte nochmals, um wieder richtig wach zu werden.

Miriam zögerte einen Moment, dann erklärte sie. »Na ja, die Sache ist die ...«

Nina wartete, während ihr verschiedene mögliche Szenarien durch den Kopf schossen. Ob Matthias sie am Nachmittag irgendwie gestört haben konnte? Wenn er allein zu Hause war, drehte er die Stereoanlage manchmal unmöglich laut. Oder hatte sie sich daneben benommen? In den letzten Wochen hatte sie mitunter ihre Mülltüten direkt auf die Straße gestellt, weil die Tonne voll gewesen war. Sie wusste zwar, dass die Nachbarn das nicht gerne hatten, aber was blieb ihr anderes übrig? Wenn die Müllabfuhr an diesem Tag kam, musste sie die Säcke schon da ablegen, wenn sie zur Arbeit ging. Es waren ja nur ein paar Stunden. Ob sie sich daran wirklich so gestört hatten? Larssons nahmen es mit der Ordnung hier sicher sehr genau, aber würden sie sich wegen so einer Kleinigkeit beschweren?

Miriam setzte neu an. »Ja, wie gesagt, tut mir leid, dass ich störe, aber ich hätte da eine Frage …« Sie wanderte mit den Augen unruhig hin und her. »… die unsere neue Nachbarin betrifft.«

»Ja?« Nina sah Miriam an, wie sie sich wand. Normalerweise hätte sie sie auch hineingebeten, draußen war es kalt und Miriam hatte über ihrem Kleid nur eine dünne Strickjacke. Aber nicht heute. Allein der Gedanke daran, jetzt Kaffee aufsetzen und mit der Nachbarin Smalltalk halten zu müssen, gab ihr den Rest.

»Ich frage mich, ob du es auch bemerkt hast … na ja, diesen Verkehr, den wir jetzt abends hier haben?«

»Du meinst die Autos vor ihrem Haus?« Nina sah zum Haus auf der anderen Straßenseite und dann wieder zurück zu Miriam. »Ja, klar, die hab ich gesehen.«

Miriam schaute etwas freundlicher.

»Natürlich besteht die Möglichkeit, dass ich den Dingen zu viel Bedeutung beimesse, aber ist es nicht wirklich sonderbar …?«

Nina überlegte einen Moment und sah noch einmal hinüber zu Jeanette Falcks Haus. Es war schon merkwürdig.

All die Autos, die vorfuhren, und die Typen, die dann ins Haus eilten. Sie wandte sich wieder an Miriam: »Ja, das ist mir auch aufgefallen«, sagte sie und fügte nach einer kleinen Pause hinzu: »Und dann die Sache mit den Jalousien …«

Miriam nickte eifrig. »Ja, und die vielen Kerzen!«

»Mmh.«

»Was denkst du denn …?«

»Keine Ahnung.« Nina zuckte mit den Schultern.

Miriam machte ein enttäuschtes Gesicht. »Nein, natürlich nicht …«

»Du hast sie nicht darauf angesprochen?«

»Nein, man will sich ja nicht einmischen.« Miriam schien nicht zu bemerken, dass es genau das war, was sie in dem Moment tat.

»Nein.«

»Aber an ihrem Einzugstag hat Frank sie gefragt, was für einen Beruf sie ausübt.«

»Und?«

»Sie sei Unternehmerin. Consultant, meinte sie.«

»Das ist ja sehr schwammig.«

»Ja, absolut!« Miriam schnaubte.

»Was glaubst du denn?«

»Na ja, ich weiß es nicht. Aber man macht sich ja schon so seine Gedanken über diese Gestalten, die da ein- und ausgehen …«

»Vielleicht Klienten? Oder Kunden?« Was würde Miriam nun dazu sagen?

Miriam wurde rot. »Mmh. Genau das habe ich auch gedacht«, sagte sie. »Also fragt sich nur, was sie da eigentlich verkauft …«

»… hinter heruntergelassenen Jalousien.«

Nina musste sich wirklich das Lachen verkneifen, wenn

sie dabei Miriam mit ihren erröteten Wangen und den zusammengepressten Lippen ansah. Woher diese Phantasien kamen?

Miriam sprach weiter. »Vor kurzem habe ich in der Zeitung einen Bericht gelesen über diese … diese …« Sie senkte die Stimme, sodass das nächste Wort nur ein leises Flüstern war. »… Reihenhaushuren.«

Jetzt musste Nina wirklich an sich halten. Das Bild dieser Frau dort auf der Treppe, in ihrem unauffällig gestreiften Kleid und der Strickjacke, die offenbar so schockiert von diesem Wort war, das sie gerade in den Mund genommen hatte, war wirklich zu komisch. Trotzdem musste sie zugeben, dass Miriams Vermutung nahelag. Sie hatte selbst schon daran gedacht.

»Ob es wirklich so schlimm ist?«, fragte sie, als wollte sie die Sache selbst noch einmal in Frage stellen.

»Ja, was soll man denn davon halten? Hier fahren der Reihe nach fremde Autos vor und lichtscheue Gestalten schleichen ins Nachbarhaus hinein und dann wieder hinaus …«

»… wo Jeanette Falck Kerzen anzündet und die Jalousien herunterlässt.« Noch immer hing das unheimliche Wort in der Luft. Nina legte den Kopf ein bisschen auf die Seite. »Was meinst du, was sollen wir tun?« Eigentlich gefiel ihr der Gedanke, etwas dagegen zu unternehmen, gar nicht. Es war nicht ihre Art sich einzumischen und meist vertrat sie die Auffassung, dass die Welt besser funktionierte, wenn man jeden in Ruhe ließ. Doch es ließ sich nicht leugnen, dass diese Situation ein bisschen extrem war. Und immerhin wohnte in ihrem Haus noch ein Jugendlicher, auf den man Rücksicht nehmen musste.

Miriam seufzte, sie schien erleichtert, aber gleichzeitig beunruhigt. »Was hältst du davon, wenn wir uns mal in der

Nachbarschaft zusammensetzen und darüber reden? Ich könnte vielleicht noch Ellinor Hauge fragen.«

Nina nickte. Bislang hatte sie zwar kaum Kontakt mit der neuen Familie auf dem Eckgrundstück gehabt, doch Ellinor machte einen netten Eindruck. »Dann tu es doch einfach. Wollen wir die anderen in der Straße auch darauf ansprechen? Vielleicht Landahls?«

»Ach, vielleicht warten wir damit noch.« Miriams Antwort kam blitzschnell. »Nicht dass wir die Leute grundlos aufschrecken.«

»Okay.« Nina überlegte einen Moment. »Vielleicht können wir uns an einem Abend bei mir treffen? Donnerstags hat Matthias immer sein Judotraining. Wie wäre das? Wenn du Ellinor fragst und es ihr auch passt, dann könntet ihr doch gegen sieben Uhr bei mir sein?«

»Klingt wunderbar.« Miriam lächelte etwas unbeholfen und trat einen Schritt zurück, um zu signalisieren, dass sie nun alles besprochen hatten. Im selben Moment kam ein Auto langsam die Straße hinaufgefahren. Beide Frauen erstarrten. Der Wagen hielt und trotz des düsteren Lichtscheins konnten sie erkennen, dass eine Frau aus dem Auto stieg. Sie war eine elegante Erscheinung, trug hochhackige Schuhe und einen figurbetonten schwarzen Mantel mit einem Pelzkragen. Sie schloss das Auto ab und sah sich eilig um. Als sie Nina und Miriam erblickte, hatte es einen Moment lang den Anschein, als würde sie es sich anders überlegen, aber dann entschied sie sich doch, schnellen Schrittes auf Jeanette Falcks Haus zuzugehen. Miriam und Nina sahen sich an.

»Wahrscheinlich arbeitet sie nicht allein.« Nina sah wieder hinüber zum Nachbarhaus, wo die Tür aufging und die Frau schnell dahinter verschwand. Das Schließen der Haustür hörten sie eine Sekunde später.

»Wie es aussieht, nicht.« Miriam war völlig bleich im Gesicht. Eine Reihenhaushure war an sich schon schlimm genug, aber gleich ein ganzes Bordell? »Ich rede mit Ellinor«, sagte sie entschlossen, bevor sie sich verabschiedete und die Treppe wieder hinabging. Nina blieb stehen und sah, wie sie quer über die Straße huschte, an ihrer eigenen Garage vorbeilief und sich dann weiter in Richtung Familie Hauges Haus bewegte. Bevor Miriam hinter dem Carport der jungen Nachbarn verschwand, hielt sie kurz inne, drehte sich um und winkte Nina noch ein letztes Mal zu, so wie es Verbündete tun.

Ellinor kam zurück in die Küche. Wille hatte Albin fast die ganze Portion Fischklößchen verabreicht, und auf dem Teller waren nur noch vereinzelt ein paar Kartoffelstückchen übrig und daneben ein großer Berg Erbsen.

»Wer war das denn?«, fragte er und versuchte gleichzeitig, Albin dazu zu bewegen, seinen Mund aufzumachen, indem er brummte und mit dem Löffel so tat, als sei er ein Flugzeug.

»Es war Frau Larsson.« Ellinor setzte sich wieder an den Tisch. Instinktiv wollte sie Albin weiterfüttern, doch sie hielt an sich. Wille schien die Lage völlig unter Kontrolle zu haben, und für Albin war es sicher eine willkommene Abwechslung, auch mal zu sehen, wie sich der Papa mit dem Löffel abmühte.

»Und worum ging es?«

»Na ja … Ich weiß auch nicht so recht. Es betrifft unsere neue Nachbarin.«

»Diese abgefahrene Alternative?«

»Ja. Es klang, als würde Frau Larsson sich irgendwie Sorgen darüber machen. Sie hatte mich ja schon einmal darauf angesprochen, erinnerst du dich, das habe ich doch erzählt? Wegen der Autos, die hier vorbeifahren.«

»Ach ja, stimmt …« Wille zögerte.

»Jetzt möchte sie sich mit mir treffen. Sie und ich und Nina Heinonen. Am Donnerstag.«

»Und weshalb?«

»Ist mir ehrlich gesagt auch nicht so ganz klar.«

Wille musste lachen. »Na so was. Das kann ja interessant werden…«

»Ja.« Ellinor lachte extra laut, sie wollte nicht den Eindruck erwecken, dass sie nun in den Wohnviertelklatsch hineingezogen werden würde. Das war nicht ihre Art. Gar nicht. Trotzdem fand sie Miriam Larssons Andeutungen, dass etwas im Viertel nicht ganz in Ordnung war, durchaus beunruhigend. Und wenn das mit der neuen Nachbarin zusammenhing, dann betraf es sie schließlich ganz direkt. Jeanette Falcks Haus lag gerade einmal dreißig Meter von ihrem eigenen entfernt und allein die Gerüchte über Probleme in der Nachbarschaft würden den Wert ihres Grundstückes erheblich senken können. Nicht dass sie vorhatten, in nächster Zukunft umzuziehen, aber bis zur Rente würden sie hier wohl auch kaum bleiben. Ellinor versuchte, die Sache heiter zu nehmen und lachte. »Schaffst du es am Donnerstag eigentlich bis sieben Uhr?«, fragte sie.

»Ich glaube kaum, dass das ein Problem sein wird. Jetzt, da der Quartalsabschluss vorliegt, müsste es wesentlich ruhiger werden.«

Ellinor sah ihren Mann an, der soeben den leeren Teller aus Albins Reichweite geschoben hatte. Seine Fingerchen hatte er kurz zuvor abgetrocknet. Nun hatte sie längst nicht mehr die Nachbarn im Kopf, als sie ihm antwortete.

»Du meinst, *diesen* Quartalsabschluss hier …«

Wille schien ihren Kommentar gar nicht wahrzunehmen. Stattdessen hob er Albin aus seinem Stuhl und nahm ihn auf den Arm. »So, mein kleiner Fratz«, sagte er und kitzelte den Kleinen am Bauch, woraufhin dieser vergnügt zu kichern begann.

»Jetzt ist es Zeit für die Badewanne.«

Die Kissen hinter ihrem Rücken waren aufgeschüttelt und sie hatte sich die Lesebrille aufgesetzt. Miriam hielt die Knie angezogen und legte den Buchrücken dagegen. Doch obwohl sie die Bücher von der runden Mma Ramotswe und ihrem Detektivbüro so liebte, fiel es ihr schwer, sich auf den Text zu konzentrieren. Ihre Hände sanken immer wieder auf die Decke zurück.

Frank neben ihr schlief bereits. Es war immer so, dass er vor ihr in den Schlaf fiel. Natürlich stand sie mit ihm auf, oder besser gesagt sogar vor ihm, um sein Frühstück zu machen. Aber ihre Tage waren auch nicht so anstrengend wie seine. Er war unterwegs und besuchte Kunden, das kostete Kraft. Am vergangenen Wochenende war er in Kopenhagen gewesen. Als er nach Hause kam, hatte er viel von den neuen Geräten erzählt. Irgendwann konnte sie es nicht mehr hören. Wie viele Bar Dampfdruck sie erzeugten und wie man das Aroma des Kaffees verbessern konnte, indem man die Körnigkeit der integrierten Kaffeemühle anpasste.

Als sie sich nach dem Abendessen erkundigte, hatte er nur eine abfällige Handbewegung gemacht und ein Gesicht gezogen. »Langweilig«, hatte er gesagt und berichtete, dass er schon vor Mitternacht wieder in seinem Hotelzimmer gewesen war. Ihr war klar, dass er noch immer ein schlechtes Gewissen hatte, weil er sie nicht gefragt hatte, ob sie ihn begleiten wollte, und obwohl sie beschlossen hatte, die

Sache ad acta zu legen, war die Enttäuschung noch deutlich spürbar.

Oft kam es nicht vor, dass sie etwas gemeinsam unternahmen. Manchmal tat es ihr leid, dass sie nie mit dem Golf spielen angefangen hatte. Dann hätten sie wenigstens das an den Wochenenden gemeinsam gehabt. Wie Bibi und Jan-Åke. Sie seufzte und fuhr mit der Handfläche über das Betttuch. Natürlich könnte sie es auch jetzt noch lernen, doch Frank hätte sicher wenig Lust, einen blutigen Anfänger vor den Füßen zu haben. Stattdessen verbrachten sie die meiste Zeit im Garten oder vor dem Fernseher. Das war ja auch nicht schlecht. Es machte ihnen beiden Spaß. Aber mit Leidenschaft hatte das nichts zu tun, schon gar nicht nach sechsunddreißig Ehejahren. Auf der anderen Seite kannten sie sich so gut, dass sie eine intensive Nähe und Geborgenheit zueinander spürten. Sie waren einfach gern zusammen, wie altmodisch das nun auch klingen mochte.

Seit die Kinder aus dem Haus waren, hatte sich ihre Beziehung natürlich verändert, und sie wusste nicht recht, ob sie eigentlich besser oder schlechter geworden war. Vermutlich eher besser. Ihr Leben drehte sich nicht mehr nur um die Kinder. Das war zwar ein Teil ihrer Beziehung gewesen, doch Christer hatte ja mittlerweile selbst schon lange seine eigene Familie und Susanne war ja nicht einmal in Schweden. Und nun stand ihre eigene Beziehung wieder im Mittelpunkt. Die Beziehung zwischen ihr und Frank.

Am Anfang hatte sie sich schwer getan, das Leben ohne Kinder anzunehmen. Das Haus war ihr so verlassen vorgekommen, aber nach und nach hatte sie sich an die neuen Gegebenheiten gewöhnt. Und seit die Enkel auf der Welt waren, hatte sie auch noch eine neue Aufgabe. Bis Matilda den Kindergartenplatz bekam, war sie immerhin ein Jahr lang Tagesmutter gewesen. Sie hätte das gern fortgesetzt, doch Veronika vertrat die Auffassung, dass der Umgang mit Gleichaltrigen für ihre Tochter wichtiger sei. Miriam hatte sich nicht dagegen gewehrt, doch Frank gegenüber hatte sie schon gemeint, dass sie die Prioritäten der heutigen Eltern nicht recht verstehen konnte. Natürlich war gegen den Kindergarten nichts einzuwenden, aber wenn sie sich nun schon als Tagesmutter anbot, und noch dazu kostenlos, war das nicht in jedem Fall besser?

Aber sie beschwerte sich nicht. Sie sah die Mädchen noch oft, wenn auch nicht ganz so viel wie früher, was ja ganz in der Natur der Sache lag. Sie wurden älter und brauchten nicht mehr so viel Aufsicht. Jedenfalls sahen sie sich in der Regel mehrere Male pro Monat und manchmal übernachteten die Mädchen auch bei Oma und Opa.

Sie verwöhnte sie, das gab sie ehrlich zu. Veronika ermahnte sie immer, dass Süßigkeiten nur am Samstag erlaubt waren und dass die Kinder genug Spielsachen hätten. Es reichte, wenn es Geschenke zu Weihnachten und an den Geburtstagen gab, hatte sie gesagt. Aber Miriam ließ sich immer etwas einfallen, um Veronikas Vorschriften zu umschiffen. Zu Pfannkuchen hatte sie nämlich nichts gesagt, auch nicht, ob sie mit selbstgemachter Himbeermarmelade und Schlagsahne auf den Tisch kommen durften. Und wenn sie den Kindern etwas zum Anziehen schenkte, dann war daran doch wohl kaum etwas auszusetzen? Heutzutage gab es doch so viele hübsche Sachen für Mädchen. Wunderschöne Kleider und Pullover in herrlichen Farben. Obwohl Matilda in der Hinsicht auch nicht ganz einfach war. Sie hatte ganz genaue Vorstellungen, welche Sachen »okay« waren, und welche sie partout nicht anziehen konnte. Es war in der letzten Zeit mehr als einmal vorgekommen, dass Miriam etwas hatte umtauschen müssen, das sie selbst niedlich fand. Auf Matildas Wunsch hatte sie es dann gegen Jeans und Sweaties eingetauscht, was sie selbst im Leben nicht ausgesucht hätte. Doch es kränkte sie nicht, sie hatte ja so viel Freude daran, die Dinge einzukaufen, und das Wichtigste war immerhin, dass es den Mädchen gefiel.

Miriam musste lächeln, als sie an ihre Enkeltöchter dachte. Der »Nachtisch des Lebens«, war das nicht der Ausdruck, der in einem Leserbrief in ihrem »Wohnjournal« gestanden hatte? Sie nahm ihren Roman wieder in die Hand und begann zu lesen, doch weit kam sie nicht und ließ das Buch wieder auf die Decke sinken.

Auch wenn sie viel Zeit mit den beiden verbracht hatte, bestand doch kein Zweifel daran, dass sich das Leben sehr gewandelt hatte, seit Christer und Susanne ausgezogen waren. Als ob die Zeit plötzlich zäher würde. Während die Tage früher wie im Flug vorbeirasten, war es jetzt, als hätte jemand auf die Bremse getreten. Manchmal zog sich ein Tag unerträglich in die Länge, obwohl sie bemüht war, sich mit sinnvollen Dingen zu beschäftigen. Ihr fehlten die Stunden in Bibis Geschenkeladen, als sie noch unter Menschen war. Aber besonders vermisste sie Bibi selbst. Jemand, mit dem sie reden, Freud und Leid teilen konnte.

Miriam sah eine Zeitlang auf ihren schlafenden Ehemann. Das vertraute Gesicht mit den tiefen Falten auf der Stirn. Die grauen Haare, die unter seinem Pyjamahemd hervorlugten. Sie waren nicht mehr jung, ihre Körper machten keinen Hehl daraus. Bald würde sie sechzig sein. Das klang steinalt, doch so fühlte sie sich gar nicht. Manchmal stellte sie sich sogar vor, ihr Leben hätte noch gar nicht richtig angefangen. Es war, als warte sie noch immer darauf. Natürlich war das Unsinn. Sie hatte schon viele Jahre gelebt. Und es war ein gutes Leben, aber wenn sie zurückdachte an ihre Kinderzeit, da fragte sie sich schon manchmal, wo ihre Träume geblieben waren.

Ihre Eltern hatten damals entschieden, dass sie die Ausbildung zur Sekretärin machen sollte. Sie war es gewohnt, das zu tun, was sie sagten, und nach einem Jahr hatte sie Frank kennengelernt und war schwanger geworden. Sie lebten zwar nicht mehr im Mittelalter, doch für ihre Eltern war das die Katastrophe. Ein regelrechter Skandal. Keine Frage, es musste geheiratet werden. Sie konnte ihre Ausbildung nicht beenden und die Eltern steuerten einiges bei, damit sie das neu errichtete Haus im Lingonstig kaufen konnten.

Vielleicht musste sie sich von dem unplanmäßigen Start erst einmal erholen. Sie blieb zu Hause, als die Kinder klein waren. Es tat ihr im Nachhinein nicht leid, doch manchmal kam ihr schon der Gedanke, was wohl aus ihrem Leben geworden wäre, wenn sie stattdessen ihre Ausbildung abgeschlossen und gearbeitet hätte.

Aber jetzt war es, wie es war. Und worüber wollte sie sich eigentlich beschweren? Sie war glücklich verheiratet, wohnte in einem schönen Haus, das abgezahlt war und sie hatten sogar Geld für Urlaube im Ausland.

Wieder richtete sie den Blick auf ihr Buch, das sie eigentlich lesen wollte, doch auch dieses Mal schweiften ihre Gedanken wieder ab. Sie hörte, wie Frank atmete. Es würde nicht mehr lange dauern, dann würde er zu schnarchen beginnen. Eine halbe Stunde nach dem Einschlafen, dann ging es los. Erst war es nur ein leises Pusten, als ob er nur etwas mehr Luft zwischen den Lippen hinausließ, dann kam ein Schnorchelton beim Einatmen hinzu. Kurz danach wurde das Pusten heftiger, und schließlich war er bei den langgezogenen, tiefen Schnarchtönen angelangt, die sie manchmal in der Mitte der Nacht weckten. Dann musste sie ihn in die Seite knuffen. Wenn er sich umdrehte, wurde es ein bisschen besser, aber manchmal war sogar das wirkungslos. Wenn sie einen Nachteil nennen sollte, den es gab, mit Frank verheiratet zu sein, dann war das mit Sicherheit sein Schnarchen. Auch wenn sie selbst der Ansicht war, nach all den Jahren hätte sie sich an seine Unart gewöhnen können, so schien es doch unmöglich, diese nächtlichen Störungen zu ignorieren. Immerhin hatte sie es sechsunddreißig Jahre lang versucht. Frank hatte einmal vorgeschlagen, in ein anderes Zimmer umzuziehen, wenn er sie störte, aber den Gedanken fand sie so abstrus, dass sie beschloss, es auszuhalten. Vermutlich würde sie noch schlechter schlafen, wenn sie allein im Bett lag. Ihr reichten schon die Nächte, in denen er aus beruflichen Gründen nicht zu Hause sein konnte.

Sie versuchte, sich von Franks Atmen abzulenken und sich stattdessen auf ihr Buch zu konzentrieren. Diesmal schaffte sie zweieinhalb Seiten, dann gab sie auf. Während sie die Kissen aufschüttelte, ließ sie ihre Gedanken noch einmal schweifen.

Das bevorstehende Treffen mit Nina und Ellinor beunruhigte sie. Sicherlich hatte es ihr gutgetan, mit Nina zu reden und zu erfahren, was sie beobachtet hatte, dennoch ließ sie der Gedanke nicht los, die beiden jüngeren Frauen könnten den Eindruck gewonnen haben, dass sie es etwas übertrieb. Bis gestern hatte sie das beinahe selbst geglaubt. Aber die Frau im schwarzen Mantel war der Beweis gewesen – jetzt musste etwas unternommen werden. Ein Bordell im Viertel, da war es doch nur eine Frage der Zeit, wann die Probleme dadurch überhandnahmen. Nicht nur dieses ungute Gefühl, welche Art von Männern bei ihnen durch die Straßen schlichen. Nein, wenn es hart auf hart kam, bekamen sie es auch noch mit organisierter Kriminalität, Banden, Drogen und Gewalttaten in ihrem kleinen Wohngebiet zu tun.

Miriam lief ein Schauer über den Rücken. Sie knipste die kleine Lampe auf dem Nachttisch aus und kroch unter die Decke. An ihrer Wange fühlte sich das Kissen kühl an und der Duft des frisch gewaschenen Bezuges war so entspannend, dass sie schläfrig wurde. Nina und Ellinor konnten denken, was sie wollten, Hauptsache, das Treiben im Nachbarhaus würde ein Ende finden.

Nina war von der Arbeit nach Hause gehetzt. Am Morgen hatte das Haus noch unmöglich ausgesehen, als Matthias und sie gegangen waren. Gegen Ende der Woche war es meist so. Am Samstag wurde geputzt, doch davon war schon am Dienstag nichts mehr zu sehen, in der Regel hielt die Ordnung über das Wochenende, es war ihr ein Rätsel, wie schnell alles wieder verstaubte und unordentlich wurde. Schuhe und Jacken waren über den ganzen Flur verstreut, Brotkrümel und unabgewaschene Töpfe stapelten sich in der Küche und im Schlafzimmer türmten sich die Klamotten. Bei Matthias waren es dreckige und halbsaubere Unterhosen, Strümpfe, Jeans und T-Shirts, die er warum auch immer nicht ins Badezimmer trug, wo der Wäschekorb stand. In ihrem Zimmer waren die Sachen meistens sauber, aber über den Möbelstücken und den Boden verteilt, weil sie morgens immer in Eile war, wenn sie etwas Hübsches zum Anziehen suchte, in dem sie sich den ganzen Tag über wohlfühlen konnte.

Jetzt wollte sie einen Schnelldurchgang machen. Küche und Wohnzimmer reichten schon. Natürlich war das nicht zwingend notwendig, es kamen ja nur die Nachbarn vorbei, aber dennoch. Sie hatte kein gutes Gefühl dabei, Gäste ins Haus zu holen, wenn es aussah, als sei eine Bombe hochgegangen. Dass Matthias die Sache anders sah, war offensichtlich. Er schien nicht die geringsten Probleme damit zu haben, seine Freunde mitzubringen, obwohl sein

Zimmer mit stinkigen Socken und alten Unterhosen dekoriert war.

Es war halb sieben. Nina drehte eine Runde durchs Haus und räumte eine Reihe von Sachen zurück in Matthias' Zimmer, unter anderem einen Hockeyschläger, der unter dem Sofa im Wohnzimmer zum Vorschein kam. Dann holte sie sich den Staubsauger. Auf dem Küchentisch stand die Einkaufstüte von Edeka halb ausgepackt. Die Milch hatte sie schon in den Kühlschrank gestellt, aber in der Tüte waren noch je eine Packung Cookies und Chips.

Als sie den Staubsauger anstellte, bemerkte sie im Flur den unangenehmen Geruch des übervollen Staubsaugerbeutels. Sie musste unbedingt daran denken, neue Beutel zu kaufen, die alte Schachtel war schon lange leer und dieser Beutel war sicherlich schon ein halbes Jahr in Betrieb. Der Gedanke an den Inhalt ekelte sie. Dann zog sie das schwerfällige Ding hinter sich her ins Wohnzimmer.

Zehn vor sieben stellte sie den Staubsauger zurück in den Besenschrank, riss die Fenster auf, um den Geruch wegzulüften und flitzte ins Badezimmer, um ihren Pulli zu wechseln. Der Schweiß vom Tag klebte unter den Achseln, sodass sie sich erst schnell wusch, bevor sie den hellblauen Pulli überzog, den sie gerade auf dem Boden in ihrem Schlafzimmer gefunden hatte.

Als sie zurück ins Wohnzimmer kam, war der Raum völlig ausgekühlt und sie schaffte es gerade noch, das Fenster fröstelnd wieder zu schließen, da klingelte es auch schon an der Tür.

Ellinor grüßte Nina etwas geniert, immerhin hatten sie bislang nur die üblichen Begrüßungsformeln unter Nachbarn ausgetauscht und kannten sich kaum. Nina lächelte freundlich und bat sie hinein. Ellinor schaute sich in dem kleinen Flur um, während sie Jacke und Schuhe auszog. Die Wände waren intensiv gelb gestrichen und die Einrichtung auf den ersten Blick eher spartanisch. Unter einem goldgerahmten Spiegel stand ein kleiner Mosaiktisch, auf dem sich eine Schale befand, in der Schlüssel lagen. Es sah ordentlich aus, auch wenn ein komischer Geruch in der Luft lag. Nina entschuldigte sich für die Unordnung. Doch Ellinor winkte ab. Sie betrachtete Nina, die in ihrer Jeans und dem blauen Pulli ganz unspektakulär aussah, aber dennoch attraktiv, eben auf eine reife Art. Dem tat auch die Mascara, die unter den Augen ein wenig verlaufen war, keinen Abbruch. Ellinor wurde das Gefühl nicht los, neben ihr gespenstisch bleich zu wirken.

Nina führte sie zum Wohnzimmer. »Komm doch rein und mach es dir gemütlich – wir sagen jetzt einfach ›du‹, oder? Kann ich dir einen Kaffee anbieten? Oder vielleicht ein Glas Wein?«

Ellinor war nicht nach Kaffee. Sie trank selten mehr als eine Tasse pro Tag und am Abend schon gar nicht. »Ich trinke gern ein Glas mit«, sagte sie und lächelte.

»Ja … Aber du musst nicht extra eine Flasche öffnen …«

Nina musste lachen. »Nur keine Sorge! Die Zeiten sind vorbei, in denen es hier im Haus *Flaschen* gab. Jetzt kaufen wir immer Kartons!«

»Na, wenn das so ist. Dann nehme ich gern einen Wein.«

Nina verschwand in der Küche und Ellinor ging ins Wohnzimmer. Irgendwie hatte sie es sich anders vorgestellt, sie wusste auch nicht recht, was. Vielleicht hatte sie eher IKEA-Möbel erwartet, aber hier sah sie weder ein Billy- oder Ivar-Regal noch ein Klippan-Sofa. Stattdessen eine Einrichtung, die eine ganz eigene Handschrift hatte. Das Wohnzimmer war schlicht cremefarben gestrichen, aber die eine kürzere Seite, die von einigen Spots an der Decke ausgeleuchtet wurde, war voll von Bildern in unterschied- lichen Größen und Arten. Teils waren es Kunstplakate von großen Künstlern: Chagall, Matisse und Picasso, dann gab es wieder klitzekleine Zeichnungen in phantasievollen Rahmen. Ein paar Bilder waren Collagen aus Tageszeitun- gen, ein paar waren Aquarelle, dann hingen dort Kohle- zeichnungen und einige richtig große Ölgemälde. Obwohl die Bilder alle so unterschiedlich waren, ergaben sie doch einen harmonischen Gesamteindruck, und die Wand mit ihren vielen verschiedenen Farben und Formen sah wirk- lich schön aus.

Ellinor setzte sich aufs Sofa. Es war sehr niedrig und hatte einen Überwurf aus einem rostroten indischen Baum- wollstoff. In einer Ecke lagen verschiedene Kissen, deren Bezüge, die unterschiedlich gemustert waren, zur Farbe des Stoffs passten. Vorsichtig hob Ellinor den roten Stoff hoch. Der ursprüngliche Bezug war ein abgewetzter Cord- stoff, beige und apricot gestreift. Ellinor musste an ihr ei- genes Sofa denken, es war zwar nicht ganz so furchtbar wie dieses Produkt der achtziger Jahre, aber auch wirklich kein

Schmuckstück mehr. Vielleicht sollte sie auch einen Stoff kaufen und darüber drapieren, so wie Nina es gemacht hatte? Zumindest für die Zeit, bis Wille und sie sich ein neues leisten konnten.

Neben dem Sofa bestand die Sitzgruppe noch aus zwei Fünfziger-Jahre-Sesseln mit Armlehnen aus schwarz lackiertem Holz. Auch sie hatten einen Überwurf, allerdings war das ein samtartiger Stoff, der zur Farbe der Wand passte. An der gegenüberliegenden Wand stand ein niedriges Regal mit Fernseher, CD-Player und Lautsprechern. Diese eher hässlichen Geräte waren ein Stilbruch zu der ansonsten sehr warmen und gemütlichen Einrichtung.

Abgesehen von einer Handvoll Bücher, die in das Regal unter der Stereoanlage hineingequetscht waren, gab es keine weiteren Bücherregale in diesem Zimmer. Ellinor musste wieder an ihr eigenes Haus denken. Ihr Wohnzimmer war vollgestopft mit Büchern. Geerbte und gekaufte, Bücher auf Französisch, Englisch und Schwedisch, Fachliteratur, schöngeistige Literatur, Kursliteratur, ganze Reihen mit Taschenbuchausgaben der aktuellen Romane. Ihr waren Bücher heilig, völlig unmöglich, welche wegzuwerfen. Wille hatte versucht, sie dazu zu bewegen, vor dem Umzug einen Teil auszumisten, aber nachdem sie die Bücher daraufhin durchgeschaut hatte, konnte sie sich nicht für mehr als zehn Exemplare entscheiden, von denen sie meinte sich trennen zu können und auch dies nur mit Bauchweh.

Sie beugte sich über die Rückenlehne des Sofas, um lesen zu können, welche Titel Nina im Regal stehen hatte. Dabei neigte sie den Kopf, um die Schrift lesen zu können. Drei Bücher von Liza Marklund: *Studio 6*, *Mia: Ein Leben im Versteck* und *Asyl*, Paolo Coelhos *Der Alchimist* und ein paar Bücher von Marian Keyes, Kajsa Ingemarssons *Liebe mit drei Sternen*, ein paar Krimis und ganz hinten *Die wunderbare Reise des kleinen Nils Holgersson*, *Tristan und Isolde* und *Die Leute auf Hemsö*. Die letzten drei waren Schullektüre. Zudem standen da noch ein paar Geschenkausgaben, darunter eine über Schokolade und eine andere über Wohnungseinrichtungen.

Ellinor gab sich alle Mühe, die abschätzigen Gedanken abzuschütteln. Es half nichts. Ein Bücherregal sagte einfach viel über seinen Besitzer aus, so war es nun mal.

Nina kam mit einem Tablett ins Wohnzimmer zurück. Sie stellte es auf der Kiste ab, die als Couchtisch diente, und servierte drei Gläser Weißwein auf kleinen Servietten. Dann platzierte sie eine Schale Chips in die Mitte und stellte das Tablett zurück ins Regal neben dem Fernseher.

Nina machte es sich in einem Sessel gemütlich und hob zum Anstoßen ihr Glas.

»Herzlich willkommen!«

»Danke.«

Stille. Ellinor fühlte sich noch immer ein bisschen als Eindringling, schließlich hatte Miriam sie eingeladen, doch die war noch gar nicht aufgetaucht.

»Sehr schön«, sagte sie und wies zu der gegenüberliegenden Wand mit den Bildern.

»Wirklich?« Nina sah hinüber und kniff die Augen leicht zu, als hätte sie die Wand selbst gerade erst entdeckt. »Die Bilder hängen dort schon so lange, dass ich sie selbst kaum noch wahrnehme. Früher habe ich die Bilder immer mal wieder ausgetauscht und umdekoriert, aber das tue ich nicht mehr.«

Ellinor stand auf und ging hinüber zu der Wand. Sie blieb vor einem der kleineren Bilder stehen. Eine Kohlezeichnung von einem Kind. Es war ein nacktes Baby, das auf einer Decke lag und lachte. Die Perspektive wirkte ein wenig verzerrt und die Proportionen waren nicht perfekt, doch der Ausdruck war so gut getroffen, dass man automatisch zurücklächelte, ohne dass man es merkte.

»Das ist wunderschön.«

»Danke. Das ist Matthias.«

»Dein Sohn?«

»Ja. Da war er erst sechs Monate. Und immer in Bewegung, es war schier unmöglich, ihn zu malen.«

»Heißt das, du hast das gemalt?« Ellinor sah Nina mit großen Augen an. »Das ist enorm gut!«

»Ach was. Schau mal auf den Arm, der ist ganz schief geworden.« Nina war zu Ellinor gekommen und stand nun neben ihr. Sie zeigte auf die Stelle in der Zeichnung.

»Aber das sieht so aus, als sei es gewollt. Wie in der naiven Malerei.«

»Ja, wenn man will, kann man das so sehen. Oder man sagt, wie es ist. Nämlich schief.«

Ellinor sah sich die anderen Bilder genauer an. Neben der Kohlezeichnung hing ein klassisches Stillleben, ein Aquarell, auf dem eine Obstschale zu sehen war und darüber war ein leuchtend farbiges Ölbild in rot, orange und schwarz. Ein abstraktes Motiv, aber vom ganzen Bild ging ein intensives Gefühl von Feuer aus.

»Hast du noch mehr davon gemalt?« Ellinor fuhr mit der Hand über die Bilder.

»Na ja, die nicht.« Nina lachte laut und zeigte auf die großen Kunstplakate. »Aber der Rest ist von mir.«

»Nein, im Ernst?« Ellinor staunte nicht schlecht. »Aber du bist eigentlich Friseurin, oder?«

»Ja, warum?«

»Na ja, wenn ich mir das so ansehe …« Ellinor wurde ganz rot im Gesicht. »Ich meine, die Bilder sind wirklich gut. Professionell. Du könntest hauptberuflich auch Künstlerin sein.«

»Ach was. Das ist lieb von dir, aber ich bin einfach eine fröhliche Amateurin. Außerdem ist es Jahre her, dass ich gemalt habe.«

»Warum?«

»Tja …« Nina kniff den Mund zusammen und schüttelte langsam den Kopf. »Wahrscheinlich liegt es an der fehlenden Zeit. Oder an der Energie. Ich habe ja viel gemalt, als ich jung war, aber jetzt … Der Job verschlingt die meisten Stunden am Tag und ich bin ja auch schon lange mit Matthias allein.« Sie sah Ellinor an, als suchte sie nach Verständnis. »Da muss man alles selbst bewältigen.«

»Ja, das ist richtig.« Ellinor nickte nachdenklich, während ihr Blick noch immer an den Bildern hing. »Das ist aber schade. Du solltest wieder mehr malen.«

»Ja vielleicht«, Nina legte ihre Hand auf Ellinors Schulter. »Komm, jetzt setzen wir uns wieder gemütlich hin.«

Nina ließ sich in den Sessel fallen und Ellinor nahm auf dem Sofa Platz. Diskret sah sie auf ihre Armbanduhr. Doch Nina bemerkte es.

»Miriam müsste gleich kommen«, sagte sie. »Es ist eigentlich gar nicht ihre Art, sich zu verspäten.«

»Nein.« Ellinor lächelte. Miriam war wirklich nicht der Typ, der andere warten ließ. Sie gehörte eher zu denen, die eine halbe Stunde zu früh da waren und dann auf der Stelle traten, um genau im richtigen Moment aufzulaufen. »Vielleicht ist etwas mit den Enkeln passiert.« Ellinor suchte nach einer Erklärung. »Ich habe gesehen, dass sie am Nachmittag zu Besuch waren.«

»Ja, vielleicht.«

Einen Moment lang herrschte betretenes Schweigen. »Ach übrigens«, begann Ellinor zaghaft. »Worum geht es denn eigentlich? Ich weiß nur, dass Miriam über die neue Nachbarin reden wollte.«

»Ja.« Nina rutschte in ihrem Sessel hin und her. »Ich hatte gedacht, wir warten, bis Miriam kommt, nun gut …« Sie holte tief Luft. »Es geht um die vielen Besucher, die hier abends auftauchen.«

»Die mit den Autos? Miriam hat das erwähnt.«

»Ja, genau. Irgendetwas ist daran faul. Es hat den Anschein, als würde Jeanette Falck einen Beruf ausüben, bei dem sie Männer empfängt …« Nina hielt inne, um festzustellen, wie Ellinor reagierte.

»Aber was für ein Beruf soll das sein?«

»Na ja, es liegt ja nahe, dass die Männer, die kommen, Kunden sind. Oder?«

»Ja …«

»Sie hat sich selbst als Unternehmerin bezeichnet, als *Consultant* …« Nina machte bei dem letzten Wort Zitatzeichen in die Luft.

»Könnte das nicht etwas Juristisches sein?«, schlug Ellinor vor. »Oder Betriebswirtschaftliches? Vielleicht macht sie auch so was wie eine Steuerberaterin?«

»Ja, mag schon sein. Aber wie viele Leute geben jetzt im Herbst ihre Steuererklärung ab …« Nina schien keineswegs überzeugt. »Aber lass uns doch mal ehrlich sein …« Sie räusperte sich. »Jeanette Falck sieht wohl auch kaum aus wie eine Juristin. Oder wie ein Steuerberaterin.«

»Nein, da hast du recht.«

Nina sah Ellinor ins Gesicht, die nervös an dem Überwurf des Sofas fingerte. Hatten sie sich vielleicht in etwas verrannt? Einen Moment überlegte sie. Vielleicht war an Jeanette Falck gar nichts Merkwürdiges. Und wenn sie nun wirklich Steuerberaterin war? Warum sollen die keine hennaroten Haare, Klett-Turnschuhe und Volantröcke tragen? Oje, vielleicht war sie selbst durch die vielen Jahre in diesem spießigen Umfeld so engstirnig geworden, dass sie alle, die von der Norm abwichen, verdächtig fand. Dieser Gedanke behagte ihr gar nicht und es hatte fast den Anschein, als würde Ellinor ihre Gedanken lesen.

»Aber das hätte sie doch auch klar sagen können.« Ellinor biss sich auf die Lippe. »Ich meine, wenn sie Steuerberaterin ist. Und dann hätte sie auch irgendein Firmenschild am Briefkasten.«

Nina nickte. Man konnte nun auch die Karten auf den Tisch legen. »Genau«, sagte sie, und fuhr fort. »Miriam und ich haben uns ein bisschen unterhalten und wir glauben … oder besser gesagt, wir haben das Gefühl …« Tja, nun stockte sie doch wieder. Sie setzte neu an. »Miriam und ich haben ja beide eine ziemlich gute Sicht auf Jeanette Falcks Haus. Und seit sie eingezogen ist, beziehungsweise kurze Zeit später, begann es, dass hier die Autos am Abend auftauchten. Dann fragt man sich schon, was da los ist. Immer wieder andere Typen schleichen in ihr Haus und wenn sie sie hereingelassen hat, zündet sie Unmengen Kerzen an und lässt die Jalousien herunter.«

»Die Jalousien … warum das denn?«

Nina zuckte mit den Schultern. »Ich nehme mal an, weil sie es vermeiden will, dass jemand sieht, was sie da drinnen veranstaltet.«

Ellinor nickte langsam, als würde sie erst jetzt begreifen, was Nina eigentlich sagen wollte. »Also … Ihr glaubt, dass es … dass sie etwas … Ungesetzliches tut?«

»Ja, es ist doch klar, dass das nicht ihre Verwandtschaft ist, die da jeden Abend aufläuft.« Nina atmete tief ein, bevor sie weitersprach. »Ja. Wir glauben, dass Jeanette Falck so etwas wie ein Bordell aufgemacht hat.«

So, jetzt war es raus.

Ellinors schon sehr blasses Gesicht wurde noch eine Spur fahler. »Bordell …« Für einen Augenblick starrte sie in die Luft, dann wandte sie sich wieder Nina zu. »Seid ihr sicher?«

»Nein, natürlich sind wir uns nicht sicher!« Sie machte eine abschlägige Handbewegung, als wolle sie die Schwere ihres Verdachts verwischen. »Aber wir können so eine Sache doch auch nicht einfach auf sich beruhen lassen. Oder was meinst du? Wenn sich unsere Befürchtung bewahrheitet, dann müssen wir etwas unternehmen.«

»Und das wollten wir heute Abend besprechen?«

»Ja, genau. Wenn Miriam nun bald auftaucht.« Jetzt war Nina diejenige, die ungeduldig auf die Uhr schaute. Eine halbe Stunde war mittlerweile vergangen und sie wollte gerade vorschlagen, dass eine von ihnen zu Larssons hinüberginge und nachfragte, als es an der Tür klingelte. »Endlich!« Nina war wirklich erleichtert. »Ich öffne«, sagte sie und verließ das Wohnzimmer. Beim Hinausgehen sah sie noch, dass Ellinor nach ihrem Weinglas griff und einen gehörigen Schluck trank. Die Arme, sie schien tatsächlich einen richtigen Schock bekommen zu haben.

Miriam trat auf der Stelle, als sie vor Ninas Tür stand. In der Hand hielt sie eine zusammengerollte Zeitung, die sie immer wieder gegen den Oberschenkel schlug. Sie kam fast eine halbe Stunde zu spät zu ihrer Verabredung, doch das beschäftigte sie in dem Moment gar nicht.

Als Nina schließlich öffnete, konnte Miriam kaum an sich halten.

»Hast du das gesehen?!«, fragte sie, ohne überhaupt »hallo« zu sagen. Dabei hielt sie die eingerollte Zeitung in die Höhe wie einen Gummiknüppel.

»Nein.« Nina machte ein verdutztes Gesicht. »Willst du nicht erst einmal reinkommen?«

Miriam beherrschte sich wieder. »Doch, sicher …« Sie ließ den Arm, in dem sie die Zeitung hielt, sinken und machte einen Schritt in den Flur. Nina nahm ihr den Mantel ab und hängte ihn auf einen Bügel. In dem Moment kam Ellinor aus dem Wohnzimmer und Miriam warf rasch einen Blick auf ihre Armbanduhr. Es war überhaupt nicht ihre Art, unpünktlich zu sein. Doch dieses Mal gab es einen Grund dafür. »Es tut mir wirklich leid, dass ich zu spät komme«, entschuldigte sie sich und das meinte sie ernst.

»Nicht so schlimm«, antwortete Nina. »Wir haben uns ganz gut unterhalten, nicht wahr?« Sie zwinkerte Ellinor zu.

»Wirklich, ich möchte mich ausdrücklich dafür entschuldigen, ich komme sonst nie zu spät, aber ich glaube, ihr werdet es verstehen, es gibt nämlich einen handfesten Grund.«

Wieder wedelte sie mit der Zeitung.

»Aber jetzt komm erst einmal rein.« Nina holte sie ins Wohnzimmer und zeigte auf den Tisch. »Wie wär's mit einem Glas Wein?«

Miriam lächelte erschöpft. Mittlerweile atmete sie wieder ruhiger, doch ihre Wangen leuchteten noch immer glühend rot. »Danke, ein Gläschen Wein wäre wunderbar«, sagte sie und setzte sich zu Ellinor auf das Sofa. Obwohl sie versuchte, sich zu beruhigen, konnte sie kaum still sitzen. Sie bemerkte, dass Ellinor sie aufmerksam beobachtete. Kein Wunder. Es kam nicht oft vor, dass sie dermaßen aufgebracht war. Vielleicht zuletzt, als Christer volltrunken von einem Schulfest nach Hause gekommen war. Oder als das Gerücht umging, die Gemeinde wollte das Waldgebiet roden und dort einen Supermarkt bauen. Nina schenkte ihr ein Glas Wein ein und Miriam nahm eilig einen Schluck. Sie musste erst einmal tief durchatmen, bevor sie erzählen konnte. Daher ergriff Nina das Wort.

»Also, wir haben dieses kleine Treffen organisiert, um uns über Jeanette Falck zu unterhalten. Ich habe Ellinor gerade erzählt, was wir beobachtet haben und was unsere Vermutung ist. Wenn es nun wirklich so sein sollte …« Nina zögerte kurz, »… dass sie irgendeine Form von käuflicher Liebe anbietet, dann …«

Doch da fiel Miriam ihr ins Wort.

»Wir haben uns geirrt«, sagte sie mit ernster Stimme und sah Nina ins Gesicht, dann Ellinor und wieder zu Nina zurück. »Und ich befürchte, es ist alles noch viel schlimmer.«

Nina starrte Miriam an, die die Zeitung auf dem Tisch ausbreitete. Es war der Sävesta Anzeiger, der an alle Haushalte kostenlos verteilt wurde. Er bestand hauptsächlich aus Anzeigen von Geschäften und Unternehmen, redaktionelle Beiträge gab es nur wenige. Nina beförderte ihn in der Regel direkt in ihre Altpapierkiste. Wenn man über die lokalen Nachrichten informiert sein wollte, las man eher die Rundschau, und sie war sowieso nicht der Typ, der Rabattcoupons ausschnitt, um den Kaffee dafür fünf Kronen billiger zu bekommen. Doch es wunderte sie gar nicht, dass Miriam das Blatt las. Wahrscheinlich waren es besonders die Rentner und andere Leute mit viel Zeit, die diese inhaltslosen Seiten durchblätterten.

Die Zeitung lag auf dem Couchtisch ausgebreitet. Ellinor hatte sich auch nach vorn gebeugt, um zu sehen, worüber Miriam sich so fürchterlich aufregte. Auf dem Titelbild sah man ein paar junge Mädchen, die in Shorts und weißen Trikots Basketball spielten. Die Schlagzeile darüber: *Sävestas 92er – Platz eins in der Bezirksliga!* In der rechten Spalte war zu lesen *Fahrradwege nach Tallvik kurz vor dem Ausbau, Göran Dahlman – der Veteran in unserer Musikschule* und *Kerzen, ein Herbsttrend, der warmhält.*

Nina sah auf und schaute Miriam mit großen Augen an.

»Ihr habt es nicht gelesen?«

»Nein.« Sowohl Ellinor als auch Nina schüttelten den Kopf.

Miriam rutschte auf die vordere Kante des Sofas und reckte sich, sodass sie die Zeitung Seite für Seite umblättern konnte. Sie war nicht gerade dick und so war sie schnell auf der letzten Seite angekommen. Nina verstand gar nichts mehr. Worauf wollte sie hinaus? Sie zeigte auf die Überschrift *Lebenshilfe* und fuhr mit ihrem Finger über die Anzeigen, bis er an einem kleinen Inserat unter *Sonstiges* hängenblieb.

»Da«, triumphierte sie und sah auf. Sie sah die beiden Frauen der Reihe nach an, um ihnen den Ernst der Lage klar zu machen.

Nina drehte die Zeitung herum, damit sie die Buchstaben richtig lesen konnte.

In drei Zeilen stand:

Was wissen Sie über Ihre Zukunft? Suchen Sie Orientierung?

Tarotkarten zeigen uns den Weg. Rufen Sie Janina an und vereinbaren Sie einen persönlichen Termin.

Tel.: 0132-82029.

Ellinor war verwirrt. »Ich glaube, ich verstehe nicht recht …«, sagte sie und sah von einer zur anderen.

»Nein, ich auch nicht.« Nina überflog die Anzeige noch einmal. Hatte sie etwas überlesen?

»Die Telefonnummer!« Das war alles, was Miriam zur Erklärung sagte.

»Und …?«

»Das ist doch Bibi und Jan-Åkes alte Nummer. Die habe ich hundertmal gewählt.«

Nina warf Ellinor einen Blick zu, aber die schien noch genauso irritiert zu sein wie sie selbst.

»Ja und?«

»Versteht ihr denn nicht?« Miriam staunte, begriffen sie denn gar nichts? »Das ist sie. Sie hat die alte Telefonnummer übernommen. Das kann man ja machen. Es ist billiger, als einen neuen Anschluss zu beantragen.«

»Du meinst also, das ist jetzt Jeanette Falcks neue Nummer?«

»Ja.« Für Miriam stand das fest. »Jeanette Falck ist Janina.«

Einen Augenblick lang wurde es still im Zimmer. Dann räusperte Ellinor sich leise. »Und warum sind Sie sich dessen so sicher?«

»Weil ich es getestet habe. Ich habe dort angerufen. Es war lange besetzt, deswegen bin ich ja so spät gekommen. Aber ich musste es einfach wissen.«

»Und hat es geklappt?«

»Ja, ich stand am Küchenfenster und habe hinübergeschaut. Ich habe selbst gesehen, wie sie ans Telefon ging.«

»Und was hat sie gesagt?« Nina sah sie neugierig an. »Hat sie sich mit ihrem Namen gemeldet? Hat sie sich Janina genannt?«

»Nein … Ich weiß nicht mehr recht, ich glaube, sie sagte einfach hallo.«

»Und was hast du gesagt?«

»Nichts. Ich hab einfach aufgelegt.« Miriam hielt die Hände in ihrem Schoß gefaltet, ihr Rücken war kerzengerade. Ellinor starrte auf die Zeitung, als würde sie noch mehr herausbekommen, wenn sie sie nur immer wieder las.

Nina hatte sich in ihrem Sessel zurückgelehnt und die Beine übergeschlagen. Dann ging ein Lächeln über ihr Gesicht. »Dann waren also unsere Befürchtungen, dass sie ein Bordell eröffnet hat, nur …« Sie schüttelte den Kopf und machte dann eine Handbewegung, die zeigen sollte, dass sich gerade alles in Luft aufgelöst hatte. Sie lachte, erst nur einmal, dann ging es in schallendes Gelächter über. »Unsere Reihenhaushure ist also eine Hellseherin!«, sprudelte es aus ihr heraus, während sie immer noch lauthals lachte. »Und wir dummen Kühe haben uns den Kopf heiß gemacht!«

Ellinor lächelte zurückhaltend, aber Miriam saß noch immer wie angewurzelt da und verzog keine Miene. Nina beruhigte sich wieder und fuhr fort.

»Ja, Himmel, das ist ja wunderbar! Nein, im Ernst, eine Zeitlang habe ich mir wirklich Sorgen gemacht.« Sie strich sich mit der Hand über die Augenwinkel, um sich die Tränen wegzuwischen.

»Wunderbar? Wie kommst du dazu, das *wunderbar* zu finden?« Miriam sah sie mit dem noch immer versteinerten Gesichtsausdruck an, aber ihre Wangen hatten wieder etwas Farbe bekommen. »Verstehst du denn nicht den Ernst der Lage?« Sie legte eine rhetorische Pause ein, bevor sie weitersprach. »Nein, Jeanette Falck unterhält vielleicht kein Bordell. Aber ich kann nicht behaupten, dass es mich sonderlich beruhigt, neben einer Hexenwerkstatt zu wohnen!«

»Hexenwerkstatt?« Darüber musste Nina nun wirklich lachen.

»Ja, findest du das so amüsant?« Miriam regte sich wieder auf. »Tarotkarten und Weissagungen, und was kommt dann? Wer weiß denn schon, wie sich solche Sekten entwickeln? Daraus kann doch … alles Mögliche werden!«

»Aber das ist doch gar keine Sekte …« Nina lächelte nicht mehr. Miriam nahm die Sache enorm ernst, so viel stand fest.

»Was wissen wir denn schon davon?«

Ellinor, die sich bislang noch nicht zu der neuen Sachlage geäußert hatte, setzte sich auf dem Sofa auf. »Ich glaube, Nina meint einfach …«, begann sie zaghaft, »dass eine Hellseherin nicht so beunruhigend ist wie ein Bordell. Nicht wahr?« Sie suchte Miriams Verständnis und zur Unterstützung nickte Nina beipflichtend. Keine von ihnen hatte gewusst, dass ihre sonst so zurückhaltende Nachbarin so außer sich sein konnte.

Miriam ging nicht darauf ein. »Dann meint ihr also – wenn ich ›du‹ sagen darf, Ellinor –, wir sollten nichts dagegen unternehmen?«, fragte sie stattdessen.

»Ich habe keine Idee, was man dagegen tun könnte«, antwortete Nina. »Solange sie niemanden dadurch stört …«

»Und der Autoverkehr?« Miriam versuchte es noch einmal und drehte sich zu Ellinor um. »Denken Sie doch mal an den kleinen Albin. Bei so viel Verkehr ist die Straße doch gar nicht mehr sicher.«

»Schon. Aber er ist ja noch nicht so groß, dass er allein unterwegs ist.« Sie hielt inne und versuchte ein Argument zu finden, das beide Frauen überzeugen konnte. »Wir könnten doch die Sache eine Zeitlang beobachten und sehen, was passiert. Im Moment sind es vielleicht ein, zwei, maximal drei Autos am Abend? Und auch nicht jeden Tag. Darüber kann man sich wohl kaum beschweren, oder?«

Es wurde still im Raum, nur Miriams aufgeregtes Atmen war deutlich zu hören. Ihr Treffen hatte sich völlig anders entwickelt als erwartet. Nina setzte noch einmal neu an.

»Miriam, was hältst du davon? Wir warten ab und beobachten die Sache. Ob es mehr Autos werden oder vielleicht auch weniger.«

Miriam saß eine Weile still, dann nickte sie. Als sei ihr die Luft ausgegangen. »Ja, das wäre vielleicht das Beste«, sagte sie und seufzte. »Aber ich finde es nach wie vor beunruhigend. Was sind das denn für Leute, die da hinkommen? Was für Kunden hat sie wohl?«

»Tja …« Nina zuckte mit den Schultern. »Wir haben ja nur eine gesehen. Und die machte nicht direkt einen schlechten Eindruck, oder?«

Miriam schnaubte. »Jetzt meinst du die Frau, die wir für eine Prostituierte gehalten haben …?«

»Ja …« Nina musste zugeben, dass der Punkt an Miriam ging. »Aber es sind zumindest keine Freier.«

»Nein, sie kaufen vielleicht keinen Sex, aber was sagt das über einen Menschen, wenn er den Rat einer Hellseherin einholt? Ich meine, was sind das überhaupt für … Typen?« Miriam richtete sich wieder auf.

»Das können doch ganz normale Menschen sein.«

»Normale Menschen.«

»Ja. Viele grübeln doch über ihre Zukunft nach. Nur ein Beispiel: schau doch mal in die Zeitung, überall findest du Horoskope.« Und da fiel Miriam ihr auch schon ins Wort. Und klang wieder sehr aufgebracht.

»Du kannst doch wohl kaum eine Hellseherin mit einem Zeitungshoroskop in einen Topf schmeißen?«

»Nein, natürlich ist das nicht dasselbe. Aber ich glaube, es sind die gleichen Menschen, die Horoskope lesen, die sich auch für Tarotkarten interessieren. Ich meine, ich finde es selbst auch ganz spannend.«

Miriam riss die Augen auf. Was Nina soeben ausgesprochen hatte, war schockierend. »Wie meinst du das?«, fragte sie und ihre Stimme klang sehr ernst.

Nina versuchte es zu erklären. »Na ja, überleg doch mal, wie spannend es wäre, etwas über die eigene Zukunft zu erfahren. Findest du das nicht, Ellinor?« Nina suchte eine Verbündete. Doch Ellinor war die Sache nach wie vor sehr unangenehm.

»Na ja … Ich bin mir auch nicht sicher. Ich meine, die Zukunft wird das, was man aus ihr macht. Ich frage mich, ob man das in einem Kartenspiel sehen kann.« Als sie Ninas enttäuschtes Gesicht sah, schob sie jedoch schnell hinterher: »Obwohl ich nicht die Auffassung vertrete, dass man verrückt oder sonderbar sein muss, um sich dafür zu interessieren. Manchen Menschen gibt es sicherlich etwas.«

»Ja, eines steht auf jeden Fall fest.« Miriam stand auf, als sie zu sprechen begann. »Ich weiß bereits alles, was ich von meiner Zukunft wissen muss.«

*M*iriam *schloss hinter sich die Tür* und hastete über die Straße. Es nieselte und war windig, deshalb schlugen ihr die kleinen Tropfen unangenehm hart ins Gesicht. Obwohl ihr Heimweg nur ein paar Meter war, zog sie den Mantel noch tiefer ins Gesicht und legte einen Schritt zu.

Der Volvo stand in der Auffahrt und im ersten Stock war hinter den Schlafzimmergardinen ein Schatten zu sehen, der sich bewegte. Während sie bei Nina gewesen war, war Frank heimgekommen. Die Gewissheit, dass ihr Mann zu Hause war und auf sie wartete, beruhigte sie. Ihr Frank. Er war einfach da, egal welche Probleme auftauchten, welche Nachbarn herzogen. Er würde sie beruhigen, sagen, dass mit Jeanette Falck nun doch alles nicht so schlimm war. Und natürlich hätte er recht. Auch wenn es nicht gerade schön war, eine Hellseherin im Haus nebenan zu haben, aber besser als ein Bordell war das allemal.

Mit einem Mal kam sie sich albern vor. Als hätten der vertraute Anblick des Volvos zusammen mit dem Regen und dem kalten Wind ihre hitzigen Gefühle schlagartig abgekühlt. Was war bei Nina nur in sie gefahren und was würden die anderen nun von ihr denken? Es war doch gar nicht ihre Art, sich so aufzuregen. Sie würde sich entschuldigen müssen. Irgendetwas als Erklärung vorschieben, vielleicht eine Nachricht aus der Zeitung oder dem Fernsehen, die sie dermaßen in Unruhe versetzt hatte, dass sie aus einer Mücke einen Elefanten gemacht hatte. Oder sollte sie ehrlich sein und sagen, sie hätte auch keine Ahnung, was sie plötzlich geritten hatte? So lange hatte das Haus leer gestanden und als die neue Nachbarin dann endlich eingezogen war, stellte sich heraus, dass es sich um eine Hellseherin handelte. Eine Hexe in Bibis und Jan-Åkes Haus. Das war einfach zu viel für sie gewesen.

Sie schloss die Eingangstür auf und trat in den Flur. Der vertraute Geruch von zu Hause schlug ihr entgegen. Franks Schuhe standen mitten auf dem Abtritt und als sie sie in den Schuhschrank räumte, fiel ihr auf, dass sie dringend geputzt werden mussten. Sie hängte ihren Mantel auf und rief ›hallo‹, damit Frank wusste, dass sie zurückgekommen war. Ein paar Sekunden später kam er die Treppe hinunter. Sie zog sich schnell ihre Stiefel aus, ging zu ihm und gab ihm einen Kuss auf die Wange.

»Wie schön, dass du zu Hause bist«, sagte sie und lächelte. »Ich habe so viel zu erzählen.« Sie schüttelte den Kopf, um zu unterstreichen, wie unglaublich dieser Tag gewesen war.

»Ach ja.«

»Ja. Wir hatten doch dieses Treffen, von dem ich dir heute Morgen erzählt habe. Erinnerst du dich?«

»Ja, natürlich, wegen der Nachbarin. Falck.«

»Ja.«

Frank war in die Küche gegangen und sah sich nun suchend um. Er machte ein enttäuschtes Gesicht. »Hast du noch etwas gekocht, bevor du gegangen bist?«

Miriam kam zu ihm in die Küche. Sie wollte gern von ihrem Abend erzählen, von Janina, aber Frank schien im Moment in erster Linie hungrig zu sein und so beschloss sie, sich zuerst um das Essen zu kümmern. »Ich habe mir gedacht, wir könnten etwas Schnelles machen«, sagte sie. »Nur eine Suppe aufwärmen. Ich habe diese Tomatensuppe noch einmal für dich gekauft, die, die du neulich so gern gegessen hast.« Sie holte einen Topf heraus und stellte ihn auf den Herd. Gleichzeitig öffnete sie den Kühlschrank und holte das Tetrapack heraus, schnitt ein Ende auf und kippte den Inhalt in den Topf. »Du kannst dir nicht vorstellen, was ich heute erfahren habe«, sagte sie schließlich und seufzte. Zwar hatte sie sich in der Zwischenzeit etwas beruhigt, doch die unguten Gefühle, die die Annonce hervorgerufen hatte, machten sich schnell wieder bemerkbar. Die Zeitung hatte sie bei Nina liegenlassen. Das ärgerte sie, eigentlich hätte sie sie Frank jetzt gerne gezeigt. Und sein Gesicht gesehen, wenn er die Telefonnummer erkannt hätte. So musste sie es ihm also erzählen. Sie holte die Suppenteller aus dem Schrank und begann, den Tisch zu decken, während sie sprach. Als sie sich setzten, berichtete sie ihm gerade davon, wie sie bei Janina angerufen hatte. Und durchs Fenster sehen konnte, dass wirklich Jeanette Falck ans Telefon ging.

Frank begann zu essen. Einige Löffel von der heißen Suppe und herzhafte Bissen von dem Käsebrot, das Miriam ihm zusätzlich geschmiert und auf einen Extrateller gelegt hatte. Er summte vor sich hin, während sie erzählte, wie Ellinor und Nina die Neuigkeit aufgenommen hatten.

»So so«, meinte er schließlich und schob den leeren Teller zur Seite. »Eine Hellseherin, da schau an. Na ja, wie eine Hexe kleidet sie sich ja auch.« Er hielt sich die Hand vor den Mund und stieß diskret auf. »Aber das klingt wenigstens nicht gefährlich.«

Miriam sah auf ihre Suppe und aß einen Löffel. Großen Appetit hatte sie eigentlich nicht und ihr Teller war nahezu unberührt, als sie aufstand und ihn mit Franks leerem Teller in die Spüle stellte. Mittlerweile sah sie die Sache ja ähnlich, dass die Hellseherin weniger gefährlich war, als sie

anfangs gedacht hatte. Aber Franks Reaktion fand sie ent-
täuschend. Er hätte doch wirklich mehr dazu sagen können
als nur diesen lakonischen Kommentar von eben.

Miriam stand an der Spüle und betrachtete ihn. Es war
still, sodass man das Ticken der Wanduhr laut und deutlich
hörte. Frank saß am Tisch und zupfte an einem Holzsplitter
herum. Die Neuigkeit, von der sie ihm erzählt hatte, schien
ihn längst nicht mehr zu beschäftigen. Das war schon merkwürdig. Auch wenn das nun nicht die Katastrophe war, die
sie befürchtet hatten, so hätte man sich doch darüber aus-
führlicher unterhalten können. Über die Kunden und die
Autos. Aber Frank schien irgendwie abwesend zu sein, als
sei er mit den Gedanken ganz woanders. Plötzlich bekam
Miriam ein schlechtes Gewissen. Sie hatte ihn mit ihren
Erlebnissen überschüttet, ohne überhaupt nach seinem
Tag zu fragen. Sie ging zu Frank hin und legte ihre Hände
auf seine Schultern. Ihre Finger waren warm und noch ein
kleines bisschen feucht vom Abwaschwasser. Als sie sie
nach einer Weile wieder wegzog und sich ihm gegenüber
auf einen Stuhl setzte, sah man tatsächlich nasse Abdrücke
auf seinem hellblauen Hemd.

»Und wie ist *dein* Tag gewesen?«, fragte sie und lächelte,
um zu zeigen, dass sie nun nicht mehr mit sich beschäftigt
war.

»Nichts Besonderes.« Er sprang auf. »Ich gehe nur eben
eine rauchen.« Er zog seine Zigaretten und das Feuerzeug
aus der Brusttasche und verließ die Küche. Miriam hörte,
wie er in die Pantoffeln fuhr, die Haustür öffnete und wieder zuzog. Sie war zwar froh, dass er zum Rauchen hinaus-
ging, doch jetzt fühlte sie sich ein bisschen sitzengelassen,
so ganz allein am Tisch. Eigentlich konnte sie genauso gut
aufstehen, den Suppentopf abspülen und den Tisch abwi-
schen, aber irgendetwas hielt sie zurück. Als Frank wieder

in die Küche kam, zuckte sie fast zusammen. Er roch nach Rauch und die Kälte, die in seinen Kleidern hing, spürte sie unmittelbar. Ein paar Sekunden blieb er mitten in der Küche stehen. Dann seufzte er mit einem Mal schwer.

»Miriam«, begann er und dabei sah er sie nicht an. »Ich muss dir etwas sagen.«

Seine Stimme klang so ernst, dass Miriam beunruhigt den Blickkontakt zu ihm suchte, doch Frank starrte stur geradeaus in die Luft.

»Das ist jetzt nicht leicht«, fuhr er fort. »Aber es muss sein. Ich bin sicher, dass du das auch so siehst.«

»Aber was denn? Was muss jetzt sein?«

Frank schwieg noch, dann holte er tief Luft und begann zu sprechen. »Ich werde dich verlassen, Miriam. Meine Sachen sind schon gepackt. Na ja, nicht alles, aber ich komme damit die nächsten Wochen aus. Und dann hole ich den Rest.«

Miriam sah ihn fassungslos an. »Wovon sprichst du?«, stammelte sie. »Was heißt das, du verlässt mich? Du willst verreisen? Ein paar Wochen … aber, wohin denn?«

Frank fiel ihr ins Wort. »Nein, ich werde nicht verreisen, jedenfalls nicht mehr als sonst. Ich werde ausziehen, Miriam.« Endlich sah er ihr ins Gesicht. »Zu einer anderen Frau.«

Sie starrte ihn an, betrachtete sein hellblaues Hemd, wo die Abdrücke ihrer nassen Finger vom Abwaschen wieder getrocknet waren. Sah, wie es am Ellenbeugen und am Rücken zerknittert war. Die dunkelgraue Hose mit dem Gürtel, der im letzten Loch saß, die schwarzen Strümpfe, wo sich am rechten großen Zeh ein Loch andeutete. Das würde schlecht zu stopfen sein, heutzutage stopfte man Socken auch nicht mehr. Wenn die Löcher kamen, warf man sie weg und kaufte ein paar neue.

So viele Gedanken schossen ihr durch den Kopf. Eine andere Frau. Eine, die ihn haben wollte, ihren Frank? Einen Achtundfünfzigjährigen mit Löchern im Strumpf?

Frank sprach weiter. »Es ist Yvonne. Ich nehme an, dass du das wissen willst.«

»Yvonne? Deine Kollegin? Vom Meisterkaffee?«

»Ja.«

»Aber Frank, nimmst du mich auf den Arm?«

»Nein.« Frank verlagerte sein Gewicht auf das andere Bein und verkreuzte die Arme vor der Brust. Er hatte die Lippen zusammengepresst und man sah die Anspannung in seinen Kiefermuskeln. »Aber du musst das doch geahnt haben«, fügte er fast vorwurfsvoll hinzu.

»Geahnt? Was hätte ich denn ahnen sollen?«

»Ja, dass ... Dass ... Dass es eben so war.«

»Dass du und Yvonne eine Affäre habt?«

»Ja.« Franks Gesichtsausdruck wurde immer gequälter.

»Aber ...« Miriam verstummte. Was Frank gesagt hatte, war unmöglich. Yvonne. Sie schloss die Augen und versuchte, die Frau vor sich zu sehen. Sicherlich war sie jünger als Miriam, aber unwesentlich. Um die Fünfzig. Vielleicht waren es auch die paar Kilo mehr, die den Betrachter täuschten. Die runden Wangen in ihrem Gesicht, die die Falten ausfüllten. Sie wog mindestens zehn Kilo zu viel und das war eine Menge in Betracht ihrer geringen Körpergröße. Die Haare ungleichmäßig mahagonyrot gefärbt, und eine Dauerwelle, die immer schon herausgewachsen aussah. Ihr Stil: eher artig. Stiefel mit Absatz, Jeans und bunte Pullis. Blasser Teint, die Augenlider mit türkisem Lidschatten betont und den Lippenstift in einem etwas zu starken rosafarbenen Ton.

Yvonne.

Ihr Frank hatte eine Affäre mit seiner Sekretärin? Oder

Assistentin oder wie sie nun genannt wurde. Sie saß im Büro, nahm die Bestellungen an, legte seine Reiseabrechnungen ab und kümmerte sich um Einkäufe. So hatte Frank ihren Aufgabenbereich jedenfalls beschrieben. Denn er hatte ja von ihr erzählt. Yvonne. Nur niemals *so*. Oder doch? Hatte sie es überhört?

»Frank. Sag, dass das nicht wahr ist.«

Er schnaubte, offensichtlich aufgebracht darüber, dass Miriam seine Information nicht aufnehmen wollte. »Nein, ich habe es dir doch gesagt!«

»Aber ...« Sie versuchte zu lächeln, doch Franks leeres Gesicht ließ ihr Lächeln schnell verhungern. Ihr Kopf war völlig leer. Ein paar einzelne Sätze kamen ihr in den Sinn, denen völlig der Zusammenhang fehlte und die mit ihr nichts zu tun hatten. Frank würde sie verlassen, hatte er gesagt. Weil er untreu gewesen war. So etwas Verrücktes.

»Aber ich verzeihe dir doch«, sagte sie. Ihre Stimme klang sonderbar steif, als ob die Replik aus einem alten Theaterstück stammte.

»Verzeihen?«

»Ja ... Dass du fremdgegangen bist.« Es auszusprechen gab der Sache einen völlig anderen Klang. Das vorletzte Wort schnitt wie ein Messer durch die Luft und da wurde ihr schlagartig klar, wovon hier eigentlich die Rede war. Ihr wurde ganz kalt.

Frank würde sie verlassen? Das konnte nicht wahr sein. Miriam schlug verzweifelt mit den Armen aus.

»Wir sind jetzt sechsunddreißig Jahre verheiratet. Du hast einen Fehltritt begangen. Das passiert.« Die Vorstellung, Frank in den Armen einer anderen zu sehen, in den Armen von Yvonne, war so abstoßend, dass sich ihr der Magen umdrehte. Aber sie meinte es wirklich ernst, was sie sagte, sie wollte ihm vergeben. Es würde dauern, viel Zeit brauchen, bis das Vertrauen zurück käme, aber man beendete keine Ehe aufgrund eines einziges Fehltritts. Nicht in ihrer Welt. Das hatte sie jedes Mal gedacht, wenn sie las, dass Frauen die Scheidung einreichten, weil ihre Männer untreu gewesen waren. Wie leicht sie es sich machten. Verheiratet zu sein war die größere Leistung. Genau in diesen Stunden stand die Liebe auf dem Prüfstand. Und sie liebte ihren Mann.

Frank sah sie an. Sein Blick war so angespannt, dass er fast durch sie hindurchging. Als ob er tatsächlich auf etwas an der Wand hinter ihr starrte.

»Dann hast du wirklich nichts geahnt?« Er konnte es nicht fassen. Miriam schüttelte den Kopf und Frank seufzte auf. »Miriam«, sagte er leise. »Ich dachte, du wüsstest es.«

Wissen? Hätte sie es wissen müssen? Das Unglück kommen sehen und ihn davon abhalten, bevor es passierte? Sie wusste ja nicht einmal, wann es passiert war. Plötzlich fiel ihr etwas ein.

»Ist es vielleicht in Kopenhagen …?«, fragte sie und verstummte. Ihre Wangen wurden nun richtig bleich. Sie wandte ihren Blick von ihm ab und ließ den Kopf sinken. Mit den Händen massierte sie ihre Schläfen.

»Aber Miriam, begreifst du nicht? Ich verlasse dich nicht wegen *eines Seitensprungs*. Ich liebe Yvonne.«

»Hör auf!« Ihre Stimme kippte, als sie aufschrie. »Du kennst sie doch gar nicht! Wie kannst du jemanden lieben, den du gar nicht richtig kennst?!«

»Ich kenne Yvonne.«

»Man kennt jemanden nicht, nur weil man mit ihm einmal im Bett war!« Die Tränen liefen ihr übers Gesicht und Miriam hielt sich instinktiv die Hände davor. Ihre Schultern begannen zu zittern. Schluchzen.

Frank stand noch immer mitten um Raum. Einen Moment lang hatte es den Anschein, als würde er auf seine Frau zugehen, aber etwas hielt ihn wohl davon ab, denn er blieb unvermittelt stehen. »Miriam, jetzt hör mir bitte zu«, flehte er und an seiner Stimme war zu hören, dass er kurz davor stand, die Fassung zu verlieren. Bisher hatte er es geschafft, ruhig zu bleiben. »Ich kenne Yvonne, weil ich mit ihr schon eine Beziehung habe, seit sie bei uns angefangen hat.«

Miriam hörte zu schluchzen auf und sah ihn mit großen Augen an. »Aber das ist doch schon Jahre her?«

»Viereinhalb.«

Miriams Weinen war verstummt. Keiner machte eine Bewegung, das Ticken der Uhr war das einzige Geräusch in der Küche. Schließlich brach Frank die Stille.

»Du darfst nicht glauben, dass es mir leichtgefallen ist. Kein Tag ist vergangen, an dem ich nicht darüber nachgedacht habe. Ich hatte vor, die Beziehung zu Yvonne zu beenden, aber … Ich schaffe es nicht. Ich liebe Yvonne und wenn ich jetzt nichts unternehme, werde ich sie verlieren. Sie will nicht noch länger warten.« Frank seufzte schwer. »Ich glaube, es tut uns beiden jetzt nicht gut, die Sache in die Länge zu ziehen.« Vorsichtig machte er ein paar Schritte zurück, bis er in der Türöffnung stand. Miriam tat nichts, um ihn davon abzuhalten. Sie hörte ihn durch das Wohnzimmer gehen, dann seine Schritte die Treppe hinauf in den ersten Stock. Ein paar Minuten später erschien er wieder, in jeder Hand einen Koffer. Miriam hörte das dumpfe Geräusch, als er sie auf dem Boden abstellte. Dann schaute er in die Küche hinein, er hatte bereits Jacke und Schuhe an. Die Schuhe, die geputzt werden mussten.

»Ich gehe dann mal«, sagte er.

Als würde er ins Geschäft gehen, dachte Miriam. *Ich gehe dann mal.* Die Worte, die sie jeden Morgen von ihrem

Mann gehört hatte, mehr als ein Vierteljahrhundert lang. Da hatte er mit seiner Aktentasche im Flur gestanden, sie auf die Wange geküsst und mit dem Autoschlüssel geklappert, um sicher zu gehen, dass er auch in der Jackentasche lag.

Ich gehe dann mal.

Und das tat er dann auch.

Ellinor war schon wesentlich länger als vorgesehen bei Nina geblieben. Und nun, da Miriam mit einem Mal gegangen war, wollte sie auch gleich anschließen.

Doch Nina hatte sie überredet, noch zu bleiben. Nach Miriams heftiger Reaktion und ihrem übereilten Aufbruch waren die Spannungen, die sie hinterlassen hatte, deutlich zu spüren. Nina hatte Witze gerissen und gelacht, wie sie auf so dumme Ideen hatten kommen können, um Ellinor wieder zu beruhigen. Und sie hatten beide gefeixt, dass sie nun selbst als Tratschtanten mit den Ferngläsern hinter der Gardine stünden. Ellinor hatte gemeint, sie hätte schon Angst gehabt, als eine dieser Weiber zu enden, die mit Papilloten in den Haaren im Morgenmantel unterwegs waren und die Nachbarn nicht aus den Augen ließen.

Mit Nina konnte man reden, das merkte sie. Es war einfach, ihr Dinge zu erzählen, die man gern erst einmal für sich behielt. Zum Beispiel, dass sie sich tagsüber oft einsam fühlte. Dass sie mittlerweile richtig frustriert war, weil Wille so viel arbeitete und sie nicht einmal wusste, ob sie überhaupt wieder eine Stelle finden würde, wenn es so weit war.

Nina hörte ihr einfach zu. Sie kam nicht mit fertigen Lösungen und guten Ratschlägen, sondern nickte einfach nur und ließ Ellinor erzählen. Das kannte sie natürlich von ihrer Arbeit. Wie oft waren Friseure stellvertretende Therapeuten.

Sie hatten noch ein paar Gläser Wein getrunken und nun spürte sie den Alkohol in ihrem Körper. Ihre Wangen waren warm und sie fühlte sich angenehm schwer an. Es war gemütlich, da auf dem rostroten Sofa zu sitzen und zu reden, denn das hatte sie schon lange nicht mehr mit jemand anderem als Wille getan.

In Sävesta hatten sie noch nicht viel Kontakt gefunden, und seit Albin auf der Welt war und sie umgezogen waren, hatten sich die Beziehungen zu den alten Freunden in Uppsala verändert. Sie war die Erste im Freundeskreis, die Nachwuchs bekommen hatte, und die anderen waren noch ausnahmslos mit Job und Karriere beschäftigt, eben so eingespannt wie sie es bei Björk & Schultz gewesen war. Sie kannte dieses Leben nur zu gut und wenn sie ihre Freunde einlud, sie in Sävesta zu besuchen, machte sie sich in der Regel wenig Hoffnungen, dass sie wirklich kommen würden. Eigentlich hatte sie gehofft, wie wohl die meisten, dass ihre Freundschaften die Studienjahre überdauern würden. Dass sie ihr Leben noch genauso teilen würden, wie wenn sie im Studentenwohnheim gemeinsam Pasta Bianco gekocht, ihre Examensergebnisse gefeiert und den ein oder anderen Mann in den Wind geschossen hatten. Aber nun war alles anders geworden und wahrscheinlich musste man auch nicht traurig sein. Das Leben ging weiter und die Bedingungen änderten sich. Vor ein paar Jahren hätte sie dem Leben mit Kleinkind und Häuschen auch nichts abgewinnen können. Sie war nicht nachtragend. Bei den anderen würde mit der Zeit genau das Gleiche passieren.

Nina selbst hatte kaum etwas gesagt, denn Ellinor hatte fast ununterbrochen erzählt. Ein bisschen hatte sie natürlich schon mitbekommen. Dass ihr die Arbeit im Frisiersalon Spaß machte, aber dass sie sich zwischenzeitlich immer wieder fragte, ob sie das nun für den Rest ihres Lebens tun wollte. Dass sie darüber nachgedacht hatte, sich selbständig zu machen, aber zu dem Schluss gekommen war, dass Sävesta zu klein sei, als dass noch ein Friseurgeschäft gebraucht würde. Dass sie mit Matthias allein lebte und keine Beziehung hatte. Dass sie jedoch nichts dagegen hätte.

Ellinor hatte sie noch einmal auf die Bilder angesprochen und nachgefragt, ob sie nicht wirklich noch etwas aus ihrem Talent machen wolle, doch Nina hatte abgewinkt. Sicher, sie war schon begabt, das hatte sie zugegeben, aber sie war eine alleinerziehende Mutter und in ihrem Leben war einfach kein Platz für Träumereien. Und bei ihrer Arbeit konnte sie sich schließlich auch künstlerisch betätigen.

Aber jetzt war es wirklich an der Zeit zu gehen. Es war bereits nach zehn und wenn zu Hause alles normal war, dann schlief Albin bereits seit ein paar Stunden. Herrlich. Sie wollte mit ihrem Mann noch eine Weile ungestört verbringen, bevor sie schlafen gingen. Albin war ein wunderbares Kind und sie genoss jede Minute mit ihm, aber wenn er wach war, war es nahezu unmöglich, ein vernünftiges Gespräch unter Erwachsenen zu führen. Manchmal saßen sie gemeinsam am Tisch und sprachen mal einen Satz miteinander und dann wieder einen mit Albin. Das konnte ganz schön verwirrend sein. Sie legte Wert darauf, dass sie als Familie gemeinsam aßen. Das war wichtig, nicht nur für Albin. Aber auch wenn es ihr eigentlich gegen den Strich ging, so sehnte sie sich ab und zu danach, Albin einfach hinzulegen und mit ihrem Mann unter vier Augen am Tisch zu sitzen. Ohne jemanden füttern zu müssen, ohne Schmiererei und ohne Kinderessen. Manchmal, wenn Wille sehr spät nach Hause kam, aß sie einfach zweimal Abendessen, einmal mit Füttern, Schmiererei und Albin und dann ein zweites Mal mit einem Erwachsenen, mit Kerzen und einem Essen, das Wille auf dem Heimweg vom Italiener mitgebracht hatte.

Als sie vom Sofa aufstand, schwankte sie ziemlich. Es war immer wieder verfänglich, Wein aus diesen Kartons zu trinken, denn man wusste nie genau, wie viel man eigentlich getrunken hatte. Nina begleitete sie in den Flur. Sie mussten kichern, als Ellinor auf die Idee kam, ein Logbuch anzuschaffen und die Kennzeichen der Autos zu notieren, um die Besuche in der Hexenwerkstatt zu dokumentieren. Sie waren sich darüber einig, dass das Problem in ihrer Nachbarschaft nicht mehr dringlich war, auch wenn sie, und das vor allem Miriam zuliebe, sich einigten, die Sache im Blick zu behalten. Dann verabschiedeten sie sich mit einer etwas unbeholfenen Umarmung und Ellinor ging.

Als Nina die Tür hinter ihr schloss, war es stockdunkel. Das Licht von der Außenlampe am Haus war funzelig und durch die kaputte Straßenlaterne, die an der Straße stand, lag das Grundstück fast vollkommen im Dunkeln. In Jeanette Falcks Haus auf der gegenüberliegenden Straßenseite brannte Licht, aber außer ihrem roten Renault waren keine anderen Autos in Sicht. Sie arbeitet heute vermutlich nicht mehr, dachte Ellinor dankbar und ging schnell vorbei. Sie hoffte nur, dass sie recht behielten, dass bei einer Hellseherin nur harmlose Typen auftauchten.

Als sie auf der Höhe von Larssons Haus war, hörte sie ein Geräusch in der Garageneinfahrt. Sie ging einen Schritt langsamer und sah interessiert in Richtung Carport. Im Halbdunkel konnte sie eine Figur erkennen, und als die Fahrertür aufging und die Innenraumbeleuchtung auslöste, erkannte sie Frank. Ellinor blieb ein paar Meter entfernt stehen.

»Hallo«, grüßte sie.

Frank sah auf, sichtlich irritiert. »Hallo«.

»Kein besonderes Wetter.«

»Nein.« Er schien keine Lust auf ein Gespräch zu haben. Normalerweise hätte sie sich damit zufriedengegeben, aber durch den Wein war sie in Plauderstimmung und so fand sie es unhöflich, einfach nur mit einem schnellen »Hallo« vorbeizuhuschen.

Frank beugte sich zum Fahrersitz und kurz darauf knackte das Schloss am Kofferraum. Er ging um sein Auto herum und erst da fielen ihr die beiden großen Koffer auf, die hinter dem Volvo auf dem Asphalt standen.

»Fahren Sie auf Geschäftsreise?«, fragte sie. Frank gab keine Antwort. Er hob sein Gepäck in den Kofferraum. Es schien schwer zu sein. »Es sieht so aus.« Noch immer keine Antwort. »Werden Sie lange fort sein?« Sie wollte es gerade lassen, da murmelte Frank etwas Unverständliches. Ellinor konnte daraus weder ein Ja noch ein Nein ableiten. »Ja, soweit ich weiß, ist man als Vertreter sehr viel unterwegs«, sagte sie in einem letzten Versuch.

»Ja.« Frank richtete sich auf und sah sie ausdruckslos an. Dann ging er um sein Auto herum, sodass sie nur noch seinen Rücken zu Gesicht bekam.

Ein paar Sekunden wartete Ellinor noch ab. »Ja, dann gute Nacht«, sagte sie schließlich.

»Gute Nacht.«

»Viele Grüße an Miriam!«

Frank war bereits eingestiegen und zog die Tür mit einem lauten Knall zu. Kurz darauf leuchteten die Scheinwerfer auf und er ließ den Motor an. Ellinor setzte ihren Heimweg fort, doch blieb sie an der eigenen Garageneinfahrt noch einmal kurz stehen. Franks Auto fuhr bereits die Straße hinunter und sie sah den Lichtern hinterher, bis er hinter den Häusern der Björnbärsgata verschwand.

Die kurz angebundenen Antworten ihres Nachbarn und

sein ganz offensichtliches Desinteresse hatten sie irritiert. Als hätte sie etwas verbrochen. Vielleicht hatte Miriam von ihrem Treffen berichtet, vielleicht war Frank auch sauer, dass es nun doch keinen Schlachtplan gab? Und wenn schon. Ein paar Worte zum Wetter hätte er doch allemal sagen können.

Ellinor sah auf ihr gelbes Holzhaus und lief über den Steinweg durch den Vorgarten. Vor der Haustür hielt sie kurz inne. Einen besonders charmanten Mann hat Miriam nicht gerade, dachte Ellinor, bevor sie aufschloss und ihr heimeliges Zuhause betrat.

Mama! Telefon!« Matthias' Stimme hallte durch das Haus. Dass er sich nie vom Fleck bewegen konnte, wenn er mit ihr sprach. Stattdessen hockte er in seinem Zimmer oder in der Küche oder vor dem Fernseher im Wohnzimmer und brüllte so laut, dass sie ihn hörte, egal wo im Haus sie sich befand.

»Ich komme.« Endlich erschien sie in seinem Zimmer und griff nach dem Telefon, das er ihr hinhielt. Dann ging sie aus dem unaufgeräumten Raum wieder hinaus, um sich in die Küche zu setzen. »Nina, hallo«, sagte sie und strich sich eine Haarsträhne hinters Ohr, die ihr über den Apparat gefallen war. Als sie die Stimme am anderen Ende der Leitung hörte, war sie erst irritiert, doch als er seinen Namen nannte, erstarrte sie vor Schreck. Thomas Linge!

»Wie hast du meine Nummer herausbekommen?« Keine besonders nette Frage, aber in dem Moment schoss sie ihr in den Kopf.

»Das war nicht gerade schwer. Immerhin weiß ich, wo du wohnst.« Nervöses Lachen.

»Ach klar, stimmt ja.«

»Ich hoffe, es ist dir nicht unangenehm, dass ich anrufe?«

»Nein.« Ihre Antwort kam automatisch, als hätte sie einen höflichen Vertreter am Telefon. In Wirklichkeit war die Sache nicht ganz so einfach. Sie hatte schon an ihn gedacht. Sogar ziemlich oft. Obwohl sie es gar nicht wollte.

Er war verheiratet und sie erfahren genug, dass ihr klar war, dass sie nicht auf Wunder hoffen konnte. Besser es als das zu nehmen, was es war, das redete sie sich zumindest ein. Sex. Guter Sex, mehr nicht. Als sie nun seine Stimme hörte, spürte sie deutlich, dass ihre Strategie nicht besonders erfolgreich gewesen war.

»Ich muss am Ende der Woche nach Sävesta. Beruflich. Ich … ich wollte dich fragen, ob du dir vorstellen könntest, mich zu treffen?«

Nein. Sie hatte entschieden, dass die Nacht mit Thomas eine einmalige Sache gewesen war, Schluss, aus. Sie wusste, was dabei herauskommen würde, und was hatte es für einen Sinn, wenn man älter wurde und nicht aus seinen Fehlern lernte?

Thomas spürte ihr Zögern. »Ich weiß, was du denkst«, sagte er. »Aber so ist es nicht. Ich will dich nicht treffen, um mit dir zu schlafen … Oder … Unsinn, natürlich möchte ich das. Aber deswegen rufe ich nicht an. Ich habe viel an dich gedacht. Ich möchte dich so gerne wiedersehen. Einfach nur dasitzen und reden.«

»Thomas, lieb, dass du das sagst.« Nina machte eine kurze Pause. »Aber du weißt, dass das nicht funktioniert. Du bist verheiratet. Wir haben einen Abend miteinander verbracht und unseren Spaß gehabt, ich finde, wir sollten die Sache nicht verkomplizieren.« Die Worte fielen ihr schwerer, als sie es zugeben wollte, und ihre innere Stimme protestierte energisch gegen das, was sie da sagte. Hoffte, er würde widersprechen. Doch in der Leitung wurde es still. Thomas seufzte.

»Vermutlich hast du recht. Ich habe wohl gehofft, du seist weniger … vernünftig.« Er lachte kurz, wurde aber schnell wieder ernst. »Ich würde dir gern so viel erklären, auch über meine Ehe.« Wieder Zögern. »Aber ich habe das

Gefühl, es interessiert dich gar nicht …« Er beendete den Satz nicht, als ob das eine Frage an sie war.

»Nein, eher weniger.«

»Nein. Und vielleicht ist das gut so. Man wird so schnell pathetisch, wenn man nach Erklärungen sucht.«

»Ja.«

»Aber von allen Klischees einmal abgesehen. Ich will dir auf jeden Fall noch sagen, dass du für mich kein One-Night-Stand warst.«

»Ach?« Nina konnte sich einen ironischen Unterton nicht verkneifen. Doch es tat ihr dann auch wieder leid, dennoch hatte ihr Kommentar den gewünschten Effekt.

»Entschuldige, ich höre auf. Offenbar kann man so etwas nicht sagen, ohne dass es sich blöd anhört.«

»Nein …« Sie war enttäuscht. Er hätte ihren Zynismus ja auch ignorieren und weiterreden können. Aussprechen, was er hatte sagen wollen.

»Aber eins noch …«

»Ja?«

»Notierst du trotzdem noch meine Telefonnummer?« Schweigen. »Bitte.«

»Gut.« Nina holte tief Luft. Eigentlich wollte sie das nicht. Sie zog die oberste Küchenschublade auf und kramte zwischen den Geschenkbändern, Zahnstochern, Teelichtern und Gummis. Bis sie einen Stift fand und als Thomas ihr die Handynummer diktierte, schrieb sie sie ordentlich auf die Rückseite eines Umschlags von der Versicherung.

»Wenn ich von dir nichts höre, melde ich mich vielleicht wieder. Ist das okay?«

Sie war so standhaft geblieben. Hatte die richtigen Antworten gegeben, die richtigen Dinge getan. Fast bis zum Schluss. Jetzt ging ihr die Kraft aus. »Ja«, sagte sie leise. »Ist okay.«

Als sie das Gespräch beendet hatten, blieb sie noch in der Küche stehen und starrte auf die Nummer auf dem Umschlag. Dann zerknüllte sie langsam das Papier. Lange stand sie regungslos da und hielt die kleine Kugel in der Hand, dann öffnete sie den Mülleimer und ließ sie fallen.

Ellinor kämpfte sich mit dem Kinderwagen durch den Wind. Bislang war der Herbst so mild und sonnig gewesen, dass sie fast vergessen hatte, wie rau er doch sein konnte. In den letzten Wochen hatten sie der Wind und der Regen daran erinnert. Der Alltag mit Albin wurde eintöniger, seit sie zwangsläufig so viel Zeit im Haus verbringen mussten. Als die Tage noch wärmer gewesen waren, hatten sie vormittags und nachmittags lange Spaziergänge unternommen. Manchmal machten sie einen Ausflug zum nächsten Spielplatz, der ein paar Kilometer entfernt lag. Albin war eigentlich noch ein bisschen klein, um mit den Gleichaltrigen wirklich etwas anfangen zu können, er war ja in vieler Hinsicht noch mehr ein Baby, aber sie fand es trotzdem gut, ihn an die Anwesenheit anderer Kinder zu gewöhnen. Das würde ihm zugute kommen, wenn er sich an den Hort gewöhnen musste. Im nächsten Herbst war es so weit. Natürlich wäre es hervorragend gewesen, wenn er schon im Frühjahr einen Platz bekommen hätte, doch in der Gemeinde hatte man ihr mitgeteilt, dass das absolut unmöglich sei. Die Gruppen würden immer im Herbst neu besetzt, daher war es undenkbar, für den Frühling einen Platz freizuhalten, der dann ein halbes Jahr leer blieb, das verursachte zu hohe Kosten. Irgendwie war sie auch froh darüber. Albin würde dann fast zwei sein und das war ein gutes Gefühl. Viel besser, als ihren Sohn schon abzugeben, wenn er weder laufen noch sprechen konnte.

Im Grunde war es sowieso ein komisches Gefühl, Albin an wildfremde Menschen zu geben. Na ja, nach einer Weile wären sie ihm natürlich nicht mehr fremd. Sie würden sich nach und nach kennenlernen und Albin würde sich langsam an den Betrieb gewöhnen. Das würde sicher gut funktionieren, versuchte sie sich zu beruhigen, dennoch spürte sie eine Unruhe in sich. Sie hatte versucht, mit Wille darüber zu sprechen, doch er sah die Dinge ganz anders. Wäre es nach ihm gegangen, dann hätten sie Albin schon in diesem Herbst abgegeben. Der Gedanke allein war ihr ein Grauen. Wille und sie hatten da völlig verschiedene Meinungen. Das ärgerte sie, denn auf diese Weise trug sie auch die Hauptverantwortung. Das war so ein unausgesprochener Konflikt: wenn sie mitunter fallen ließ, dass sie gern wieder arbeiten würde, dann konterte Wille damit, dass er schließlich dafür gewesen sei, Albin schon im ersten Jahr in die Kinderkrippe zu schicken.

Als wäre sie zweigeteilt. Eine Frau, die ihren Beruf liebte. Vorwärtsstrebend, selbständig, Blick auf die Karriere. Und dann die Frau, von der sie lange Zeit nicht einmal wusste, dass es sie gab. Bis sie schwanger wurde. Eine Frau, für die ihr Kind das Wichtigste auf der Welt war und die dieses Leben liebte, in dem sie mit einem Mal gelandet war. Es war verwirrend und oft fiel es ihr schwer, sich damit zu identifizieren, dass sie beides war. Wenn sie mit den alten Freunden sprach, war sie immer wieder frustriert. Sie erzählten von ihrem aktuellen Leben und erinnerten sie daran, wie es früher war. Die Karrierefrau. Besonders Louise, die immer wieder Kommentare fallen ließ, die Ellinors neues Leben als eine Art Misserfolg hinstellten. Wenn sie mit ihr gesprochen hatte, machte sich ein Gefühl breit, als wäre sie eingesperrt und unterfordert, als hätte sie sich ihre Lage nicht freiwillig ausgesucht. Was natürlich nicht stimmte, dennoch musste sie zugeben, dass der Alltag zu Hause mit der Zeit immer überschaubarer wurde.

Die Stellenanzeigen in der Zeitung hatte sie daraufhin mit anderen Augen angeschaut. Langsam machte sie sich Sorgen, dass nichts Interessantes mehr angeboten wurde. Nicht dass es im Moment ein Problem wäre, aber wenn zur Zeit schon keine passenden Stellen vakant waren, wie wahrscheinlich war es dann, dass sich die Lage in einem Jahr wesentlich besserte? Dass sie arbeitslos sein würde, hatten weder Wille noch sie sich vorgestellt. Im Gegenteil. Ihre finanzielle Situation verlangte, dass Ellinor möglichst schnell wieder einstieg, sobald Albin seinen Platz in der Kinderkrippe hatte.

Selbstverständlich ging es jetzt auch, doch ein Einkommen mehr würde ihre Lage deutlich verbessern. Willes Anfangsgehalt bewegte sich an der unteren Grenze, doch in Zukunft würde er sich verbessern. Seine Karriere bei Forsvik war vielversprechend und so war auch die Prognose für die Entwicklung seines Gehalts. Und wenn sie dann wieder beide verdienten, müssten sie nicht mehr jede Krone in der Hand umdrehen und sie hätten es etwas leichter.

Auch wenn Ellinor versuchte, diese Gedanken beiseite zu schieben, so gab es doch noch etwas anderes neben den Finanzen, das sie beunruhigte. Nächstes Jahr im Herbst würde sie dann zwei Jahre aus dem Job sein. Keine besonders gute Ausgangssituation, um sich zu bewerben. Wenn sie bedachte, wie wenig Berufserfahrung sie in der kurzen Zeit vor der Schwangerschaft sammeln konnte. Da hatte sie nicht viel vorzuweisen. Sicher, das gute Examen, aber wer hatte das nicht? Jurastudenten wollten fast alle hoch hinaus. Außerdem war die Branche konservativ, das hatte sie nicht erst zu spüren bekommen, als sie schwanger wurde. Stefan Björklund und George Schultz hatten sie sofort aussortiert. Die interessanten Fälle wurden an die Kollegen weitergereicht und die internen Fortbildungen eingestellt. Ihr hatte die Energie gefehlt, sich dagegen zu wehren. Es war schwer, um nicht zu sagen unmöglich, solches Mobbing nachzuweisen. Zudem war sie zu der Zeit so schrecklich müde und eigentlich froh darüber, dass sie nicht noch mehr Aufgaben auf den Tisch bekam.

Ellinor bog wieder in den Lingonstig ein. Wie gewohnt war es ruhig in der kleinen Straße, außer Miriam und ihr selbst war dort kaum jemand am Tage unterwegs. Deshalb erstaunte es sie, dass sie Jeanette Falck erblickte. Sie war gerade aus der Haustür gekommen und flitzte zu ihrem roten Renault, der vor der Garage geparkt war. Ihr weiter Rock flatterte um die Waden, und der Schal, den sie mehrmals um den Hals geschlungen hatte, fiel ihr über den Rücken. Sie hatte es offensichtlich eilig, doch als sie Ellinor erkannte, blieb sie trotzdem kurz stehen und grüßte. Ellinor winkte zurück. Mit schlechtem Gewissen. Wenn nun Jeanette Falck mitbekommen hatte, dass sich die Nachbarn ihretwegen getroffen hatten? Wie peinlich. Sie ging weiter, während ihre Nachbarin ins Auto sprang und den Rückwärtsgang einlegte. Der Motor war nicht gerade leise und ihr Auto hinterließ eine ordentliche Abgaswolke.

Vor Larssons Haus ging Ellinor langsamer und sah hinüber. Seit letzter Woche hatte sie von Miriam nichts gehört und gesehen. Es war kein gutes Gefühl, wie mochte es ihr jetzt wohl gehen nach diesem Abend? Miriam hatte sich so heftig aufgeregt und Ellinor machte sich Sorgen, dass dies nun ihre freundschaftliche Beziehung belastete. Auch wenn sie nicht eng war, doch die kurzen Pausen an der Hecke, der Kaffee und die netten Worte hatten Ellinor wirklich gutgetan. In solch einem Wohngebiet war es wichtig, Kontakt zu den Nachbarn zu haben.

Ellinor schielte zum Küchenfenster in der Hoffnung, Miriam zu entdecken, doch es sah dunkel aus, sie konnte nichts erkennen. Ihr Blick wanderte durch den Garten. In den vergangenen Tagen war es windig gewesen und der Rasen war über und über mit Laub bedeckt. Zudem waren ein paar Stäbe an den Johannisbeersträuchern umgeknickt und die Zweige spreizten sich.

Da fiel ihr mit einem Mal Frank ein. Ihn hatte sie seit diesem Abend auch nicht mehr gesehen. Sein Auto war noch immer weg. Wie einsam musste Miriam sich fühlen, wenn ihr Mann so lange auf Geschäftsreise war. Sie hatte zwar ihren Sohn und die Enkelkinder vor Ort, aber täglich sahen sie sich auch nicht. Vielleicht sollte sie bei Miriam einfach mal klingeln und ›hallo‹ sagen, das war doch ganz einfach. Vielleicht hatte sie sich eine Erkältung geholt. Um diese Jahreszeit wäre das nichts Besonderes und gleichzeitig eine Erklärung dafür, dass sie in der letzten Zeit nicht vor der Tür war. Wenn das der Grund dafür war, konnte Ellinor ihr vielleicht etwas zu essen einkaufen. Sie kam auf ihren täglichen Spaziergängen ja sowieso an dem kleinen Geschäft vorbei. Es wäre kein Problem, schnell hineinzugehen und für Miriam Milch und Brot, oder was sie sonst noch brauchte, mitzunehmen.

Nun war sie kurz entschlossen. Albin schlief und sie parkte ihn so, dass sie den ganzen Weg bis zum Haus überblicken konnte. Dann ging sie zum Eingang und klopfte vorsichtig an die Tür. Als niemand kam, klingelte sie. Nach dem zweiten Mal wollte sie gerade umdrehen, es konnte ja auch sein, dass Miriam nicht zu Hause war.

Als sie wieder einen Schritt die Treppe hinuntergegangen war, öffnete sich die Haustür plötzlich einen Spalt. Miriam lugte hindurch. Sie trug einen braunen Rock über den nackten Beinen, die Füße nur von Pantoffeln bedeckt.

Die rosa Bluse darüber war falsch geknöpft und hing unordentlich über ihrem Bauch. Ihre Haare sahen platt aus, ihr Gesicht wie immer ungeschminkt.

»Hallo.« Ellinor ging wieder die Treppe hinauf. »Ich habe dich jetzt eine Weile nicht gesehen, da dachte ich, du wirst doch wohl nicht krank geworden sein? Kann ich dir vielleicht irgendwie helfen, ich meine, da Frank doch verreist ist?«

Miriam blinzelte. »Danke, sehr nett von dir, aber ich brauche nichts. Ich habe ein bisschen Halsweh, aber es wird langsam besser.« Dabei fuhr sie mit der Hand an den Kragen, um zu demonstrieren, was sie plagte.

»Bist du sicher?« Ellinor betrachtete sie. Ihre Augen waren glanzlos und das Gesicht viel blasser als sonst.

»Ja, ja, kein Problem. Wahrscheinlich ein kleiner Herbstvirus …«

»Ja, zu dieser Jahreszeit holt man sich schnell eine Erkältung.«

Miriam ging nicht darauf ein, sondern zog stattdessen die Tür wieder zu. In dem Moment hörte sie Albin schreien. Ellinor drehte instinktiv den Kopf um. Eigentlich hätte sie noch ein paar Worte zu ihrem Treffen sagen wollen, aber das Weinen ihres Kindes war einfach zu laut.

»Ich glaube, ich muss mich um ihn kümmern«, sagte sie zu ihrer Entschuldigung. »Aber Miriam, du meldest dich, wenn du etwas brauchst? Jetzt, wo Frank unterwegs ist, meine ich.«

»Ja, danke, das ist wirklich nett von dir.« Nun war die Tür schon fast zu, sodass Ellinor sich vorbeugen musste, um von Miriam noch etwas zu sehen.

»Gute Besserung!«

»Ja, danke. Und danke, dass du geklingelt hast.«

Die Tür ging zu und Ellinor lief zurück zum Kinderwagen. Albin hatte sich aufgesetzt und vom Weinen schon ein ganz rotes Gesicht. Sie machte die Bremse los und flitzte mit ihm nach Hause.

Miriam Larsson stieg langsam wieder die Treppe hinauf, zurück in ihr Schlafzimmer. Nach den paar Minuten an der frischen Luft merkte sie erst, wie sie sich eingeigelt hatte. Sie trat ans Fenster und kippte es, sodass die Gardine im Windzug leicht flatterte. Dann ging sie wieder zu ihrem Bett, das sie seit Tagen nicht in Ordnung gebracht hatte, und ließ sich in die Kissen fallen. Hier hatte sie die letzten Tage zugebracht. Nur um kurz hinunter in die Küche zu gehen und etwas aus dem Kühlschrank oder der Vorratskammer zu holen, hatte sie das Bett verlassen. Viel hatte sie in den letzten Tagen nicht zu sich genommen, aber ihr Selbsterhaltungstrieb hatte sie davon abgehalten, gar nichts mehr zu essen. Obwohl sie eigentlich nichts anderes wollte, als im Bett zu liegen und den Sekundenzeiger auf der Uhr anzustarren, gab es doch etwas in ihr, das sie zum Aufstehen am Morgen antrieb, zum Duschen und zum Essen. Doch nicht immer reichte die Energie dafür, sodass sie meist untätig liegen blieb.

Seit Frank sie verlassen hatte, waren Tag und Nacht ineinandergeflossen. Sie konnte nicht einmal genau sagen, wann er gegangen war. Vor ein paar Tagen, vielleicht mochte auch schon eine Woche vergangen sein? Seitdem hatte sie mit niemandem gesprochen. Bis Ellinor vor der Tür gestanden hatte. Das Telefon hatte zwar einige Male geklingelt, aber sie hatte nicht abgenommen. Lange würde das nicht mehr so gehen. Früher oder später machten sich die anderen Gedanken, und irgendwann würden Christer und Veronika bei ihr vor der Tür stehen, um nach dem Rechten zu sehen. Es war ja nicht normal, dass niemand ans Telefon ging, aber ein paar Tage würden sie vielleicht verstreichen lassen. Es hätte ja auch sein können, dass sie mit Frank weggefahren wäre, obwohl es auch nicht ihre Art war zu verreisen, ohne die Kinder zu informieren.

Miriam lag regungslos im Bett. Die kühle Luft breitete sich in ihrem Zimmer aus und es war, als kämen mit dem Sauerstoff ihre Gedanken wieder in Bewegung. Langsam stützte sie sich auf die Arme und richtete sich dann unter großer Anstrengung auf, dass sie saß.

Sie musste sich zusammenreißen. Immerhin hatte sie das Haus, um das sie sich kümmern musste. Die Kinder und die Enkelkinder. Den Garten. Dann hatte sie ja noch den Fernseher, sie konnte das Radio anschalten, ein Buch lesen oder jemanden anrufen. Bei dem letzten Gedanken überlegte sie. Wie wäre es wohl, wenn sie jemandem erzählte, was passiert war? Mit Frank. Bei dieser Vorstellung wurde ihr schlagartig schlecht. Einen Moment lang dachte sie, sie müsse sich übergeben, aber die Übelkeit, die sie so plötzlich überkommen hatte, ging vorüber. Früher oder später führte kein Weg daran vorbei. Sie würde die Situation erklären müssen. Christer, Susanne …

Sie sank zurück ins Kissen. Jetzt nicht. Noch nicht.

Langsam fiel sie wieder in einen Dämmerschlaf. Alle möglichen Bilder flimmerten vorbei und sie bewegte sich unruhig im Bett hin und her. Dann erwachte sie mit einem Mal. Ihr war eine Idee gekommen.

Bibi.

Die Sehnsucht nach ihrer Freundin war plötzlich so stark, dass Miriam auf der Stelle hellwach war. Mit Bibi hatte sie immer reden können, auch über ganz private Dinge. Wie damals, als sie den Knoten in ihrer Brust entdeckt hatte. Die Wochen, bevor das Laborergebnis kam, waren schrecklich gewesen, doch Bibi hatte ihr zur Seite gestanden. Sogar mehr als Frank. Es hatte fast den Anschein, als hätte er die Situation nicht ertragen. Wenn sie mit ihm über ihre Angst sprechen wollte, wich er aus, wurde wortkarg und schwieg schließlich ganz. Am Ende war es falscher Alarm gewesen, aber sie war Bibi noch immer dankbar dafür, dass sie so für sie da gewesen war und sie getröstet und ihr Mut gemacht hatte.

Ob sie vielleicht mit Bibi sprechen könnte?

In Gedanken sah sie ihre Freundin vor sich. Das kurze blonde Haar, die grauen Augen mit einem Hauch grün, das fröhliche Lachen und der schmale Körper, durchtrainiert und voller Energie, weil sie immer in Bewegung war. Miriam hatte sie vermisst, mehr als sie sich hatte eingestehen wollen. Weil sie die Funkstille so verletzt hatte. Aber Freundschaft sollte doch so etwas verkraften? Sie hatten doch dreißig Jahre lang alles miteinander geteilt, kannten sich in- und auswendig. Fast wie zwei Schwestern. Das konnte doch nicht vergessen sein.

Miriam stand auf. Ihr Kopf brummte und sie hielt sich an der Kleiderschranktür fest, um nicht hinzufallen. Jetzt musste sie wirklich etwas essen. Sie ging hinunter in die Küche und knipste das Licht an. Der Tag war grau und mittlerweile wurde es immer früher dunkel. Auf dem Küchentisch lag ein Stapel Post. Rechnungen und Werbung für Frank. Sie legte sie beiseite. Was sie damit anfangen sollte, wusste sie auch noch nicht recht. Darum hatte sich Frank immer selbst gekümmert.

Ihr Magen krampfte erneut. Wie sollte sie bloß alleine klar kommen? Wovon sollte sie leben? Würde Frank alles weiter bezahlen? So viele entscheidende Fragen standen im

Raum, doch sie verdrängte sie wieder. Sie wusste einfach keine Antwort.

Im Kühlschrank fand sie zwei Eier, die kochte sie. Von der letzten Woche war noch ein Brotrest da, sodass Miriam auf die harten Scheiben Butter schmierte. Es war kein Käse mehr da, aber ein Glas selbstgemachte Marmelade aus schwarzen Johannisbeeren. Damit bestrich sie die Butterbrote und legte sie auf einen Teller. Die Eier platzierte sie daneben. Dann nahm sie den Teller, den Salzstreuer und ein Glas Wasser mit zum Küchentisch und setzte sich. Als sie zu trinken begann, merkte sie erst richtig, wie durstig sie eigentlich war. In einem Zug trank sie fast das halbe Glas leer. Ihre kleine Mahlzeit war wirklich nicht viel, aber sie fühlte sich gestärkt, als sie den Tisch wieder abräumte.

Auf dem Weg zum Wohnzimmer nahm sie das Adressbuch aus der obersten Schublade der kleinen Kommode im Flur mit. Sie warf einen Blick in den Spiegel, der über dem kleinen Möbelstück hing. Und erschrak. Leichenblass erschien ihr Gesicht, und dann diese Ringe unter den Augen! Sie erkannte sich kaum wieder. Die Falten von der Nase zu den Mundwinkeln waren zu tiefen Furchen geworden und ihre Lippen hatten alle Farbe verloren. So hatte Ellinor sie zu Gesicht bekommen? Sie rieb mit den Händen rasch über die Wangen und beobachtete, wie sie langsam wieder Farbe bekamen. Strich das Haar hinter die Ohren und holte tief Luft. Dann verabschiedete sie sich von ihrem Spiegelbild, atmete wieder aus und ging hinüber ins Wohnzimmer.

Lange saß sie da vor dem Telefon. Das Adressbuch aufgeschlagen. Mehrmals begann sie sogar, die Nummer zu wählen, doch dann drückte sie schnell die Aus-Taste. Als sie schließlich so mutig war, nicht aufzulegen, klopfte ihr Herz so laut, dass sie meinte, sein Echo im Telefon zu hören, das sie am Ohr hielt. Als es viermal geklingelt hatte und niemand abnahm, wollte sie schon erleichtert aufatmen. Aber plötzlich erklang Bibis Stimme. Wie immer meldete sie sich mit Vor- und Nachnamen. Miriam war perplex, mit einem Mal war ihr der Grund ihres Anrufs völlig entfallen.

»Hallo?«

»Hallo, hier ist Miriam.« Sie klang sonderbar gehetzt, als sie die Worte aussprach.

»Miriam, tatsächlich?« Bibi klang erstaunt, aber fasste sich schnell. »Wie oft habe ich an dich gedacht! Wie geht es dir? Wie läuft es denn?«

»Danke. Und bei euch?«

»Sehr gut. Langsam leben wir uns in Hudiksvall ein. Es ist nicht gerade riesig, aber im Vergleich zu Sävesta fast eine Großstadt.« Sie lachte. »Und du? Erzähl mal! Was macht unser altes Sävesta?«

»Tja …«

»Und wie ist die neue Nachbarin?!« Bibi holte tief Luft, als ob ihr gerade etwas sehr Wichtiges eingefallen sei.

Miriam versuchte, sich zu konzentrieren. An die Nachbarin hatte sie in den letzten Tagen wirklich nicht gedacht. »Ja, was soll ich sagen …«

Bibi wartete Miriams Antwort gar nicht ab. »Weißt du, wir haben uns ganz schöne Sorgen gemacht. Wir hatten nicht damit gerechnet, dass sich das Haus so schwer verkaufen lässt, sonst wären wir nicht einfach so weggezogen. Und dann vergingen Monate … Als dann diese Person …«

»Jeanette Falck.«

»Genau … auftauchte, wären wir ihr fast um den Hals gefallen. Obwohl ihr Angebot wesentlich niedriger lag als das, was wir uns vorgestellt hatten. Aber was sollten wir tun? Wir konnten das Haus einfach nicht länger leer stehen lassen.«

»Nein.«

»Aber entschuldige, ich habe dich unterbrochen. Wie ist sie denn?«

»Na ja, sie ist … nicht wie wir.«

»Wie meinst du das?«

»Sie lebt allein.«

Bibi musste lachen. »Ach, das meinst du.«

»Und dann arbeitet sie als Hellseherin.«

Stille in der Leitung. »Als Hellseherin …?«, wiederholte Bibi langsam.

»Ja, wir hatten schon alles Mögliche befürchtet.« Miriam hustete leicht. Sie hatte gar nicht daran gedacht, über Jeanette Falck zu sprechen, aber als Bibi nachfragte, musste sie natürlich antworten. »Abends kommen viele Autos vorgefahren und etwas sonderbare Männer schleichen ins Haus, dann lässt sie die Jalousien herunter …«

Bibi hielt die Luft an. »Aber … Habt ihr geglaubt …?« Sie klang schockiert. »Das klingt ja schrecklich!«

»Ja. Aber nun liegen die Dinge ja anders.«

»Aber trotzdem. Furchtbar!« Bibi schnalzte mit der Zunge und Miriam sah sie vor sich, wie sie zwinkerte, die Augenlider wie immer mit blauem Lidschatten geschminkt. Irgendwie freute sie sich doch, dass Bibi genauso dachte wie sie. Dann konnte es nicht sein, dass sie sich alles nur eingebildet hatte.

»Aber wie habt ihr das herausgefunden, dass sie eine Hellseherin ist?«, fragte Bibi weiter.

»Ich habe im Sävesta Blick eine Annonce gesehen und die Telefonnummer erkannt. Eure alte.«

»Ja, stimmt, sie hat den Anschluss übernommen.«

»Genau. Sie nennt sich Janina und ich nehme an, dass alle Leute, die hierherkommen, ihre Kunden sind.«

»O Gott …« Das war für Bibi wirklich ein Schlag, sie

klang noch immer schockiert. »Also Miriam, wenn wir das auch nur im entferntesten geahnt hätten, hätten wir niemals an sie verkauft. Das musst du mir glauben.«

»Ja, selbstverständlich.« Miriam bekam fast ein schlechtes Gewissen, als sie hörte, wie Bibi sich aufregte. »Aber vielleicht ist es gar nicht so schlimm«, sagte sie zur Beschwichtigung. »Ich meine, sie richtet ja keinen Schaden an.«

»Nein … Aber die Nachbarn könnten ja denken, dass wir es gewusst haben. Dass wir mit Absicht an so eine … Person verkauft haben.«

»Aber das denkt doch keiner. Und wie gesagt, wenn es nicht schlimmer wird, ist es auszuhalten.«

»Bist du sicher?« Bibi klang aufrichtig besorgt.

»Ja.«

»Was meint Frank dazu?«

Nichts, keine Antwort.

»Miriam …?«

»Ja.«

»Was meint Frank dazu?«

»Er … er …« Sie stockte. Als ließe sich dieser Satz nicht zu Ende bringen.

»Miriam, ist etwas passiert?« Bibis Stimme klang mit einem Mal ganz anders. Plötzlich war sie sanft und dieser Tonfall trieb Miriam erst recht die Tränen in die Augen.

»Ja«, sagte sie leise.

»Was ist geschehen?«

»Er …«

»Ist er krank?«

Miriam schniefte, es klang fast wie eine Art Lachen. »Nein, soweit ich weiß, nicht …«

»Ja, was ist denn dann mit Frank?«

»Er hat mich verlassen.« Jetzt war es heraus. Und das

war auch alles, was sie sagen konnte. Mehr gab es nicht hinzuzufügen. Als sagten diese vier knappen Worte alles.

»Wegen einer anderen?«

»Ja.«

Bibi seufzte tief. »O Miriam ..«, sagte sie leise. »Wie sehr habe ich mir gewünscht, dass so etwas nicht passieren würde.«

»Ja ...«

»Und wann war das?«

»Ich weiß es nicht mehr genau, irgendwann letzte Woche.« Sie versuchte nachzudenken. Da war dieses Treffen bei Nina gewesen. Aber wann...? »Letzten Donnerstag«, fügte sie hinzu.

»Meine liebe, liebe Miriam, ich weiß gar nicht, was ich sagen soll.«

»Nein. Ich auch nicht. Ich habe wirklich nichts gemerkt.«

Bibi seufzte wieder. »Also, ich könnte dieser Yvonne den Hals umdrehen ...« Der Satz schien noch nicht zu Ende zu sein.

»Yvonne ...?« Miriams Stimme klang dünn. »Woher weißt du ...«

Bibi zögerte einen Moment, dann fing sie an zu erzählen. »Miriam, wie soll ich sagen ... Ich habe es vor ungefähr einem Jahr erfahren.«

»Vor einem Jahr?«

»Ja. Frank hatte Jan-Åke gebeten, für ihn zu lügen. Erinnerst du dich an diesen Golfurlaub? Auf Tylösand?«

»Ja, sie waren da über ein verlängertes Wochenende.«

»Ja, zumindest Jan-Åke. Eine Woche, bevor es losging, sprang Frank ab. Jan-Åke war natürlich verärgert und drängte Frank, ihm den Grund zu nennen. Und so erzählte er es ihm. Er sagte nicht, wer es war, aber dass es um eine

Frau ging.« Sie verstummte. Es fiel ihr offensichtlich nicht leicht, das alles zu erzählen.

»Das heißt, du wusstest …?«

»Nein. Da noch nicht. Sie taten so, als würden sie gemeinsam verreisen. Du erinnerst dich sicher, wir haben ihnen noch gewunken …«

»Ja, ich erinnere mich.« In Miriams Kopf drehte sich alles, und die Übelkeit machte sich wieder bemerkbar.

»Ich fuhr dann am Samstag nach Norrköping, um Einkäufe zu erledigen, weil Jan-Åke ja nicht zu Hause war.«

»Und hattest mich gefragt, ob ich mitkommen wollte …«

»Ja, aber du fühltest dich irgendwie nicht so gut.«

»Da hatte ich am Tag vorher Fieber bekommen.«

»Genau. Also bin ich allein gefahren. Und da habe ich sie gesehen … Frank und Yvonne. Sie saßen in einem Restaurant und hielten …« Sie brach ab, die Details wollte sie Miriam lieber ersparen. »Ich habe sie gesehen«, wiederholte sie leise. »Erst habe ich meinen Augen nicht getraut, bis ich mir sicher war, dass es Frank war. Ich wusste einfach nicht, was ich tun sollte, Miriam. Ich habe sie angestarrt und … Ja, es bestand kein Zweifel daran, was für eine Art von Beziehung sie hatten.« Sie legte eine Pause ein. Miriam schwieg.

»Ich habe mir das ganze Wochenende lang den Kopf zerbrochen, ob ich es dir gleich erzählen sollte«, fuhr Bibi fort. »Aber dann beschloss ich abzuwarten, bis Jan-Åke wieder da war. Ich wollte erst seine Meinung hören. Es bestand ja immerhin die klitzekleine Möglichkeit, dass es eine Erklärung für die Sache gab.« Sie lachte trocken. »Aber die gab es natürlich nicht. Erst log er mich auch an und sagte, dass sie Golf spielen waren und viel Spaß hatten. Als ich ihm dann erzählte, was ich gesehen hatte, ist er schier geplatzt.

Ihm war völlig klar, dass diese Lüge auffliegen würde. Dann erzählte er mir von Franks Absage und seinem Geständnis, dass es eine andere gäbe. Ich bin wahnsinnig wütend geworden. Auf Frank, aber auch auf Jan-Åke. Wenn Frank nicht die Wahrheit sagte, dann log Jan-Åke vielleicht auch? Wer garantierte mir, dass er wirklich auf Tylösand gewesen war? Und dass er nicht in anderer Begleitung dort gewesen war. In Begleitung einer Frau.«

Miriam stöhnte auf. Sie hörte zwar, was Bibi berichtete, aber es war so unwirklich. Als würde Bibi von einem Film erzählen, den sie gesehen hatte, von einem Buch oder einem Artikel aus einer Klatschzeitung, die sie gerne las.

Bibi fuhr fort. »Aber er schwor, dass er die Wahrheit sagte. Und schließlich glaubte ich ihm. Er sagte, dass es schrecklich gewesen sei zu lügen, aber dass Frank ihn überredet habe. Ja, das war natürlich nicht gerade charakterstark. Er hätte auch ablehnen können …«

»Ja …« Miriam war ihre eigene Stimme fremd. Sie klang rau und gleichzeitig so dünn.

»Miriam, ich kann verstehen, wie es dir gehen muss …«

»Tust du das?«

»Ja, ich denke schon. Obwohl – ganz sicher bin ich mir nicht.« Sie seufzte. »Ich wusste wirklich nicht, was ich tun sollte. Ob ich es dir sagen sollte. Ich weiß immer noch nicht, ob das besser gewesen wäre.« Sie ließ eine Lücke, um Miriam die Möglichkeit zu geben zu antworten, aber als die nichts sagte, fuhr sie fort.

»Danach wurde es so schwierig, wenn wir uns sahen. Es war offenkundig, dass du keine Ahnung hattest und ich wusste um dieses Geheimnis. Weder dir noch Frank konnte ich in die Augen schauen.« Sie hielt inne. »Ja, und dann kam die Idee mit dem Umzug auf. Und wir entschieden uns für Hudiksvall …«

»Seit ihr etwa unseretwegen umgezogen?«

»Nein. Das nicht. Aber die Situation war mit einem Mal so angespannt. Jan-Åke versuchte mehrmals, mit Frank über das, was passiert war, zu reden, doch er entzog sich immer wieder. Das Einzige, was Jan-Åke daraus schließen konnte, war, dass diese Affäre weiterging.«

»Und du hast nichts gesagt?«

»Nein, Miriam. Ich verstehe, wenn dich das enttäuscht. Aber überleg mal, wenn es umgekehrt gewesen wäre. Wenn Jan-Åke untreu gewesen wäre und du hättest es gewusst … Das ist wirklich nicht einfach.« Bibi appellierte an ihr Verständnis.

»Nein.«

»Und ich hatte ja immer die Hoffnung, dass sich eine Lösung finden würde. Dass Frank zur Vernunft kommen und die Sache beenden würde. Ich meine, Yvonne … Das konnte wohl nicht viel mit Liebe zu tun haben.«

Beide schwiegen eine Weile. Bibi atmete hastig, Miriam hingegen langsam.

»Ich muss jetzt auflegen.« Miriams Stimme klang völlig steril.

»Aber Miriam …«

»Grüß bitte Jan-Åke.« Schlagartig beendete sie das Gespräch. Eine Weile saß sie noch da und sah aus dem Fenster. Draußen war es fast dunkel und im Nachbarshaus, von dem sie nur die Umrisse sah, war auch kein Licht.

Sie erhob sich aus dem Sessel und ging zur Treppe. Mit langsamen, schweren Schritten stieg sie hinauf. Im Schlafzimmer schloss sie das Fenster und sank wieder in ihr zerwühltes Bett. Laken und Kopfkissen fühlten sich an ihrer Haut kühl an. Sie kuschelte sich in die Decke und schlief fast auf der Stelle ein.

Eigentlich hatte sie sich den Abend anders vorgestellt. Der Anruf kam völlig überraschend. Doch als Camilla fragte, wunderte sie sich selbst, welche innere Stimme spontan ja gesagt hatte. Klar, war ihre Antwort gewesen. Klar, können wir ins Kronan gehen. Selbst Camilla hatte über ihre schnelle Zusage gestaunt. In den vergangenen Monaten war Nina nicht gerade überschwänglich gewesen und die meisten von Camillas Überredungsversuchen hatten mit einer Absage geendet. Aber sie fragte nicht nach, sondern wollte nur wissen, wann Nina kommen und was sie anziehen würde. Das Wichtigste eben.

Nina meinte, dass es spät werden würde. Sie hätte im Salon einen anstrengenden Tag gehabt und wollte sich vorher ein paar Stunden ausruhen. Eine Lüge, zumindest der erste Teil. Ihr Tag war völlig normal gewesen. Aber der Gedanke an das übliche Ritual bei Camilla mit einem Glas Wein, Gequatsche und gemeinsamem Make-up schreckte sie ab. Nein. Nicht heute Abend. Stattdessen wollte sie sich gleich in der Stadt mit ihr treffen. Halb neun am Kronan. In Camillas Stimme lag eine Spur Enttäuschung, als sie sagte, das sei okay.

Jetzt war es acht Uhr und Nina stand auf dem Fußweg vor dem beleuchteten Lokal. Die Tische am Fenster waren alle bereits belegt, also würden sie sich mit Plätzen an der Bar begnügen müssen, doch das machte ihr nichts aus. Noch eine Woche, bis wieder Geld auf ihr Konto kam, und daher konnte sie es sich im Moment sowieso nicht erlauben, essen zu gehen.

Sie holte tief Luft und steuerte auf den Eingang zu. Figge, der Türsteher, grüßte sie mit einem Kopfnicken. Eigentlich war ein Türsteher im Kronan überflüssig, doch die Geschäftsführer waren der Meinung, dass das einen guten Eindruck machte. Und tatsächlich kam es schon einmal vor, dass Gäste, die über den Durst getrunken hatten, sich miteinander anlegten. Meist war es Eifersucht.

Nina legte ihre Jacke ab und suchte als erstes die Damentoilette auf. Ein kurzer Blick in den Spiegel bestätigte noch einmal das Bild einer gut gestylten Achtunddreißigjährigen, das sie bereits im Flurspiegel zu Hause betrachtet hatte. Heute hatte sie sich für Schwarz entschieden. Schwarze Jeans und ein schwarzes Seidenhemd, das immerhin so weit ausgeschnitten war, dass man die Kante ihres Wonderbra noch ahnen konnte. Dazu trug sie lange Strassohrringe und um den Hals eine Silberkette mit einem Berlock. Alles nur billiger Modeschmuck, aber ihr gefiel der Effekt auf ihrem schwarzen Outfit. Die glänzenden Haare trug sie offen. Sie sah sich noch eine Weile im Spiegel an. Noch zwei Jahre, dann war sie vierzig. Sah man ihr das an? Da öffnete sich die Tür zur Damentoilette und eine Frau in einer geblümten Chiffonbluse trat ein. Nina huschte durch die Tür, bevor sie wieder ins Schloss fiel.

Die Musik von der Tanzfläche hörte man dort am Eingang, wo sie stand, und mit einem Mal spürte sie etwas wie Nervosität. Am liebsten hätte sie ihre Jacke wieder geholt und wäre gegangen. Doch da tauchte Camilla auf. Sie hielt einen Drink in der Hand.

»Ach, hier steckst du!«, rief sie und umarmte Nina. »Ich bin schon eine halbe Stunde da.«

»Bin ich zu spät?«

»Nein, ich war eher zu früh. Da mein Privatfriseur heute nicht da war, hatte ich Zeit, schon früher loszumarschieren.« Sie lachte. Nina wollte auch lachen, doch irgendwie gelang es ihr nicht recht, ihre Lippen fühlten sich steif an und es kam kein Laut. »Wie geht's?« Camilla sah sie an.

»Prima. Richtig gut. Wollen wir hineingehen?«

»Ja. Ich habe an der Bar zwei Hocker für uns reserviert. Vorausgesetzt, sie sind noch frei.«

Camilla fasste Nina am Arm und zog sie durch die Glastür ins Lokal hinein. Drinnen war die Musik der Band enorm laut, sie spielten gerade eins von Johnny Logans Siegerliedern vom Grand Prix. Besonders gut war die Band allerdings nicht. Nina kannte sie schon. Der Sänger war ganz okay, aber ihr Repertoire war durchschnittlich und nur ganz selten spielten sie etwas Aktuelles.

Sie steuerten die Plätze an der Bar an. Die zwei Typen, die sich gerade auf den Hockern niedergelassen hatten, schob Camilla etwas barsch zur Seite, als sie sich gerade setzen wollten. Ihre Jacke, die sie als Platzhalter dort liegen gelassen hatte, war auf den Boden gefallen. Sie hob sie auf und hängte sie an den kleinen Haken an der Theke.

»Was willst du trinken? Ich nehme einen Wodka-Cranberry.« Sie hielt ihr halbleeres Glas, in der noch ein Rest rote Flüssigkeit zu sehen war, in die Luft.

»Für mich ein Glas Weißwein.«

Camilla winkte den Barmann heran und kurz darauf stand schon das gewünschte Getränk vor Nina auf der Theke. Sie nahm einen Schluck und sah sich vorsichtig um. Lächelnd begrüßte sie ein paar bekannte Gesichter, mitunter winkte sie auch jemandem zu. Dabei blieb es. Eigentlich sollte sie erleichtert sein, doch dann machte sich Enttäuschung breit. Erst als seufzendes Ausatmen, dann kam ein unangenehmer Druck auf den Schläfen hinzu. So war es eben. Er war nicht da. Was hatte sie auch erwartet? Es war Freitagabend, natürlich war er nach Hause nach Finspång gefahren. Zu seiner Familie. Warum sollte er auch in Sävesta bleiben? Sie versuchte stattdessen, sich auf Camilla zu konzentrieren, die unentwegt Klatschgeschichten erzählte, aber es fiel ihr schwer, daran wirkliches Interesse zu finden. Camilla wurde säuerlich.

»Du hörst mir ja gar nicht zu!«

»Doch, das tue ich.«

»Nein, tust du nicht. Ich habe dich eben gefragt, ob du damit gerechnet hast, dass Sofia und Fredrik sich trennen, aber du hast nicht einmal geantwortet.« Camilla zog ein Gesicht.

»Entschuldige.« Nina versuchte sich zusammenzureißen. »Na ja, aus heiterem Himmel kam das nicht gerade. Sie streiten sich doch, seit sie zusammen sind.«

»Das ist ja genau der Punkt.« Camilla nahm den Gesprächsfaden wieder auf. »Warum sollten sie sich dann jetzt trennen? Das hätten sie dann doch schon vor Jahren tun können.«

»Immerhin haben sie Kinder. Vielleicht wollten sie abwarten, bis sie etwas größer sind?«

»Meinst du wirklich?« Camilla machte ein enttäuschtes Gesicht. »Ich glaube eher, dass einer von beiden jemand anderen kennengelernt hat.«

»Das kann natürlich auch sein.« Nina zuckte mit den Schultern. Ihr war es egal. Camilla schien zu bemerken, dass das Thema nun erschöpft war, also saßen sie beide eine Weile schweigend da und beobachteten die Tanzfläche. Plötzlich tauchte hinter Camilla ein Mann auf. Er klopfte ihr vorsichtig auf die Schulter.

»Magst du tanzen?«, fragte er und lächelte unsicher. Nina

bemerkte, wie Camilla den Verehrer mit einem schnellen Blick taxierte.

»Gern«, antwortete sie und rutschte von ihrem Barhocker. Sie wandte sich an Nina. »Passt du mal auf meine Sachen auf?«

Nina nickte und sah das Paar in Richtung Tanzfläche verschwinden. Die kleine Pause kam ihr gelegen. Jetzt war die Nervosität vorüber und sie fühlte sich vor allem müde. Der Druck an den Schläfen ging nun in heftiges Kopfweh über. Sie hatte eine lange Woche hinter sich und am vergangenen Samstag hatte sie auch schon gearbeitet. Eine Brautfrisur. Die Kundin war morgens um acht gekommen und gegen zwölf waren sie fertig geworden. Nina freute sich schon auf das Foto. Es war üblich, dass die Brautleute eine Danksagungskarte schickten und es war immer schön, das Ergebnis zu sehen, mit Brautkleid und Blumen und allem Drum und Dran.

Nina winkte dem Barmann zu und hob ihr leeres Glas. Er nickte und servierte ihr zügig ein Glas Wein. Im Grunde wollte sie gar nichts mehr trinken. Lieber nach Hause. Gemütlich vor dem Fernseher sitzen, eine Tüte Chips auf dem Schoß und ein Glas von der Bag-in-Box aus dem Kühlschrank. Hier auf dem Barhocker kam sie sich vor wie zur Besichtigung. Die geschiedene Mutter auf der Jagd nach einem neuen Mann. Das übliche Klischee. Warum war sie eigentlich hier? Weil sie die Hoffnung nicht aufgab, dass sie doch noch einmal ihr Glück finden würde? Dass *er* plötzlich vor ihr stände und die Umstände ganz anders waren. Doch dieser Gedanke war so naiv, dass sie sich für sich selbst schämte.

Nina stellte ihr Glas auf der Theke ab. Camilla würde sauer sein, das war klar, aber sie konnte es nun einmal nicht ändern. Sie blickte hinüber zur Tanzfläche und sah ihre

Freundin mit ihrem Verehrer zu Tomas Ledins neustem Superhit Jive tanzen, der eigentlich eher lahm war. *Man muss es nur mögen, mömömömömögen …*

Sie wusste, dass sie im Grunde warten musste, bis Camilla mit dem Tanzen fertig war, aber mit einem Mal war es ihr, als halte sie es keine Sekunde länger in diesem stickigen Lokal aus. Sie wollte sich gerade einen Weg durch die Menge bahnen, um Camilla zu sagen, dass es ihr nicht so gut ginge und sie heimgehen wolle, als jemand sie am Arm fasste.

Da war er.

Thomas lächelte sie an, während seine Hand noch immer auf ihrem Arm lag. »Also bist du doch hier«, strahlte er. Eine Bedienung, die an ihm vorbei musste, schob ihn derb zur Seite, sodass er noch näher neben Nina landete. Zu nah. Nina machte einen Schritt zurück.

»Ich wollte gerade gehen«, erklärte sie.

»Dann habe ich heute Abend ja richtig Glück.« Er lächelte sie immer noch an, doch seine Augen sagten noch etwas anderes.

»Ich dachte, du wärst nicht mehr in Sävesta.«

»Ich fahre morgen.« Das sagte er sehr langsam und deutlich, als ob die Worte sehr wichtig seien.

»Dann wird dich deine Familie sicher vermissen.« Sie versuchte, den Satz in ein Lachen zu verpacken, aber es gelang ihr nicht recht. Sie machte noch einen Schritt zurück. Und zog ihren Arm aus Thomas' Griff.

»Nina … Es gibt so vieles, worüber ich mit dir reden möchte.« Jetzt sah er ganz ernst aus.

»Ich muss gehen.«

»Nur ein paar Minuten …«

»Nein, tut mir leid.« Sie ging immer weiter zurück. Der Abstand zwischen ihnen dehnte sich wie ein Gummiband.

Plötzlich stand Camilla neben ihr. Sie begrüßte Thomas freundlich und sah Nina mit großen Augen an.

»Sieh an, hast du einen alten Bekannten getroffen ...?«

»Camilla, tut mir leid, aber ich muss nach Hause.«

Camilla grinste und zwinkerte übertrieben mit dem einen Auge. »Na, das ging aber schnell ...«

»Alleine. Mir geht es nicht so gut. Du kommst auch ohne mich klar, oder?« Die Frage stellte sie eigentlich nur anstandshalber.

Camilla starrte sie irritiert an und sah dann zu Thomas. »Hab ich hier irgendwas nicht mitbekommen?«, fragte sie.

Thomas stand mucksmäuschenstill da. Sein Blick wich nicht von Nina.

»Wir telefonieren morgen«, verabschiedete sie sich von Camilla. »Und du ...« Sie drehte sich zu Thomas um. »Es tut mir leid. Ein anderes Mal, in einem anderen Leben ...« Die Leichtigkeit in ihrer Stimme war verschwunden. Sie machte auf dem Absatz kehrt und marschierte Richtung Ausgang. An der Garderobe ging es flott, und eine Minute später hatte sie ihre Jacke an und ging mit schnellen Schritten die Straße entlang zur Bushaltestelle.

Sie hatte Glück, der Bus kam ein paar Minuten später. Hätte sie den verpasst, hätte sie eine ganze Stunde auf den nächsten warten müssen. Sie stieg ein und erst, als sie dem Fahrer ihre Fahrkarte hinhielt, merkte sie, wie sie zitterte.

Wie naiv durfte man sein? Die Frage zermarterte ihren Kopf. Sie war erwachsen, sie hatte ein Kind. Sie wusste genau, was ein Mann wie Thomas Linge bedeutete. Träume und Hoffnungen. Enttäuschungen und Tränen. Das wollte sie nicht. Sich mit Versprechungen und Lügen herumschlagen. Das war es nicht wert. *Nicht wert.* Vielleicht waren ihre Träume von dem Mann ihres Lebens unerreichbar, aber lieber ein schöner Traum als eine quälende Wirklichkeit.

Erst als sie in ihrem Hausflur stand und die Tür hinter sich geschlossen hatte, konnte sie aufatmen. Langsam sanken ihre Schultern nach unten und der Magen beruhigte sich wieder. Alles in Ordnung. Jetzt war sie zu Hause.

Ellinor hielt die Zeitung in der Hand. Ihr Herz pochte und ihr Mund fühlte sich trocken an. Dann las sie die Anzeige noch einmal. Eine Anwaltskanzlei in der Stadt suchte einen Juristen, eine Vollzeitstelle mit Beginn zum ersten Februar. Das Profil passte exakt auf sie. Ihre Berufserfahrung lag zwar an der unteren Grenze, aber immerhin suchten sie keinen Seniorpartner und die Formulierung ließ durchblicken, dass auch das Gehalt nicht in der Höhe vorgesehen war. Dass sie mit dem Weggang von Björk & Schultz auch dem Handelsrecht den Rücken kehrte, war ihr klar gewesen, und obwohl ihr gerade dieses Arbeitsgebiet viel Spaß gemacht hatte, konnte sie sich ebenso gut auf etwas Neues einstellen.

Sie hatte die Annonce bereits am Morgen gesehen und sie Wille gezeigt. Er war nicht sonderlich beeindruckt gewesen, aber sie hatte mit allen Mitteln versucht, ihm klar zu machen, dass diese Chance einzigartig sei. Wie viele Kanzleien gab es wohl in einer Stadt wie Sävesta? Und wie oft wurden Stellen frei? Wille hatte schließlich eingesehen, dass das nicht allzu oft der Fall sein könne. Aber er war sich sicher, dass auch wieder andere Möglichkeiten auftauchen würden. Es lag auf der Hand, dass diese Stelle für Ellinor überhaupt nicht in Frage kam, auch wenn er es nicht direkt aussprach. Albin würde nicht vor August in der Kinderkrippe untergebracht sein, deshalb konnte sie vorher nicht anfangen zu arbeiten.

Obwohl sie den Widerstand ihres Mannes deutlich spürte, ließ Ellinor sich nicht davon abbringen, ihr Gedankenspiel weiter zu treiben. Sollte sie sich nicht auf jeden Fall bewerben? Wenn sie sich vorstellte, wie selten solche Ausschreibungen hier sein mussten, könnte sie doch wenigstens schon einmal Interesse bekunden? Wille hatte nur mit den Schultern gezuckt. Natürlich könne sie sich bewerben, auch wenn es eigentlich sinnlos sei, meinte er. Ellinor hatte nichts mehr erwidert, aber als Wille das Haus verlassen hatte, um zur Arbeit zu fahren, wurde ihr klar, dass sie eine richtige Wut im Bauch hatte.

In dem Moment versuchte sie, den Gedanken daran zu verdrängen. Jetzt galt es, konzentriert zu sein. Sie holte tief Luft und ließ sie langsam wieder durch den geöffneten Mund ausströmen. Dann wählte sie die Nummer der Kanzlei Brink & Partners. Eine Frau nahm ab. Ellinor nannte ihren Namen und ihr Anliegen und bat darum, mit Leif Brink verbunden zu werden. Als dann am anderen Ende der Leitung die Männerstimme erklang, musste sie noch einmal schlucken, weil ihr Mund ganz trocken war. Sie stellte sich vor, verhaspelte sich dabei ein wenig und sagte dann, dass sie an der vakanten Stelle interessiert sei. Er stellte ihr daraufhin ein paar Fragen. Wann sie ihr Examen gemacht habe. Wie lange sie im Beruf gewesen sei und in welcher Kanzlei. Warum sie sich gerade für diese Stelle interessiere und wie ihr Verhältnis zu Sävesta sei. Sie antwortete, so gut sie konnte. Leif Brinks ruhige Stimme bewirkte, dass sich ihre Nervosität nach und nach legte. Er machte einen guten Eindruck. Sie hatte das Bild eines Mannes um die Fünfzig vor sich. Seriös und freundlich.

Nach etwa einer Viertelstunde legte Ellinor auf. Sie war richtig erschöpft. Ihre Finger, die das Telefon gehalten hatten, fühlten sich steif an, und in den Achselhöhlen spürte sie den Schweiß. Es war sicher kein Traumjob, so viel war ihr klar, dennoch war die Stelle als Juristin bei Brink & Partners genau das, was sie brauchte. Es fiel ihr schwer, sich das wirklich einzugestehen, aber aus ihrer anfangs kühnen Idee beim Blick auf die Annonce war plötzlich Ernst geworden. Sie wollte den Job. Ihre Chance auf eine Stelle als Anwältin in Sävesta war mikroskopisch gering, so ehrlich musste sie sein, und deshalb war es gut möglich, dass dieser Job ihre einzige Hoffnung war. Zumindestens in der nächsten Zeit. Natürlich könnte sie sich in einer der Nachbarstädte zum Herbst bewerben, aber dann wären die Fahrtstrecken vermutlich zu lang. Immerhin hatte sie ein kleines Kind zu Hause. Brink & Partners kamen ihr mit einem Mal wie ein Strohhalm vor, ein Strohhalm, den sie sich nicht leisten konnte zu ignorieren. In Gedanken war sie bereits beim Anschreiben für ihre Bewerbung.

Sie wusste, dass sie von Björklund & Schultz erstklassige Referenzen bekommen würde. Auch wenn sie nicht begeistert waren, als sie von Ellinors Schwangerschaft erfuhren, doch ihr Engagement hatten ihre Vorgesetzten immer geschätzt. Das war nicht immer nach außen hin sichtbar gewesen, meist wurde ihre Arbeit von den Teilhabern signiert und so arbeitete sie mehr im Hintergrund, aber am wichtigsten war es doch, dass sie mit ihr zufrieden waren. Wie viele Nächte hatte sie im Büro gesessen und Fälle bearbeitet und umfangreiche Memos an ihre Chefs geschrieben. Es war keine Ausnahme, sondern eher an der Tagesordnung, dass sie noch abends um sechs Aufgaben bekam, die am kommenden Morgen fertig zu sein hatten. So war es eben, und auch wenn das Dankeschön nach getaner Arbeit nicht immer an sie ging, war ihr doch klar, dass ihre Vorgesetzten wussten, wer die Arbeit gemacht hatte. George Schultz hatte sie sogar einmal zur Seite genommen und ihr gesagt, dass sie es weit bringen würde, wenn sie so weitermachte. Zudem war sie zuverlässig, pflichtbewusst und loyal. Wenn man mal davon absah, dass sie auch noch prompt schwanger wurde.

Albin hatte nun keine Lust mehr, sich mit den Spielsachen zu beschäftigen, die sie auf einem großen Haufen vor ihm auf dem Wohnzimmerteppich ausgekippt hatte und machte sich auf in Richtung Bücherregal. Sie bekam ihn gerade noch zu fassen, bevor er begann, die Bücher auszuräumen.

»Hör mal, du kleiner Räuber! Wollen wir rausgehen?«

Albin lachte, als sie ihn in ihrem Arm hoch und runter schaukelte. Dann trug sie ihn in den Flur und holte seinen Schneeanzug. In ihrem Kopf drehte sich noch alles um die Anzeige und die Bewerbung, die sie schreiben wollte. Doch das musste warten, im Moment forderte Albin ihre Aufmerksamkeit.

Ellinor hatte vor, hinauf zu dem kleinen Laden zu gehen. Sie brauchte Bewegung, um auf andere Gedanken zu kommen. Der Spaziergang zum Edeka war genau richtig, außerdem hatte sie noch nichts zum Kochen. Eigentlich hatten sie und Wille vorgehabt, immer einmal in der Woche einen Großeinkauf zu machen, doch am Wochenende waren sie meistens so müde und erledigt, dass dann wieder nichts daraus wurde. Und im Grunde machte es ihr auch nichts aus, denn ihre Spaziergänge unternahm sie ja sowieso und da kam sie meist an dem Laden vorbei. Klar, manchmal war es umständlich, wenn sie mehrere Tüten oder große Windelpakete nach Hause schleppen musste, aber diesen Preis bezahlte sie gern, wenn sie dafür vermeiden konnte, dass die Familie die wenige Freizeit dann auch noch bei Lidl verbrachte.

Als sie an Larssons Haus vorbeikam, fiel ihr auf, dass

Franks Auto immer noch fort war. Und Miriam hatte sie auch noch nicht wiedergesehen, seit sie bei ihr geklingelt hatte. Das tat ihr leid. Miriam liebte es doch, an der frischen Luft zu sein, und sie hatte selbst gesagt, dass die Erkältung nicht so ernst sei. Warum also setzte sie keinen Fuß vor die Tür? Und wie lange war Frank eigentlich fort? Normalerweise dauerten seine Geschäftsreisen doch nicht mehr als zwei oder drei Tage.

Ellinor überlegte kurz. Wenn sie sowieso einkaufen ging, dann könnte sie Miriam auch etwas mitbringen. Einen Liter Milch, ein Brot, vielleicht ein bisschen Obst. Das konnte man immer gebrauchen und sie hätte einen Anlass, noch einmal bei ihr zu klingeln. Oder würde sie das als aufdringlich empfinden? Ach was, sie wollte sich doch nur vergewissern, dass alles in Ordnung war.

Eine gute halbe Stunde später verließ sie den kleinen Laden wieder und stopfte zwei Tüten in das Gepäcknetz unter dem Kinderwagen. Der Rückweg war anstrengender mit dem vollen Wagen, und als sie in den Lingonstig einbog, war ihr Rücken klitschnass.

In Larssons Garten sah es noch genauso aus wie vor ein paar Tagen. Fast noch schlimmer. Der erste Nachtfrost hatte noch mehr Blätter heruntergewirbelt. Sie hob Albin aus dem Wagen und ging mit ihm zu Fuß zum Haus. So war es irgendwie einfacher, mit Kindern ließen sich soziale Kontakte auf natürliche Weise herstellen.

Dieses Mal musste sie noch öfter klingeln, bis Miriam an die Tür kam. So bleich und verhärmt sie vor ein paar Tagen ausgesehen hatte – das war nichts im Vergleich zu heute. Ihre Haut war fast durchsichtig und die Falten im Gesicht, die sonst kaum auffielen, traten als tiefe Furchen hervor. Sie war deutlich schmaler und Ellinor fragte sich, wie man so schnell abbauen konnte.

»Hallo«, sagte sie und versuchte, sie nicht übermäßig anzustarren. »Ich wollte nur mal nach dir schauen.«

»Ja …« Miriam verstummte und Ellinor betrachtete sie von oben bis unten. Sie trug die gleichen Kleider wie vor ein paar Tagen, mittlerweile waren sie völlig zerknittert. Noch immer hatte sie keine Strümpfe an, aber heute trug sie nicht einmal Pantoffeln.

»Entschuldige, wenn ich das so direkt sage, aber du machst keinen guten Eindruck …«

»Nein, ich … Ich …« Wieder verschlug es ihr die Sprache, als sie etwas erwidern wollte.

»Ich habe dir ein paar Dinge aus dem Laden mitgebracht.« Ellinor hielt ihr die Einkaufstüte hin.

»Wie nett von dir, aber das wäre doch nicht nötig gewesen …« Miriams Stimme war dünn und sie sah Ellinor nicht in die Augen.

»Darf ich für ein paar Minuten hineinkommen? Schau mal, ich hab Albin dabei«, schob sie hinterher und sah zu ihrem Sohn, der sich neben ihr am Geländer festhielt. »Aber das macht doch nichts, oder?« Sie lächelte Miriam an.

»Na ja, ich weiß nicht, ob es im Moment so gut passt. Ich … ich …«

»Du kannst dich doch ein bisschen hinlegen, dann räume ich die Lebensmittel aus und mache uns einen Kaffee. Was hältst du davon?« Ellinor wunderte sich selbst, wie forsch sie auf einmal war, doch es schien zu funktionieren, denn Miriam tat einen kleinen Schritt zur Seite und Ellinor schlüpfte mit Albin hinein in den Flur.

Sie sah sich neugierig um, während sie ihrem Sohn und sich selbst am Eingang die Stiefel auszog. Unter ihren Füßen lag eine Fußmatte, die ein rotes Herz trug und auf der *Herzlich Willkommen* stand. Sie war noch nie in Miriams

Haus gewesen, und als sie die Jacken abgelegt hatten und zur Küche gingen, warf sie schnell einen Blick ins Wohnzimmer. Das Zimmer war dunkel, keine einzige Lampe brannte. Trotzdem konnte sie genug erkennen, um sich einen Eindruck zu verschaffen. Bücherregale, in denen eine Menge Kleinkram stand, und dann Fotos von den Kindern und Enkeln. Ein uralter Fernseher, ein geblümtes Sofa und ein Couchtisch mit Glasplatte auf einem bunt gemusterten Teppich. Ein brauner Ledersessel mit einem bestickten Kissen darauf und einer Halterung für die Fernbedienung an der Armlehne. Unzählige Blumentöpfe auf der Fensterbank und kleine rosafarbene Lampen, an denen Fransen hingen, darüber eine mächtige weinrote und beigefarbene Gardine. Genau wie sie es sich vorgestellt hatte. Sauber und gepflegt, aber etwas spießig.

Mit der Küche war es genau das Gleiche. Am Fenster stand ein ovaler Kieferntisch, daran sechs Stühle mit weichen Polstern, auch hier umrahmt von einer Gardine mit Blumenmuster, darüber noch eine Schürze. Ellinor hatte nie begriffen, wofür man Gardinen anschaffte und sich freiwillig das Licht nahm. Es sah doch nicht einmal hübsch aus.

An der einen Küchenwand hing ein Stillleben mit Zwiebeln und Wurzelgemüse und an der anderen eine limitierte Lithografie, auf der ein Kaffeekränzchen in einer mit Flieder bewachsenen Laube zu sehen war. Die Leuchtstoffröhre über der Spüle war an und sie stand nun vor ein paar unabgewaschenen Tellern und Gläsern. Ansonsten sah es sehr ordentlich aus, doch es roch ein bisschen streng aus dem Mülleimer und auf einer Bank lagen Stapel von Reklameblättern und ungeöffnete Post. Es war stickig und Ellinor wäre beinahe zum Fenster hinübergegangen und hätte es aufgerissen. Albin stolperte durch die Gegend und fand es spannend, lauter neue Dinge zu entdecken.

»Ich kann dir leider gar nichts anbieten.« Miriam stand unbeholfen in der Küche und sah betreten aus.

»Ich habe doch eingekauft. Setz dich einfach hin, ich kümmere mich um ein paar Happen. Oder soll ich lieber etwas kochen? Ich könnte auch eine Suppe anbieten.«

»Danke, ein Kaffee wäre wunderbar.«

»Wo hast du denn die Kaffeefilter?« Ellinor warf einen Blick in die Schränke.

Miriam zeigte auf einen blauen Kaffeefilterhalter aus Holz, der an der Wand hing. Albin war in der Zwischenzeit durch den Raum gekrabbelt und nun an Miriams Stuhl angekommen. Er zog sich hoch und legte seine Hände auf ihre Knie. Dann sah er sie an und lachte. Ellinor sah von der Seite, dass Miriam zurücklachte und ihn zurückhaltend und vorsichtig begrüßte.

Ellinors Gefühl, dass hier etwas nicht in Ordnung war, bestätigte sich, als sie den Kühlschrank öffnete, um Milch, Joghurt, Margarine, Eier und Käse hineinzustellen. Abgesehen von ein paar Marmeladengläsern, Saftflaschen, Ketchup, Senf, Gurkenscheiben und anderen Konserven nur gähnende Leere.

Der Kaffee zischte mittlerweile in der Maschine und sie öffnete eine Packung Zitronenmuffins, die sie aus dem Laden mitgebracht hatte. Sie machte einen Teller voll und stellte ihn auf den Tisch. »Tja, selbstgebacken sind die leider nicht …« Sie musste lachen. »Aber das habe ich im Edeka gefunden und ich dachte mir, du hast sicherlich auch nichts gebacken, jetzt wo es dir nicht so gut geht.« Sie betrachtete Miriam aufmerksam, ob dieser Satz irgendeine Reaktion hervorrief, aber Miriam saß einfach auf ihrem Stuhl und ließ Albin an ihren Ringen drehen, die er versuchte abzustreifen.

»Sag Bescheid, wenn er dir zu anstrengend wird.«

Miriam sah auf. »Überhaupt nicht, wirklich. Ich liebe Kinder.«

»Ja, ich weiß, und Albin hat das schon gemerkt.«

Ellinor stellte Milch und Tassen auf den Tisch. »Nimmst du Zucker?«

»Ja, zwei Stückchen.«

Sie hatten wirklich die Rollen getauscht. Ellinor werkelte in Miriams Küche, als wäre sie zu Hause, während Miriam am Tisch saß und sich verwöhnen ließ.

Ellinor schenkte den Kaffee ein und setzte sich. »So, ein Fertigmuffin – bitte bedien dich!«

Miriam nahm brav einen Muffin vom Teller, legte ihn neben der Kaffeetasse ab, probierte aber noch nicht. »Danke.«

Sie tranken einen Schluck Kaffee und schwiegen. Auch Albin hatte einen Muffin bekommen und versuchte nun, auf dem Boden sitzend, das Papier abzupuhlen.

»Wie geht es dir denn jetzt?« Irgendwie musste sie ja einen Anfang machen, wenn sie nun schon einmal da war. Miriams blasses Gesicht und ihre abgemagerte Gestalt waren wirklich besorgniserregend.

»Ja … na ja …«

»Du hast dir doch wohl keine richtige Grippe geholt? Ich habe in der Zeitung gelesen, dass mehrere Fälle aufgetreten sind.«

»Nein, ich glaube nicht. Du musst dir um mich keine Sorgen machen. Ich bin einfach ein bisschen müde.«

Ellinor sah die Frau, die ihr gegenüber saß, skeptisch an.

»Wo ist denn Frank?«

Miriam gab keine Antwort. Sie starrte irgendwohin in Richtung Herd und Ellinor gelang es nicht, ihr in die Augen zu sehen.

»Wann kommt er denn heim?«

»Er … Er wird nicht heimkommen.«

Ellinor hob die Augenbrauen. »Wie meinst du das?«

»Er ist … ausgezogen.«

»Er ist ausgezogen? Wohin?«

»Ich weiß es nicht.« Ihr Blick ging noch immer an Ellinor vorbei.

»Aber … wie soll ich das verstehen?«

»Tja, das ist nicht so einfach.«

»Frank ist ausgezogen und du weißt nicht, wohin.« Ellinor versuchte, die Fakten zusammenzufassen. »Aber warum ist er umgezogen?«

Miriam saß noch immer ruhig da, doch man sah ihre Augen leicht zucken. »Er hat eine andere kennengelernt«, sagte sie plötzlich. Mit glasklaren Worten, doch einer Monotonie in der Stimme, als sei sie ein Roboter.

Ellinor saß eine Weile still da. Hatte sie möglicherweise etwas missverstanden? Konnte es wahr sein, dass Frank seine Frau wegen einer anderen verlassen hatte? Sicherlich geschah so etwas häufiger, als man dachte, aber Frank … Ihr Bild von dem mürrischen Ehemann passte so überhaupt nicht zu Seitensprüngen und leidenschaftlichen Affären.

»Aha, er hat eine andere kennengelernt«, sagte sie schließlich. »Und wen?«

»Eine Kollegin.« Miriams Gesichtsausdruck war noch immer auf Null gestellt. »Ich nehme an, dass er zu ihr gezogen ist.«

»Aber Miriam, liebe Miriam …« Ellinor schüttelte fassungslos den Kopf. Sie konnte noch immer nicht glauben, was Miriam gerade gesagt hatte. Sie hatte sich zwar Gedanken gemacht, aber dieses Szenario wäre ihr nie in den Sinn gekommen. »Ist das wirklich wahr?«

Miriam nickte.

»Ja … und du? Was wird aus dir? Werdet ihr euch scheiden lassen? Wo wirst du wohnen?«

Miriam sah Ellinor endlich in die Augen. »Darüber habe ich noch gar nicht nachgedacht. Aber das wird sich schon regeln.«

Wird sich regeln. Ob Frank sich das so gedacht hatte? Dass er seine Frau so einfach im Stich lassen konnte, nachdem sie sich … wie viele Jahre waren das? Miriam hatte es einmal erwähnt, aber Ellinor wusste es nicht mehr genau. Jedenfalls über dreißig Jahre hatte sie sich um ihn gekümmert. Wie konnte er Miriam einfach so sitzenlassen und mit einer neuen Frau durchbrennen! Wie die Kätzchen, die man im Sommer einfach aussetzt. Ellinor kannte die beiden als Paar nicht besonders gut, aber ihr war klar, dass Frank derjenige war, der für das Geld zuständig war. Miriam war eine aussterbende Spezies, sie war nur Hausfrau. Und nun saß sie alleine da. Ellinor fühlte die Wut in sich aufsteigen. Was war dieser Frank eigentlich für ein Schwachkopf?

Miriam begann wieder zu sprechen, als ob sie spürte, was in Ellinor vorging. »Die Entscheidung ist ihm nicht leichtgefallen«, sagte sie ruhig. »Er hat sich lange damit gequält.«

»Das wäre ja auch noch schöner«, fauchte Ellinor. Sie sah Frank vor sich. Ein Mann mittleren Alters ohne besondere Ausstrahlung. Trist, völlig uninteressant. Dünnes Haar, die blassen Oberhemden verrieten den zunehmenden Bierbauch. Sie hatte sich gewundert, dass er Vertreter war. Waren das nicht eher so charismatische Typen? Aber vielleicht nicht in seiner Branche.

»Aber du siehst das falsch.« Miriam sah sie an. »Das ist doch nicht sein Fehler.«

»Wie meinst du das, nicht sein Fehler?«

»Dass er sich in eine andere verliebt hat. Darüber hat man doch keine Macht.«

»Aber man kann doch nicht einfach seine Frau verlassen, nur weil man sich mal eben in eine andere verguckt hat. So etwas passiert Männern in diesem Alter, das geht vorbei!« Ellinor wurde laut. Sie hatte überhaupt kein Verständnis dafür, dass Miriam nun auch noch dasaß und ihn verteidigte. Albin, der auf dem Boden saß, sah neugierig auf. Um ihn herum lagen kleine Kügelchen und Papierreste. Ellinor lächelte ihm eilig zu, um zu signalisieren, dass alles in Ordnung war.

»Aber er hat sich nicht nur einfach so verguckt«, antwortete Miriam. »Er liebt diese … Yvonne wirklich.« Es war schwer, den Namen über die Lippen zu bringen, aber sie riss sich zusammen. »Sie haben schon seit Jahren eine Beziehung.«

»Seit Jahren …? Wusstest du das?«

»Nein. Er hat es mir verschwiegen. Er wollte sichergehen. Mich nicht unnötig verletzen.«

»Dann hat er eine Art Doppelleben geführt?«

»Ja. Das ist ihm sicher nicht leichtgefallen.«

»Ihm? Und was ist mit dir?«

»Ich wusste ja von nichts.«

»Aber jetzt weißt du es.«

»Ja. Er war sehr ehrlich, als er es mir gestanden hat.«

»Aber sag mal: bist du gar nicht böse auf ihn?« Ellinor versuchte, sie zu verstehen. Miriam war ganz ruhig, ganz gefasst. Nur ihr Körper zeugte noch von dem Schock, den sie erlitten hatte.

»Wir waren sechsunddreißig Jahre verheiratet. Wir haben viel zusammen erlebt. Wir haben zwei wunderbare Kinder zusammen, und jetzt Enkel … Wie soll ich ihm böse sein?« Sie stockte. »Und außerdem gehören ja immer zwei dazu.«

»Wie meinst du das?«

»Was habe ich getan, um meine Ehe am Leben zu erhalten?«

»Aber meine liebe Miriam, *du* kannst doch nicht einfach die Schuld dafür übernehmen.«

»Niemand hat Schuld. So etwas passiert eben. Und ich habe meinen Teil daran.«

Ellinor versuchte zu verstehen, was Miriam damit meinte, doch wie sie es auch drehte und wendete, sie kam immer wieder zu einem anderen Schluss.

Miriam fuhr fort, als würde sie laut denken. »Überleg mal, wie sein Leben in diesen Jahren gewesen sein muss. Furchtbar. Zwischen zwei Frauen zu stehen. Gezwungen zu sein, ein Doppelleben zu führen …« Sie knetete ihre Hände in ihrem Schoß.

Ellinor seufzte. »Dann werdet ihr euch scheiden lassen?«

Miriam sah auf. Sie machte ein verdutztes Gesicht, als wäre ihr der Gedanke noch gar nicht gekommen. »Ja … ich nehme es an.«

»Und wie geht es dir dabei?«

»Na ja, ich finde … Keine Ahnung.«

»Brauchst du einen Anwalt? Ich kann dir sicher helfen, einen zu finden.«

»Einen Anwalt? Nein, wofür einen Anwalt?«

»Um euren Besitz gerecht aufzuteilen. Und sicherzustellen, dass du Unterhalt bekommst.«

»Aber liebe Ellinor, dafür brauche ich doch keinen Anwalt. Ich vertraue Frank. Er wird mich schon ansprechen, wenn es soweit ist. Wir müssen uns beide darum bemühen, dass das so reibungslos wie möglich geklärt wird. Es gibt keinen Grund, sich im Unfrieden zu trennen. Ich meine, ich liebe Frank doch.«

Beide verstummten. Ellinor hätte ihr am liebsten die Meinung gesagt, doch im Moment erschien es ihr sinnlos. Ihre Argumente kamen bei Miriam gar nicht an. Also stand sie auf und trug ihre Tasse in die Spüle. Den Teller mit den Muffins ließ sie auf dem Tisch stehen in der Hoffnung, dass Miriam noch etwas essen würde. Dann holte sie die Jacken für Albin und sich selbst. Miriam begleitete sie in den Flur.

»Danke für den Kaffee«, sagte sie, als hätten sie nichts Besonderes besprochen.

»Keine Ursache. Außerdem war es ja dein Kaffee.« Ellinor lächelte, wurde aber schnell wieder ernst. »Du sagst mir aber bitte Bescheid, wenn ich dir helfen kann, Miriam.«

»Ja, sicher, aber du musst dir keine Sorgen machen.«

Ellinor sah die dürre Gestalt skeptisch an. »Du musst mehr essen«, ermahnte sie sie.

»Ja, das tue ich.«

»Aber richtig. Ich habe dir ein einfaches gratiniertes Fischfilet in den Gefrierschrank gelegt. Mach es dir warm. Und die Suppe musst du nur in Wasser verquirlen. Du musst etwas in den Magen bekommen.«

»Mach dir keine Gedanken.« Miriam lächelte, um zu bestätigen, dass es ihr gut ging, doch ihr Gesichtsausdruck wurde eher eine steife Grimasse.

»Versprich mir zu essen.«

»Ja.«

»Gut. Ich komme wieder vorbei und schaue nach, ob du das tust.«

»Das ist nicht nötig.«

»Ich werde es aber trotzdem tun.«

Albin saß am Eingang in seinem Anzug und quengelte. Er

wollte nach draußen. Ellinor ging einen Schritt auf Miriam zu und umarmte sie. Sie machte den Eindruck, als würde sie das brauchen, wenn sie auch völlig steif da stand.

Dann nahm Ellinor Albin auf den Arm und verließ Miriam Larssons Haus.

*N*ina *massierte ihre rechte Schulter* mit der linken Hand. Dann wechselte sie auf die andere Seite. Flink wiederholte sie einige der Übungen, die ihr der Physiotherapeut bei der letzten Sitzung gezeigt hatte. Sie wusste, dass sie das eigentlich viel regelmäßiger tun sollte, denn die Bewegungen lockerten ihre Muskeln, und hinterher spürte sie die Verspannungen im Schultergürtel und Rücken nicht mehr. Das war dringend notwendig. In ihrem Job musste man mit Berufskrankheiten vorsichtig sein.

Eigentlich war es Zufall, dass sie Friseurin geworden war. Es war nie ihr Traumberuf gewesen, so wie für andere Mädchen in ihrer Klasse. Sich den ganzen Tag mit den Haaren und der Schönheit zu beschäftigen, war für viele 15-Jährige ein Traum. Sie verbrachten gern Stunden vor dem Spiegel. Doch soweit sie wusste, war sie die Einzige gewesen, die letztlich diesen Beruf ergriffen hatte.

Schon in der Oberstufe hatte sie die Lust an der Schule verloren. Still zu sitzen war nicht ihre Sache, sie schaltete einfach ab, wenn der Lehrer vorn an der Tafel zu reden begann. Als sie dann auf das Forsberggymnasium wechselte und sich dort für das soziale Profil entschied, war das auch eher ein fauler Kompromiss mit den Eltern gewesen. Sie hatten nicht mit sich reden lassen, denn sie bestanden darauf, dass ihre Tochter die Chance auf Ausbildung bekam, die sie selbst nie hatten. Aber der einzige Unterricht, in dem Nina in der Schule einen Sinn sah, waren die Kunststunden.

Das war ein freiwilliger Kurs, eine kleine Gruppe, die sich nach dem Pflichtunterricht im Zeichensaal traf. Nur vier Mädchen und ein Junge hatten dieses Fach zusätzlich gewählt und Nina gehörte dazu. Für diese zwei Stunden in der Woche arbeitete sie mehr als für alle anderen Fächer zusammen, aber irgendwann konnte nicht einmal mehr der Zeichenkurs sie von der Notwendigkeit des Gymnasiums überzeugen. Nach zahlreichen heftigen Diskussionen mit den Eltern konnte sie sie schließlich dazu bringen, dass sie von der Schule abgehen und eine Ausbildung in einem Frisiersalon anfangen durfte.

Die Eltern waren enttäuscht, das war nicht zu übersehen. Sie sollte es zu etwas bringen, einen ordentlichen Beruf lernen, etwas von der Welt sehen. Bei beiden Brüdern waren Hopfen und Malz schon verloren. Sie hatten beide angefangen zu arbeiten, bevor sie achtzehn waren, und schienen sehr zufrieden damit. Timo und Jorma wohnten beide noch zu Hause, und im Gegensatz zu ihren Freunden hatten sie Geld und konnten sich ein Auto leisten. Sie hatten nichts zu klagen, und der Wunsch ihrer Eltern nach einer guten Ausbildung verhallte im Nichts.

Mit Hilfe der Sozialarbeiterin an der Schule fand sie einen Ausbildungsplatz in Maj-Lis' Damensalon. Das war sicher nicht der Traum einer Siebzehnjährigen, die keine Lust mehr auf die Schule hatte, aber immer noch besser als im Klassenzimmer stillsitzen zu müssen, und Nina biss zum ersten Mal im Leben die Zähne zusammen.

Im ersten halben Jahr musste sie hauptsächlich den Boden fegen und Lockenwickler reinigen und sie hätte es beinahe hingeschmissen, wenn Maj-Lis da nicht glücklicherweise gemerkt hätte, dass es an der Zeit war, ihr neue Aufgaben zu übertragen, weil sie völlig unterfordert war. Also durfte sie nun auch Haare waschen, Wickler ausrollen und nach und nach Haare legen und Tönungen machen. Selbstverständlich alles unter Aufsicht von Maj-Lis. Ein paar Kundinnen beschwerten sich über Nina, dass sie ungeschickt sei, aber die Fingerfertigkeit, die sie brauchte, hatte sie sich bald angeeignet. Schließlich meinte Maj-Lis, dass es an der Zeit sei, nun auch das Schneiden zu lernen. Sie zeigte ihr die einfachsten Grundschnitte und Nina lernte schnell. Bald konnte sie einen kompletten Haarschnitt und auch gerade Linien schneiden.

Vier Jahre lang blieb sie bei Maj-Lis. Am Ende hatte sie ihre eigenen Kunden, legte Dauerwellen und färbte grauhaarigen Damen die Haare kastanienbraun. Maj-Lis lobte sie auf ihre etwas schroffe Art und meinte, sie hätte Talent. Sie schickte sie auch zu Fortbildungen, damit sie die neusten Techniken lernte. Sie selbst hielt sich für zu alt für so etwas und meinte, vermutlich zu Recht, ihre Kundinnen hätten solche neumodischen Trends sowieso nicht zu schätzen gewusst. Aber wenn Nina voller Ideen von den Fortbildungen zurückkam und etwas Neues ausprobieren wollte, musste Maj-Lis lachen und überließ ihr die Kundschaft, die sich zu Foliensträhnchen oder einer Tönung in Burgunder hinreißen lassen konnte.

Dass Nina Talent hatte, hatte sich in der Stadt bald herumgesprochen. Mit einem Mal kamen mehr Kunden, darunter auch jüngere, und die alten ausgeblichenen Wella-Bilder, die im Schaufenster hingen, wurden nun durch neue moderne Fotografien ersetzt. Dennoch blieb es ein altmodischer Friseurladen mit braun verschalten Wänden, alten Sesseln und antiken Trockenhauben. Nina tat, was sie konnte, um den Laden zu modernisieren, aber ihre Chefin ließ ihr nicht gerade freie Hand. Sie musste immerhin auch an ihre ältere Kundschaft denken.

Als Maggan Samuelsson auf Nina zukam und sie fragte,

ob sie sich vorstellen könnte, mit ihr und Robert Winqvist in der Haarkompanie zusammenzuarbeiten, brauchte sie keine Bedenkzeit. Den neuen Salon in der Brogata hatte sie schon neugierig beäugt und heimlich davon geträumt, dort zu arbeiten.

Die Räumlichkeiten waren hell und modern, weiß gestrichen und der Boden schwarz-weiß gefliest. In den Ecken standen große Kübelpflanzen und auf den Tischen vor den Sesseln, wo die Kunden auf ihren Termin warten konnten, lagen die aktuellen Ausgaben der internationalen Zeitschriften: Elle, Vogue und Cosmopolitan.

Maj-Lis war zwar traurig, als Nina kündigte, doch sie wünschte ihr viel Glück und gab zu, sie hätte gewusst, dass es früher oder später so kommen würde. Seitdem war Nina nun bei der Haarkompanie, und Maggan und Robert gehörten mittlerweile zu ihren besten Freunden, auch wenn sie selten außerhalb der Arbeitszeit Kontakt hatten.

Sie sah sich im Salon um. Der Boden war noch derselbe, aber die Wände waren inzwischen in einem Fliederton gestrichen und statt der alten Palmen standen nun neue da. Vielleicht war der Raum nicht mehr ganz so frisch und neu, aber noch immer lagen auf dem Tisch die aktuellen internationalen Modemagazine. Gemischt mit ein paar Titeln für die Hausfrau. Und sie alle drei fuhren mehrmals pro Jahr zu Fortbildungen, um die neusten Trends in der Branche nicht zu verpassen. Mit den Jahren hatten sie gelernt zu slicen, zu croppen und pointen und sie wussten genau, welchen Trend Sassoon in London gerade setzte. Jeder, der in Sävesta Wert auf einen angesagten Haarschnitt legte, steuerte die Haarkompanie an.

Aber wenn man ehrlich war, musste man zugeben, dass so viele Sassoon-Schnitte gar nicht verlangt wurden. Sävesta war nun einmal keine Metropole und sie hatten nur wenige Kunden, die wirklich Lust auf Experimente hatten. Die meisten waren Stammkunden, die ein paar Mal im Jahr zum Spitzenschneiden kamen oder sich den Nacken freischneiden ließen. Nina kannte mittlerweile fast alle und einige von ihnen waren ehemalige Klassenkameraden von ihr. Und wenn sie kamen, wurde richtig getratscht, das musste sie zugeben. Sie hatte von Camilla abgesehen mit keinem anderen mehr Kontakt, aber man lief sich hier und da über den Weg. Im Kronan, oder beim Bummeln in der Stadt, Sävesta war ja nicht gerade groß. Und Gerüchte machten schnell die Runde. Im Salon wurde darüber geredet, wer Arbeit gefunden hatte, wer weggezogen war und wer geheiratet und Kinder bekommen hatte. Und mittlerweile drehte es sich vor allem darum, wer sich wieder getrennt hatte, wer mit Alkoholproblemen kämpfte und wer von wem betrogen worden war. Sie gingen jetzt auf die Vierzig zu und die Midlife-Crisis war überall Thema. Wenn ihr richtig tragische Fälle berichtet wurden, war sie heilfroh, dass es sie selbst nicht ganz so hart getroffen hatte.

Sie hatte ihre Trennung hinter sich. Das war nicht leicht gewesen, doch jetzt lief alles wieder in geregelten Bahnen. Es lief. Wenn sie so darüber nachdachte, klang das allerdings nicht besonders spektakulär. Ob das Leben nicht doch noch mehr bereithielt als das tägliche Auf und Ab? Im Großen und Ganzen fühlte sie sich wohl, sicher, aber die Wochen waren manchmal alle so gleich. Ihr fehlte die Spannung. Sie sehnte sich nach etwas, das ihr Leben veränderte.

Nina seufzte und warf einen Blick auf den Bildschirm an der Rezeption, um nachzuschauen, wer den letzten Termin des Tages hatte. Als sie den Namen las, freute sie sich – es war Ellinor Hauge, ihre Nachbarin. Nina hatte ihr geraten, einen Termin zu machen. Ellinor hatte erzählt, dass sie seit dem Umzug nach Sävesta nicht beim Friseur gewesen war.

Und ehrlich gesagt sah man ihr das an. Was vermutlich einmal ein schulterlanger Bob gewesen war, war völlig aus der Form geraten und die Spitzen waren kaputt. Wie oft hatte sie das bei Kundinnen mit kleinen Kindern. Die Zeit reichte hinten und vorn nicht und schon gar nicht für das eigene Aussehen. Zudem war es immer ein Problem, den Friseur zu wechseln, das konnte Nina gut verstehen, und Ellinor hatte keine Ahnung gehabt, in welchen Salon sie hätte gehen können.

Jetzt würde sie jedenfalls gleich da sein und Nina beeilte sich, die abgeschnittenen Haare vom letzten Kunden wegzufegen. Gerade als sie fertig war, stand Ellinor in der Tür. Nach einer schnellen Umarmung setzte sie Ellinor auf den Stuhl vor dem großen Spiegel mit der schwarzen Fassung.

»Wo hast du denn den Kleinen? Ich dachte, er würde mitkommen.«

»Ich habe ihn Wille ins Büro gebracht, dann kann er mit seinem Papa nach Hause fahren. Ihn mitzunehmen, wäre die reine Katastrophe gewesen. Er sitzt ja keine Minute still.«

Nina musste lachen. »Stimmt, dann wäre es keine so gute Idee gewesen, ihn hier loszulassen.« Sie zeigte auf Robert, der einem Kunden gerade die Haare färbte und den Pinsel in eine Schale mit einer schmierigen roten Masse tauchte, die auf dem Wagen neben ihm platziert war. Dann wandte sie sich wieder Ellinor zu und fuhr mit den Fingern durch ihr Haar bis hinunter zu den kaputten Spitzen.

»Und wie hast du es dir vorgestellt?«

»Ich weiß nicht recht. Ich mag eigentlich gern längeres Haar, aber auf der anderen Seite wird es schnell so platt, wenn der Schnitt herauswächst.«

»Wie findest du es, wenn wir es halblang schneiden?« Nina hielt ihre Handfläche auf Höhe von Ellinors Kinn.

»Na ja, vielleicht nicht ganz so kurz … Es ist ja auch praktisch, mal einen Zopf machen zu können.«

»Absolut.« Nina kannte das. Ellinor schien nicht der Typ für Experimente zu sein. Ihre ganze Erscheinung unterstrich ihre zurückhaltende Art. Heute trug sie eine schwarze Strickjacke, darunter ein weißes T-Shirt mit kleinen Blümchen am Ausschnitt. Dazu eine mittelblaue Jeans, die nicht gerade eng war. Darunter sah man schwarze Stiefel mit niedrigen Absätzen, vorn abgerundet. Als sie bei Nina zu Hause war, hatte sie etwas Beiges getragen, Nina konnte sich nicht mehr genau erinnern, aber sie wusste noch, dass sie diese Farbe als unvorteilhaft für eine Person mit so hellem Teint empfunden hatte.

»Was hältst du davon, wenn ich ungefähr zehn Zentimeter abschneide und die Haare ums Gesicht herum stufe?« Nina zog an den langen Strähnen, die neben der Wange hingen.

»Wenn ich hier gerade abschneide, dann sind zwar die gespaltenen Spitzen weg, aber du bekommst davon noch kein Volumen.«

»Nein. Mach einfach, wie du denkst. Das klingt gut.«

Nina legte Ellinor den silberfarbenen Umhang um und zeigte ihr den Weg zum Waschbecken. Als sie den letzten Schaum ausgespült hatte, nahm sie sich noch für eine kleine Kopfmassage Zeit und arbeitete dabei ein Volumenbalsam in Ellinors Haare. Dann spülte sie es wieder aus und sie begaben sich zurück zum Platz am Spiegel.

»Wie sieht's denn mit deiner Jobsuche aus?«, fragte Nina, während sie Ellinors Haare durchkämmte und die oberen Lagen mit Clips am Hinterkopf feststeckte. »Wolltest du dich nicht bewerben?«

»Stimmt.« Ellinor zögerte einen Moment. »Ich habe gerade eine Bewerbung geschrieben.«

»Und wo?«

»In einer Anwaltskanzlei hier in der Stadt. Brink & Partner.«

»Das klingt ja spannend! Und wann bekommst du Bescheid, ob du den Job bekommst?«

»Keine Ahnung. Ich habe die Bewerbungsunterlagen gestern in die Post gelegt. Bestimmt wird es Wochen dauern, vielleicht sogar Monate. Der Bewerbungsschluss ist der fünfzehnte November und ich nehme an, dass sie sich dann die Bewerbungen ansehen, Referenzen einholen und so weiter. Das wird sich hinziehen.«

Ellinor schien nicht unbedingt mehr über das Thema sagen zu wollen, also fragte Nina nicht nach. Sie nahm sich den Hocker, auf den sie sich immer setzte, wenn sie die Rückenpartie schnitt, und begann zu arbeiten. Sie schwiegen eine Weile, dann nahm Ellinor das Gespräch wieder auf.

»Hast du eigentlich etwas von Miriam gehört?«

»Miriam … Larsson? Nein, warum?« Nina hielt einen Augenblick inne und sah in den Spiegel, um Ellinor anzuschauen.

»Frank hat sie verlassen.«

»Wie bitte?!« Nina riss die Augen auf. »Ist das wahr?«

»Er hat eine andere.«

Nina war sprachlos, sie saß da mit offenem Mund. »Dieser Miesepeter?«, fragte sie schließlich. »Da sieht man's mal wieder, stille Wasser …« Sie schüttelte den Kopf. »Arme Miriam. Hast du mit ihr gesprochen?«

»Ja, ich habe irgendwann einmal bei ihr an der Haustür geklingelt, weil ich sie tagelang nicht gesehen hatte. Das war schon merkwürdig. Und weißt du, nach unserem Treffen sah ich Frank, als ich nach Hause ging …«

»Ach ja?«

»Ja. Und er war gerade dabei, zwei große Koffer ins

Auto zu laden und ich fragte nach, ob er wieder verreisen müsse. Aber er wich meinen Fragen aus und hatte es eilig. Und seitdem ist er nicht wieder aufgetaucht.«

»Da hast du recht. Ich habe sein Auto auch sicher seit einer Woche nicht mehr gesehen. Oder vielleicht sogar schon länger? Das ist mir auch schon aufgefallen. Dann ist er also an dem Abend verschwunden?«

»Ja, ich bin kurz darauf bei Miriam gewesen, um zu sehen, wie es ihr geht. Ich dachte, sie ist vielleicht krank geworden und wollte ihr anbieten, etwas für sie einzukaufen, weil Frank ja nicht da war.«

»Ja.« Nina nickte zustimmend. Sie war gespannt, wie es weiterging.

»Und Miriam machte einen sehr sonderbaren Eindruck. Sie meinte, sie sei bloß ein bisschen erkältet und bräuchte keine Hilfe. Und als dann ein paar Tage verstrichen waren und sie nicht auftauchte und auch das Auto nicht zurückkam, habe ich wieder bei ihr geklingelt.« Ellinor schüttelte langsam den Kopf. »Du hättest sie sehen sollen. Wie ein Gespenst sah sie aus. Sie hat bestimmt eine Woche lang nichts gegessen. Dann habe ich mich einfach bei ihr eingeladen und sie fing an zu erzählen.«

»Dass Frank sie verlassen hat?«

»Ja.«

»War sie wütend?«

»Nein. Das war ja gerade das Schlimme. Sie hat ihn verteidigt. Obwohl er sie offensichtlich mit dieser Person schon über Jahre betrogen hat.«

»O Gott, wie schrecklich …«

»Ja, und sie hat nur davon gesprochen, wie schwer es für ihn gewesen sein muss, ein Doppelleben zu führen und zwischen zwei Frauen zu stehen. Und dass es ja auch an ihr liege, weil sie nicht genug getan habe, um ihre Ehe lebendig zu halten. Du hättest sie hören sollen, es war eine Farce. Eine furchtbare.«

Nina sah ihr im Spiegel ins Gesicht. »Also, mich macht so etwas unheimlich wütend«, sagte sie und schnitt wieder weiter.

»Ja.« Ellinor seufzte. »Ich hab versucht, ihr das klar zu machen, aber meine Worte drangen gar nicht zu ihr durch.«

»Sie steht sicherlich noch unter Schock.«

»Vermutlich.«

»Was hältst du denn davon, wenn wir heute Abend mal bei ihr vorbeischauen? Wir beide? Es kann doch nicht angehen, dass sie da allein in ihrem Haus sitzt und sich auch noch die Schuld an der Sache gibt.«

»Nein. Das ist eine gute Idee, ich habe ihr sowieso gesagt, ich schaue wieder bei ihr vorbei. Aber erwarte nicht zu viel.«

»Nein.« Nina warf einen Blick auf die Uhr. »Ich habe nach dir keine Kundin mehr, wie wär's, wenn wir zusammen heimfahren, dann können wir gleich bei ihr vorbeigehen.«

»Gut. Ich muss nur kurz Wille anrufen und Bescheid sagen, dass es später wird.«

Zwanzig Minuten später war Nina fertig mit dem Schneiden und Fönen. Das Ergebnis war nicht atemberaubend, aber konnte sich sehen lassen. Ellinors Haar sah frisch und ordentlich aus und die kürzeren Partien hoben die Frisur insgesamt an. Sie sah jetzt wesentlich besser aus. Nina dachte bei sich, etwas Farbe wäre auch nicht schlecht, ein paar helle Strähnchen würden schon viel ausmachen. Aber sie beschloss, mit diesem Vorschlag zu warten, bis sie sich etwas besser kannten. Wenn sie Vertrauen aufgebaut hatte.

Robert und Maggan waren noch im Salon, also musste sie sich nicht um die letzten Handgriffe kümmern. Nina verabschiedete sich freundlich von den beiden, als sie den Laden mit Ellinor verließ.

Viel sprachen sie nicht auf dem Heimweg. Ellinor schien mit ihren eigenen Gedanken beschäftigt zu sein und Nina dachte an Miriam und überlegte, wie sie ihr helfen könnten. Im Vergleich dazu war ihre Scheidung ja wirklich ein Spaziergang gewesen. Sie hatten die Trennung gemeinsam beschlossen und als Jens auszog, hatte sie ihr eigenes Leben. Ein Haus, die Arbeit, Freunde, Matthias.

Und was hatte Miriam?

Ein Haus. Aber wie lange noch? Ob Frank ihr auch das nehmen würde? Nina schauderte. Das wäre der Gipfel. Wenigstens ein bisschen Verantwortungsgefühl sollte er Miriam gegenüber doch an den Tag legen.

Die Häuser in der Nachbarschaft waren hell beleuchtet, aber bei Larssons war kein Licht zu sehen, abgesehen von einem schwachen Lampenschein im Obergeschoss. Nina und Ellinor sahen sich kurz an, als sie auf das Grundstück fuhren. Es dauerte lange, bis die Tür aufging.

Miriam sah zuerst Ellinor. »Ach du, bist du wiedergekommen«, sagte sie. Ihr Gesicht war noch immer ganz blass und es hatte nicht den Anschein, als hätte sie seit dem letzten Mal ordentlich gegessen. Dann bemerkte sie Nina. »Du bist ja auch dabei«, fügte sie hinzu, ohne weiter Notiz von ihr zu nehmen.

»Wir wollten mal nachsehen, wie es dir geht. Ellinor hat mir erzählt …«

»Ich hoffe, das macht dir nichts aus?« Ellinor sah Miriam ins Gesicht. »Nina hat nach dir gefragt und … sie hatte ja auch bemerkt, dass Franks Auto fort ist …«

»Dürfen wir reinkommen?« Nina stand schon halb in der Tür, als Miriam etwas Unverständliches hervorbrachte, und kurz darauf saßen sie alle drei um den Küchentisch. Ellinor hatte Wasser aufgesetzt und eine Kanne Tee mit Teebeuteln aufgebrüht, die sie in der Speisekammer aufgetrieben hatte. Dann hatte sie ihnen allen Butterbrote geschmiert; das Brot, das sie gekauft hatte, war noch da. So gut es ging, dekorierte sie die Scheiben mit Käsewürfeln und Gurkenscheiben. Währenddessen unterhielt Nina sich mit Miriam. Ihre fröhliche Stimme und ihre lockere

Art schafften eine entspannte Atmosphäre in der Küche. Ellinor war froh, Nina dabei zu haben. Sogar auf Miriam schien der Funke überzuspringen. Sie war nicht mehr in sich zusammen gesunken und auch ihre Wangen bekamen immer mehr Farbe. Ellinor schenkte Tee ein und stellte Zucker und Milch auf den Tisch. Langsam fühlte sie sich in Miriams Küche heimisch.

»So«, sagte Nina, nachdem sie von ihrem Brot abgebissen hatte. »Das ist ja keine schöne Geschichte. Ich meine, mit Frank.« Sie sah zu Miriam und auch wenn sie lächelte, war das unruhige Zucken ihrer Augen unübersehbar.

»Nach und nach wird es schon besser werden.« Miriam war wieder in sich zusammengesackt.

»Was wird besser werden? Glaubst du, Frank kommt zurück?«

Miriam schüttelte den Kopf. »Es klang nicht danach.«

»Und was soll dann besser werden?« Nina war sehr direkt, aber ihre Stimme war sanft dabei und so dachte Miriam lange nach, bevor sie eine Antwort gab.

»Man hat das Leben nicht in der Hand. Was passieren soll, passiert. Alles hat einen Sinn.«

»Und was ist jetzt der Sinn dahinter?«

»Das weiß ich nicht. Aber ich weiß, dass Frank das tun musste und am Ende alles gut wird.«

»Gut für wen?«

Miriam schien verwirrt. »Ja … Für Frank. Und Yvonne …«

Nina seufzte und sah zu Ellinor hinüber, die diskret nickte.

»Ehrlich gesagt, Miriam«, fuhr sie fort. »Uns ist es wichtiger, dass es für dich gut ausgeht.«

»Das wird sich schon finden.«

»Hat er sich denn gemeldet?«

»Ja. Gestern hat er angerufen.«

»Und?«

»Er wollte in erster Linie wissen, wie es mir geht.«

»Wie nett von ihm …« Ninas Stimme triefte vor Sarkasmus, den Miriam gar nicht zu hören schien.

»Ja. Er meinte, er würde nächste Woche vorbeikommen und Überweisungen ausfüllen.«

»Aber das ist doch wohl nicht alles? Ihr müsst doch darüber reden, wie es weitergehen soll, wie deine Zukunft aussieht.«

»Davon hat er nichts gesagt.«

»Und du hast es auch nicht angesprochen.«

»Nein.«

Nina seufzte. »Du kannst ja sagen, was du willst, um ihn in Schutz zu nehmen, aber ich finde sein Benehmen nicht in Ordnung. Er sollte sich jetzt bitte schön auch darum kümmern, wie es mit dir weitergeht und dir die Sicherheit geben, die du verdient hast. Das ist doch das Mindeste, das er dir schuldig ist. Auch wenn er in deinem Leben keine Rolle mehr spielen will, du brauchst eine eigene Zukunftsperspektive.«

»Meinst du?«

»Miriam …« Nina war wirklich entsetzt. »Natürlich brauchst du die! Wie alt bist du eigentlich?«

»Achtundfünfzig.«

»Das ist doch kein Alter! Vor dir liegen noch viele gute Jahre.« Sie lachte, wurde aber schnell wieder sachlich, als sie Miriams deprimierten Gesichtsausdruck sah. »Keine Frage, dass das Zeit braucht«, sagte sie einfühlsam. »Du brauchst Zeit zum Trauern. Ich habe auch eine Scheidung hinter mir, ich weiß, wie schwer es ist, aber irgendwann ist man am Ende des Tunnels angekommen. Man muss es nur durchstehen, immer wieder die kleinen Lichter auf der anderen Seite im Auge haben.« Sie unterstrich dies mit einer deutlichen Armbewegung.

»Ich glaube, im Moment sehe ich überhaupt keine kleinen Lichter, die ich ansteuern könnte.«

»Das kommt mit der Zeit.«

»Es ist schon sonderbar …« Miriam sprach ganz langsam. »Ich habe mich immer so geborgen gefühlt, war mir so sicher, wie das Morgen aussieht. Und jetzt weiß ich gar nichts mehr.« Ihre Stimme wurde tiefer. »Wenn ich doch wüsste, was jetzt alles auf mich zukommt und was die Zukunft bringt.«

Sie saßen eine Zeitlang schweigend da. Ellinor trank einen Schluck Tee und dachte über ihr Gespräch nach. Nina war sehr deutlich gewesen, aber es hatte den Anschein, als hätte sie trotzdem einen Zugang zu Miriam gefunden.

»Ja …« Nina lachte plötzlich. »Und nun haben wir eine Wahrsagerin nebenan…«

»Wie meinst du das?« Miriam sah sie groß an, als verstände sie den Zusammenhang nicht.

»Na ja, du hast gesagt, du wüsstest gern, was die Zukunft bringt.« Nina stellte ihre Tasse auf den Tisch. »Mit solchen Fragen beschäftigen sich doch die Wahrsagerinnen, oder?«

Miriam sah sie skeptisch an. »So habe ich das aber nicht gemeint«, antwortete sie.

»Nein, das weiß ich schon. Aber trotzdem … Überleg mal, ob es nicht eine Idee wäre, Janina einen Besuch abzustatten?« Nina lächelte.

»Janina?«

»Ja, hat sie sich nicht so genannt?«

»Doch …«

»Aber Nina …« Ellinor schaltete sich ein. »Das ist doch wohl ein bisschen unpassend«, sagte sie mit unterkühlter

Stimme. Was noch untertrieben war. Immerhin hatte Miriam deutlich klargestellt, was sie von Wahrsagerinnen und »Hexen« hielt. Und jetzt war sie zudem sehr labil und völlig durcheinander. Da waren Herausforderungen dieser Art völlig fehl am Platze. Doch Nina schien ihre Idee immer mehr zu gefallen, denn sie blieb hartnäckig.

»Ja, aber stell dir mal vor, wenn du genau da die Antwort bekämst!«, sagte sie enthusiastisch. »Miriam, du musst etwas über deine Zukunft wissen. Und das stand genau so in der Annonce, dass sie Orientierungshilfe gibt ...« Sie bremste sich etwas, als sie Miriams versteinerte Miene sah. »Ja, ich weiß, dass du ihre Tätigkeit nicht besonders schätzt. Aber vielleicht hat das ja seinen Sinn, dass sie gerade jetzt hierher gezogen ist.«

»Seinen Sinn ...?«

»Ja. Sie ist in das Haus deiner alten Freunde eingezogen. Ich glaube, das ist ein Zeichen. Sie ist hierher gekommen, um dir zu helfen!« Nina war einfach nicht zu bremsen. Ihre Augen leuchteten richtig. Ellinor wünschte inständig, sie würde aufhören, aber Nina dachte nicht daran. »Und du warst auch diejenige, die die Anzeige entdeckt hat. Du kannst sogar ihre Telefonnummer auswendig. Miriam, ehrlich gesagt, ich glaube wirklich, dass du sie aufsuchen solltest!«

Ellinor sah Miriam besorgt an. Sie wartete auf den Wutanfall. Wartete darauf, dass Miriam Protest schlug, oder sie sogar hinauswarf, aber nichts dergleichen. Aus ihrem Gesicht sprachen nach wie vor Staunen und Misstrauen, aber sie hielt den Mund.

»Miriam, liebe Miriam ... Ich spüre es ganz deutlich, dass du das tun musst.« Nina sah sie bittend an.

»Ich weiß nicht ...«

»Nein, genau deshalb. Du weißt nicht. Du brauchst

einen Außenstehenden, der dir hilft, den Überblick zu bekommen.«

»Aber gerade sie …«

»Miriam, du brauchst sie.« Ninas Stimme ließ keinen weiteren Protest zu. »Wo steht denn dein Telefon?«

»Im Wohnzimmer …«

»Und wie war die Nummer?«

Miriam sagte die fünf Zahlen auf und Nina verschwand aus der Küche. Ellinor blieb sitzen und starrte Miriam an. Was ging hier eigentlich vor? Nina hatte Miriam total überfahren. Das konnte nicht wahr sein. Gerade ist sie von ihrem Mann verlassen worden und es war eindeutig, dass sie das noch nicht einmal realisiert hatte. Sie würde lange brauchen, das zu verarbeiten, vielleicht würde es Jahre dauern. Zu meinen, eine Wahrsagerin sei die Lösung ihres Problems, war unsinnig und vielleicht sogar gefährlich. Sie hatten doch nicht die geringste Ahnung, was diese Janina Miriam erzählen und wie Miriam darauf reagieren würde.

Ellinor seufzte laut auf und sah aus dem Fenster. Auf der anderen Seite der Hecke gingen mit einem Mal bei Jeanette Falck die Lichter an. In einem beleuchteten Raum sah sie dann die rothaarige Frau auftauchen und Ellinor beobachtete, wie sie das Telefon abnahm. Gleichzeitig hörte sie Ninas Stimme im Wohnzimmer. Kurz darauf sah sie, dass die Nachbarin wieder auflegte und ein paar Sekunden später stand auch Nina wieder in der Tür.

»Sie empfängt dich jetzt.«

»Jetzt?« Nina und Miriam starrten sie beide groß an.

Nina seufzte. »Wenn man eine Eingebung hat, dann muss man ihr auch folgen. Jetzt hat sie Zeit, auch das ist ein Zeichen. Soll ich dich begleiten, Miriam?«

»Nein …« Sie schien wie gelähmt, als ob ihr die fixe Idee ihre Widerstandskräfte geraubt hätte.

»Dann warte ich hier, bis du fertig bist.«

»Das ist aber nicht nötig.«

»Aber darauf bestehe ich.« Sie hielt Miriam ihre Hand hin, die sie nach einigem Zögern ergriff und sich aufraffte. Nina ging mit ihr in den Flur. Kurz darauf hörte Ellinor die Haustür zuschlagen. Nina kam zurück in die Küche. Keine von beiden sagte ein Wort, aber sie sahen beide aus dem Fenster und beobachteten einen Augenblick später, wie Miriam zur Tür der Nachbarin ging und klingelte. Sie starrte stur geradeaus und als sich die Tür öffnete, trat sie nach kurzem Zögern ein.

Sie sahen von Miriam noch einen dunklen Schatten im Hintergrund, als Jeanette Falck das elektrische Licht ausknipste und die Kerzen nacheinander anzündete. Dann ging sie ans Fenster und ließ die Jalousien herunter.

Im Fenster leuchteten die kleinen Lampen mit ihren rosafarbenen Schirmen und aus der Mitte des Raumes strahlte
die Leselampe neben dem braunen Ledersessel, in dem
Nina saß. Auf ihrem Schoß lag eine Zeitschrift. Sie hatte
nun schon eine Stunde gewartet. Ellinor war nach Hause
gegangen, kurz nachdem Miriam ihr Haus verlassen hatte.
Sie hatte nicht mehr viel gesagt, aber Nina war klar, dass
Ellinor die Idee mit Janina nicht besonders gefallen hatte.
Während der Stunde, die sie nun allein dasaß, hatte sie
selbst angefangen, darüber nachzugrübeln.

Es war eine Eingabe gewesen. Ohne es genau erklären
zu können, hatte sie das Gefühl überkommen, dass das das
Richtige war. Es war sonnenklar, dass Miriam dahin gehen
musste. Als würden alle Puzzleteile mit einem Mal zusam-
menpassen und ein Bild ergeben. Ihr Treffen, die Anzeige,
die Wahrsagerin und die Trennung. Nachdem sie nun eine
Weile überlegt hatte, kamen ihr plötzlich Zweifel, aber nun
hatte sie die Sache in Gang gebracht, da musste sie auch die
Verantwortung für ihren Ausgang übernehmen. Sie hoffte
nur inständig, dass es Miriam hinterher nicht schlechter
ging. Aber das war doch wohl eher unwahrscheinlich?
Zumindest nicht noch schlechter, als es ihr sowieso schon
ging.

Es hatte ihr einen Stich gegeben zu beobachten, wie
ihre Nachbarin am Küchentisch gesessen und nur Brotkrümel in ihren Mund geschoben hatte. Nina hatte ver-

sucht, sich nichts anmerken zu lassen, aber der Anblick der bleichen und ausgemergelten Miriam hatte ihr hart zugesetzt. Sie waren schon so lange Nachbarinnen. Nicht dass sie eng befreundet waren, aber sie war immerhin ein Mensch, den sie in den vergangenen vierzehn Jahren fast täglich gegrüßt hatte. Und sie mochte Miriam. Mit Frank hingegen war sie nic richtig warm geworden. Er machte immer einen so griesgrämigen Eindruck und wenn er etwas sagte, dann war es zumeist ein launischer Kommentar über das Wetter oder die Missstände im Wohnviertel. Anfangs hatte sie sogar ein bisschen Angst vor ihm gehabt. Wenn er mit Jan-Åke, seinem Nachbarn, die Straße entlangging, hinterließen sie ein bisschen den Eindruck wie die Polizisten Kling und Klang bei Pippi Langstrumpf, die patrouillierten. Aber das war vorbei. Seit Bibi und Jan-Åke fortgezogen waren, hatte sie auch von Frank wesentlich weniger gesehen. Sie hatte angenommen, dass es an seiner Arbeit lag. Nach dem, was sie jetzt erfahren hatte, war sie schlauer.

Als sie hörte, dass Miriam zur Haustür hereinkam, stand sie auf und lief in den Flur. Sie war nervös. Ihre Idee, die sie vor gut einer Stunde noch für genial gehalten hatte, erschien ihr plötzlich zweifelhaft. Sie atmete bedächtig, als sie auf Miriam stieß, während diese gerade ihren Mantel auf einen Bügel hängte. Sie schien gefasst zu sein. Als Miriam sich umdrehte und Nina sah, zuckte sie kurz zusammen.

»Du bist noch da?«

»Ja, das habe ich doch versprochen. Ich musste doch sichergehen, dass alles gutgegangen ist.«

Miriam lächelte still, sagte aber nichts. Stattdessen begab sie sich ins Wohnzimmer und ließ sich in den Sessel sinken, auf dem ihre Nachbarin gerade gesessen hatte. Nina kam hinter ihr her. Sie hatte tausend Fragen, traute sich aber nicht einmal, eine davon zu stellen. Miriam sollte selbst entscheiden, ob sie etwas erzählen wollte.

Lange Zeit war es still im Zimmer. Schließlich konnte Nina nicht mehr an sich halten. »Und, wie war's?«, fragte sie zaghaft.

Miriam sah auf. »Es war … interessant.«

Interessant. Das war nicht gerade viel, aber Nina beruhigte es. Sie zögerte kurz, doch dann wagte sie noch eine Frage. »Und wie war sie?«

»Wie bitte?«

»Jeanette Falck. Oder Janina. Wie war sie?«

Miriam dachte nach, dann antwortete sie. »Nett und freundlich. Vielleicht ein bisschen … eigen.«

»Dann war es nicht unangenehm?«

»Doch … Am Anfang.«

»Aber dann nicht mehr?« Nina versuchte, Miriam aus der Reserve zu locken.

»Nein.«

»Und die Karten?«

»Ja.« Miriam sah sie an, fast verdutzt. »Das war wirklich sonderbar. Sie hat in den Karten Dinge erkannt.«

»Und was hat sie gesehen?«

»Aufbruch.«

»Frank …«

»Ja.«

»Hat sie Erklärungen abgegeben?«

»Brauche ich denn Erklärungen? Ich weiß doch bereits, warum er gegangen ist.«

»Ja, das stimmt. Ich meine, ob sie etwas über den Sinn gesagt hat, den das alles hat?«

»Wie kannst du so sicher sein, dass alles einen Sinn hat?« Miriam sah sie an, wartete aber die Antwort nicht ab. Stattdessen seufzte sie schwer. »Nein, ich habe keine Erklärungen bekommen, aber sie meinte, dass es für alles eine Ursache gäbe. Auch wenn wir sie nicht sehen, so befänden wir uns mitten in einem Chaos, deshalb müssten wir darauf vertrauen, dass das, was geschieht, schon das Richtige ist.«

Nina lächelte und nickte. »Und die Zukunft? Hast du darüber auch etwas erfahren?«

»Vielleicht nicht genau in der Art, wie ich es erwartet habe.« Miriam schüttelte langsam mit dem Kopf. »Sie redete davon, den Lauf der Zeit zu verstehen. Sich mit den Kräften des Schicksals zu vereinen.«

Miriam versank wieder in Gedanken und Nina fühlte sich mehr und mehr überflüssig. So stand sie auf, ging in den Flur und zog ihre Jacke an. Schließlich drehte sie sich noch einmal um. »Ich gehe jetzt«, sagte sie. »Ist mit dir alles in Ordnung?«

Miriam schaute auf. »Ja, selbstverständlich. Geh ruhig.«

»Bitte ruf an, wenn ich etwas für dich tun kann.«

»Nein, es ist alles in Ordnung.« Sie lächelte ein wenig. »Hab vielen Dank.«

»Keine Ursache.« Bevor Nina ganz in der Tür verschwunden war, kam Miriam noch hinter ihr her.

»Übrigens«, sagte sie und machte ein ernstes Gesicht. »Du solltest für dich selbst vielleicht auch einen Termin machen …«

Nina lächelte. »Vielleicht hast du recht«, antwortete sie. Dann ging sie hinaus und ließ die Tür hinter sich vorsichtig ins Schloss fallen.

Miriam saß noch eine ganze Weile in ihrem Sessel. Nina war längst fort. Sie war mit ihren Gedanken noch immer bei Jeanette Falck, oder vielmehr Janina. Im Nachhinein konnte sie gar nicht sagen, wovor sie eigentlich Angst gehabt hatte. Schließlich saß man ja nur einem Menschen gegenüber und der hatte ein Kartenspiel vor sich.

Sie hatte nur wenig von den Bildern und ihren Symbolen verstanden. Aber Janina hatte sie gedeutet und erklärt. Als sie von Aufbruch und Betrug zu sprechen begann, musste Miriam sich sehr zusammenreißen. Diese deutlichen Worte taten weh und sie hatte noch das Bild von dem brennenden Turm vor Augen, von dem die Menschen in Lebensangst hinuntersprangen, um sich zu retten. Dann hatte die Wahrsagerin von Sicherheit und von Illusionen gesprochen. Von einem goldenen Becher, der voller Schätze war, die nichts anderes als grelle Phantasien darstellten. Und davon, alles zu verlieren, um ganz von vorn anfangen zu können. Von emotionalen Krisen und der Freiheit zu wählen. Vom Aufgeben oder neu Beginnen.

Auch wenn sie versuchte, die Angelegenheit vernünftig zu betrachten, und sich zu erinnern, dass die Karten ja durch puren Zufall gezogen wurden, so konnte sie sich der Botschaft doch nicht ganz entziehen. Egal, woher dieses Wissen stammte, Janina hatte schon recht. Miriam stand an einer Wegkreuzung, das war ihr klar, und die Entscheidung, welche Richtung sie nun einschlagen würde, lag nur bei ihr.

Es war ein sonderbarer Besuch gewesen. Ellinor hatte zwar kein Wort gesagt, als sie Nina in Miriams Haus zurückließ, aber sie war wirklich aufgebracht. Wie unverschämt von ihr, die arme Miriam so unter Druck zu setzen, um diese Wahrsagerin aufzusuchen. Wäre sie an Miriams Stelle gewesen, hätte sie sich niemals darauf eingelassen. Nina hatte ihre Schwäche ausgenutzt und sie zu etwas überredet, das sie normalerweise strikt abgelehnt hätte. Außerdem hatte es bestimmt so ausgesehen, als hätte Ellinor mit Nina unter einer Decke gesteckt. Als hätten sie gemeinsam einen Plan ausgeheckt, um Miriam zu überraschen.

Aber so war es gar nicht gewesen.

Im Grunde wollte sie nichts mit dieser Janina zu tun haben. Nach dem Vorfall am vergangenen Abend war ihre Abneigung gegen die Tätigkeit ihrer Nachbarin noch gestiegen. Erst hatte sie das Legen von Tarot-Karten für harmlos gehalten, doch jetzt kamen ihr Gedanken an Manipulation und unseriösen New Age-Kram.

Sie hoffte sehr, dass Miriam keinen Schaden davongetragen hatte. Nach dem Schock aufgrund von Franks Geständnis war sie so zerbrechlich gewesen, dass es sicher über ihre Kräfte gegangen wäre, sich noch einmal zu verteidigen.

Ellinor sah sich um. In der Küche war eine schreckliche Unordnung. Wille hatte gekocht, doch sie hatte das Gericht ausgesucht. Es sollte schnell gehen und Wille war

alles andere als ein erfahrener Koch. Sie hatte auch eingekauft, damit alle Zutaten da waren. Ellinor seufzte. Wille
schien für den Kartoffelbrei und den gebratenen Fleisch-
käse so gut wie jedes Küchengerät benutzt zu haben, das
in ihrer Schublade lag. Vom Püree waren die Fliesen über
dem Herd bespritzt und der Schneebesen lag verklebt auf
der Arbeitsplatte daneben. Auf dem Schneidebrett sah
man noch die Reste von angetrockneten Tomatenkernen
und die schmutzigen Teller standen noch immer auf dem
Tisch.

Sie versuchte, ihren Ärger zu unterdrücken. Es wäre
nicht gerade pädagogisch klug, wenn sie jetzt Wille vorwer-
fen würde, dass die Küche aussah, als sei ein Wirbelsturm
hindurchgefegt. Immerhin hatte er gekocht und Albin
übernommen. Und wenn jemand wusste, welche Schwierigkeiten gerade diese Kombination von Aufgaben mit sich
brachte, dann war sie es. Ellinor hielt das Spültuch unter
den Wasserhahn und begann, die Flecken an den Kacheln
abzuwischen.

Kurz darauf erschienen Wille und Albin in der Küche.
Albin war frisch gebadet und trug seinen gepunkteten
Schlafanzug. Wille hatte ihn auf dem Arm und als er seine
Mama sah, strahlte er und streckte die Arme nach ihr aus.
Sie legte den Lappen hin und nahm ihren Sohn.

»Und du bist jetzt ein kleiner sauberer Junge?«, fragte
sie und vergrub ihr Gesicht in seinem Hals. Er gluckste vor
Freude.

»Du kommst aber spät.«

»Ja, es hat bei Miriam länger gedauert als geplant.«
Ellinor erzählte kurz von ihrem Besuch, erwähnte jedoch
nichts von Janina. Wille sah betreten aus, als sie die abgemagerte Gestalt beschrieb, die sie im Nachbarhaus vor-
gefunden hatten.

»Und wie ging es ihr?«

»Na ja. Ich glaube, sie hat sich gefreut, dass wir gekommen sind.«

»Es ist auch nett, dass ihr euch um sie kümmert.«

»Mmh.« Ellinor hatte keine Lust, noch mehr zu erzählen. Auch wenn es nicht ihre Schuld war, so schämte sie sich doch für den Ausgang ihres Besuchs. »Und wie ich sehe, hat hier auch alles geklappt«, sagte sie, um das Thema zu wechseln.

»Ja, wir haben es uns gemütlich gemacht. Oder, Albin? Wie fandest du es, Essen zu kochen?«

Albin fing an zu brabbeln, doch das einzige Wort, das Ellinor verstehen konnte, war »wu«. Sie nickte zustimmend. »Ja, ganz genau. Wurst.« Und Albin freute sich offensichtlich, dass es ihm gelungen war, sich verständlich zu machen.

»Und sagst du jetzt der Mama gute Nacht?« Wille, der immer noch neben ihnen stand, streckte die Arme aus, um seinen Sohn ins Schlafzimmer zu tragen. »Jetzt ist es Zeit für die Heia.«

»Nee!« Albin schlang seine Arme fest um Ellinors Hals. Sie machte sie vorsichtig wieder los.

»Doch. Jetzt ist Schlafenszeit. Und das Schwein darf noch singen …« Darauf reagierte er, Albin ließ los. Das Schwein war eine Spieluhr, die Albin schon seit seiner Geburt besaß. Er liebte das kleine Kuscheltier und die metallischen Töne von »Lalelu …«, die es spielte. Er konnte sie mittlerweile sogar selbst schon aufziehen und wenn seine Eltern ihm schon vor langer Zeit »gute Nacht« gesagt hatten, erklang plötzlich die einschläfernde Melodie aus dem Kinderzimmer.

Ellinor küsste Albin, bevor Wille ihn hinübertrug, dann nahm sie sich selbst etwas zu essen und setzte sich mit dem

Teller an den Tisch. Sie war gerade fertig, als Wille zurückkam und das Geräusch von dem kleinen Schweinchen erklang. Er erzählte ein bisschen von der Arbeit, während sie beide das Geschirr aufräumten. Als sie damit fertig waren und es sich auf dem Sofa vor dem Fernseher bequem gemacht hatten, wandte sich Ellinor an ihren Mann.

»Fällt dir eigentlich gar nichts auf?«, fragte sie und schüttelte ihre Haare.

Erst sah er sie völlig verdutzt an, doch dann musste er grinsen. »Ja, klar, du warst beim Friseur! Wie dusselig von mir, du hattest doch von dem Termin erzählt!« Er musterte sie, während sie den Kopf von links nach rechts drehte.

»Sieht sehr schön aus. Obwohl ... viel kürzer ist es nicht, oder?«

Ellinor seufzte. Nina hatte bestimmt zehn Zentimeter im Nacken weggenommen und am Gesicht entlang waren die Haare wesentlich stufiger als in den letzten Jahren. Sie selbst fand, dass sie ganz anders aussah, besser, aber wie so oft schien vor allem sie es zu bemerken. »Du bist wirklich unverbesserlich, weiß du das«, sagte sie und suchte nach der Fernbedienung.

»Aber du siehst wirklich schön aus, Ellinor. Und jetzt sehe ich auch, dass es hinten kürzer ist.« Wille versuchte zu retten, was zu retten war. Er legte den Arm um sie und zog sie hinunter aufs Sofa. Sein Gesicht war ganz dicht an ihrem und er spielte mit einer der Haarsträhnen, die ihr über die Wange gefallen waren. »Ich liebe dich«, flüsterte er. »Das weißt du doch, oder?«

»Ja.«

»Und ich liebe unsere Familie. Dich und Albin. Als ich heute mit ihm allein war, fiel es mir erst richtig auf, wie wunderbar es ist, Kinder zu haben.«

»Ja, das stimmt.« Ellinor lächelte.

»Ich möchte gern viele Kinder«, sagte er und küsste sie behutsam.

»Viele?«

»Na ja, auf jeden Fall mehr. Dass Albin Geschwister bekommt.«

»Natürlich soll er Geschwister bekommen.« Ellinor staunte über dieses Gesprächsthema. Wille liebte Albin ohne Frage, aber er war gar nicht der Typ, der anfing, von Babys zu schwärmen. »Aber das ist ja nicht eilig …«, sagte sie. »Albin ist ja gerade erst ein Jahr alt.«

»Stimmt schon. Aber die Kinder spielen besser miteinander, wenn nicht so viel Abstand zwischen ihnen ist. Oder? Ich meine, überleg doch mal, wie viel Kontakt du zu deiner Schwester hast.«

Da hatte er recht. Rebecka war fast sechs Jahre älter als Ellinor und sie hatten keine besondere Verbindung zueinander, noch nie gehabt. Durch den großen Altersunterschied hatten sie sehr unterschiedliche Interessen und Freunde. Als Rebecka Teenie wurde, empfand sie Ellinor zunehmend als lästiges Anhängsel. Die kleine Schwester störte, wenn sie in ihrem Zimmer allein sein wollte.

Rebecka wollte mehr Platz für sich. Ihre Pubertätsrevolte hatte die ganze Familie jahrelang in Atem gehalten und sie hatte die Eltern mit allem provoziert, was ihr einfiel, es gab genügend Tabus zu brechen. Sie brachte die »falschen« Jungs mit nach Hause, trank Alkohol, rauchte und hatte keine Lust, nach dem Gymnasium noch irgendetwas zu lernen. Mittlerweile war sie ruhiger geworden, aber sie hielt konsequent Abstand zum Rest der Familie.

Rebecka arbeitete in einer Bar in Stockholm und lebte mit einem Typen zusammen, der John hieß. Sie hatten keine Kinder. Immer wenn Ellinor ihre Schwester traf, hatte sie das Gefühl, sie sehe auf sie herab. Sie meinte, Ellinor ginge es unerträglich gut. Weil sie Juristin geworden war, weil sie Wille geheiratet hatte, weil sie nach Sävesta gezogen waren und schon ein Kind hatten, obwohl sie noch nicht einmal dreißig war.

Ellinor war das eigentlich ziemlich egal. Rebecka spielte in ihrem Leben keine besondere Rolle. Sie sahen sich nur ab und zu mal bei den Eltern in Uppsala und wenn sie da aufeinandertrafen, biss Ellinor die Zähne zusammen, um die Spitzen ihrer Schwester auszuhalten. Wenn sie ehrlich war, musste sie zugeben, dass sie selbst auch austeilte. Rebeckas Leben wollte sie nicht führen.

Sie dachte darüber nach, was Wille gesagt hatte. Es war sicher richtig, dass Geschwister, bei denen der Altersabstand nicht so groß war, besser miteinander spielten. Aber es gab auch noch andere Gesichtspunkte.

»Ich meine, es wäre schon gut, wenn ich wieder arbeiten würde, bevor das nächste Kind kommt?«, sagte sie vorsichtig. »Wenn ich hier in der Nähe eine neue Stelle fände. Auf die ich zurückkönnte nach der nächsten Elternzeit.«

Wille strich ihr sanft mit dem Zeigefinger über die Lippen. »Ich kann verstehen, dass du dir Sorgen machst, aber du wirst dann auch Zeit zum Arbeiten haben. Alle Zeit der Welt.«

»Aber dann bin ich gleich jahrelang aus dem Beruf. Welcher Arbeitgeber möchte jemanden einstellen, der seit …«, sie versuchte nachzurechnen, aber Willes Finger, der inzwischen über ihren Hals nach unten gefahren war, lenkte sie ab, »mehreren Jahren nicht berufstätig gewesen ist«, beendete sie schließlich ihren Satz.

»So lang wird das doch gar nicht sein.«

»Meinst du nicht?«

»Nein. Beim nächsten Mal will ich auch Elternzeit nehmen.«

»Tja …«

»Wenn ich nicht gerade erst bei Forsvik angefangen hätte, dann hätte ich auch jetzt bei Albin Elternzeit genommen. Das weißt du. Nicht wahr?«

»Stimmt …« Ellinor wich ihm aus. Natürlich hatte er recht, die Entscheidung, nach Sävesta zu ziehen, mit all den Konsequenzen, die das mit sich brachte, hatten sie gemeinsam getroffen.

»Ich bin darüber genauso unglücklich wie du«, fuhr er fort. »Beim nächsten Mal wird es anders.« Er zog ihr Kinn zu sich hin, sodass sie ihn wieder ansah.

»Und wenn du dann auch eine neue Stelle antrittst …?«

»Warum sollte ich das? Ich habe doch gerade erst hier angefangen.«

»Ja, nur *wenn*. Wenn du eine Superkarriere bei Forsvik machst und innerhalb eines Jahres befördert wirst.«

Wille musste lachen. »Du bist ja verrückt! Das wäre zwar schön, ist aber höchst unwahrscheinlich. Und *sollte* so etwas dennoch passieren, dann müssen wir uns eben damit auseinandersetzen.« Er küsste sie wieder. Dann stand er auf und hielt ihr die Hand hin. »Komm.«

Ellinor war erstaunt über die Unterbrechung, folgte Wille aber trotzdem Hand in Hand. Er führte sie ins Schlafzimmer und ging mit ihr zu der Ecke, in der das Gitterbettchen stand.

»Schau mal«, sagte er und nickte zu dem schlafenden kleinen Jungen in dem blau gepunkteten Schlafanzug. Sein blondes Haar stand wie ein weicher Flaum an seinem Kopf. Die Wangen waren rosig und Ellinor wusste genau, wie sie sich anfühlten, wenn sie jetzt die Hand ausstreckte und sie streichelte: weich wie Samt. Der eine Fuß stieß unter der Bettdecke hervor und fünf winzige Zehen wackelten, als sie sie wieder zudeckte.

Wille stand schräg hinter ihr und hatte seine Arme um Ellinors Bauch gelegt. Er schnüffelte in ihrem Nacken. »Und wir haben ihn gemacht«, flüsterte er leise.

»Mmh …«

Sie standen noch einige Zeit da und betrachteten Albin, dann zog Wille sie zu ihrem eigenen Bett. Es war nicht gemacht und sie ließen sich einfach zwischen die Kissen und Decken fallen.

»Was meinst du, so ein kleines Baby, das wäre doch schön …«

»Aber eins haben wir doch schon, das könnte doch erst einmal ein bisschen größer werden?«, antwortete sie so behutsam sie konnte.

»Er wäre ja schon fast zwei, wenn wir jetzt …« Wille ließ seine Hand über Ellinors Brust gleiten. Sie schloss die Augen. In der Situation war eine weitere Diskussion nicht mehr angebracht. Sie streckte ihre Arme aus und ließ Wille ihren Pullover über den Kopf streifen. Kurz darauf waren beide entkleidet und Wille bedeckte ihren Körper sanft mit Küssen.

Sie achteten darauf, dass sie Albin nicht aufweckten und liebten sich still und leise. Als Wille schließlich in ihr kam, entfuhr ihm ein lautloser Schrei. Dann fiel er auf ihren Körper und Ellinor hielt ihn ganz fest, während ihre Beine seine noch umschlungen hielten.

Wille schlief bald ein, doch sie selbst wurde nicht müde, wie sonst so oft. Sie lag lange wach und sah in die Dunkelheit, während sie Willes gleichmäßigen Atemzügen lauschte. Sie konnte sich einfach nicht entspannen und war innerlich unzufrieden, ihre Gedanken kreisten immer wieder um das vorangegangene Gespräch. Sie war so überrascht von Willes Wunsch nach einem zweiten Kind. In den vergangenen Wochen waren ihre Pläne gerade in die entgegengesetzte Richtung gesteuert. Sie wollte auch noch ein Kind, vielleicht auch mehrere. Aber eben nicht jetzt.

Nach einer Weile ließen sie diese beunruhigenden Gedanken los und mischten sich mit ganz anderen Bildern. Das Geräusch seines Atems und sein warmer Körper neben ihr beruhigten sie schließlich doch. Langsam fielen ihr die Augen zu und sie gähnte. Sie mussten darüber ein anderes Mal sprechen, dachte sie sich. Damit sie ihm genau erklären konnte, was das für sie bedeutete. Das Letzte, was sie dachte, bevor sie in den Schlaf fiel, war, dass Wille es verstehen würde. Immerhin waren sie ein Team.

Nina sah auf die Uhr. Noch eine Viertelstunde. Nervös drehte sie eine Runde durchs Haus. Die Tür von Matthias' Zimmer war geschlossen. Er hatte Besuch. Im Flur standen ein paar fremde Turnschuhe, einige Größen kleiner als seine und an einem Bügel hing eine rosa Steppjacke mit Pelzrand an der Kapuze.

Matthias hatte früher auch schon Mädchen mit nach Hause gebracht, aber da waren es meist mehrere auf einmal. Die Clique aus der Klasse. Jetzt waren sie nur zu zweit. Sie hatte vorsichtig angeklopft, um zu sagen, dass sie wieder zu Hause war. Matthias hatte nicht aufgemacht, sondern durch die geschlossene Tür »hallo« gerufen. Einen Moment lang war sie perplex stehen geblieben und hatte nicht gewusst, was sie tun sollte. Hatte die alten Aufkleber angestarrt, die er in seiner Sammlerphase angeklebt hatte und die von der ramponierten Tür mittlerweile halb weggekratzt waren. Dann war sie gegangen, ohne darauf zu bestehen, eintreten zu dürfen. Trotzdem ging es ihr nicht aus dem Kopf, was wohl da drinnen geschah. Als schon eine Stunde vergangen war und die beiden sich noch immer nicht hatten blicken lassen, schlich sie sogar zur Tür und lauschte. Kein schöner Zug, das wusste sie wohl. Aber sie war eben immer noch Mutter.

Matthias hatte eine ihrer CDs aufgelegt. Nina schmunzelte, als sie es hörte. Ihr Sohn konnte ihrem Musikgeschmack nicht viel abgewinnen und wenn er freiwillig Shakira hörte, dann war das nicht anders zu erklären als dass es an dem Einfluss seiner geheimnisvollen Besucherin lag. Sie konnte nicht verstehen, worüber sie sich unterhielten, doch ihre Stimmen waren leise zu hören. Das beruhigte sie. Immerhin. Solange sie redeten war anzunehmen, dass ihre Kommunikation wohl kaum intimer wurde.

Irgendwann würde es kommen, das war ihr schon klar. Vielleicht hatte Matthias sein erstes Mal sogar schon hinter sich? Obwohl sie es nicht glaubte. Er war noch immer ziemlich schüchtern und wenn er sich nicht gerade an seine Freunde hielt, war er ein eher stiller Typ und Spätzünder. Aber er wirkte irgendwie süß und es riefen immer wieder Mädchen an und fragten kichernd nach ihm.

Jetzt ging sie zur Tür und klopfte noch einmal.

»Ja?«, rief Matthias von drinnen.

»Ich bin eine Weile unterwegs. So in einer Stunde etwa komme ich wieder.«

»Okay.«

Sie stand noch einen Moment lang da. Wartete, dass etwas geschah, aber das Einzige, was sie hörte, war, dass er die CD wechselte. Der Arme, jetzt leidet er wirklich, dachte sie sich, als sie in den Flur ging. Erst Shakira und jetzt noch Robbie Williams.

Sie griff nach ihrer Jacke, nahm die Handtasche und verließ das Haus. Es waren ja nur ein paar Schritte über die Straße.

Nina musste nicht lange warten, bis die Nachbarin öffnete. Die rothaarige Frau lächelte freundlich und streckte ihr die Hand entgegen. »Herzlich willkommen«, sagte sie. Ihre Stimme war tief und klang ein bisschen heiser. Sie passte gut zu ihrem Äußeren. Ihre langen lockigen Haare trug sie offen, sodass sie ihr auf den Rücken fielen. Sie hatte einen moosgrünen Samtrock an und eine gestrickte Weste dazu. An ihrem Hals glitzerte an einer Kette ein silberner Anhänger. Nina betrachtete ihn einen Moment lang.

»Das ist die Hand der Fatima.« Janina griff an ihre Kette. »Ein Schutzamulett vor dem bösen Blick«, fügte sie hinzu, als wäre das selbstverständlich. »Kommen Sie rein!«, sagte sie fröhlich und ging selbst voran.

Nina sah sich um, während sie Janina folgte. Sie konnte in die Küche schauen und in die zwei Schlafzimmer, die das Haus besaß, denn die Türen standen halb offen. Sie stutzte, als sie das Bett in einem der Räume erblickte. Das Kopfteil war monumental und dazu schmiedeeisern, es erinnerte sie an altes französisches Bordellmobiliar. Da fiel ihr ein, was sie anfangs gedacht hatte, sah aber schnell wieder zur Seite, um sich nichts anmerken zu lassen.

Sie war in dem Haus schon gewesen, damals, als Bibi und Jan-Åke dort noch wohnten, aber das war lange her. Trotzdem kamen ihr einige der Tapeten noch bekannt vor und hier lag der gleiche abgewetzte Linoleumboden wie bei Nina auch. Jeanette Falck schien nicht viel renoviert zu haben, bevor sie eingezogen war. Außer dem imposanten Bett war das Haus eher dürftig möbliert und überraschend langweilig. Das Wohnzimmer machte allerdings einen ganz anderen Eindruck und Nina blieb staunend in der Zimmertür stehen.

Die Hausbesitzerin schien bei der Einrichtung all ihre Energie auf dieses Zimmer verwandt zu haben. Die Wände hatte sie in einem Blau gestrichen, das irgendwo zwischen Himmel- und Mitternachtsblau lag. Es war intensiv, aber trotzdem ein beruhigender Ton. Statt eines Sofas befand sich in einer Ecke ein großes Bett. Der mit Goldfäden bestickte Samtüberwurf reichte bis auf den Boden und Unmengen von Kissen lagen darauf verteilt. Das Ganze sah eher wie ein Divan aus. Ein dünner, leicht schimmernder

Stoff, der von der Decke herunterhing, rahmte es ein, fast wie bei einem altmodischen Boudoir.

Auf der anderen Seite des Zimmers, standen wie auf einer Insel zwei Korbstühle mit hohen Rückenlehnen auf einem Kelimteppich. Sie waren auch mit orientalischen Samtstoffen überzogen. Zwischen den Stühlen befand sich ein Säulentisch aus dunklem Holz. Die Säule war gedreht und wenn man genau hinsah, entdeckte man kleine Figuren, die in das Holz geschnitzt waren. Auf dem Fensterbrett standen zahlreiche Kerzenhalter und Lämpchen. Ebenso auf dem Tisch, im Bücherregal aus Rattan, das an der Wand rechts stand, wenn man ins Wohnzimmer hineinkam. An den Wänden hingen Bilder, die zu der verträumten Atmosphäre des Raumes passten, und aus zwei eher ungünstig platzierten Lautsprechern erklang eine leise Flötenmusik, deren Töne durch die Luft schwebten. Moschusduft verbreitete sich von einem Räucherstäbchen, das zwischen zwei Kerzen brannte.

Nina war sehr beeindruckt. Es war wie in einer Märchenwelt. Nur durch den Blick aus dem Fenster wurde ihr klar, wo sie sich wirklich befand. Nina konnte direkt in ihre eigene Küche sehen und daneben erkannte sie ein Stück von Miriams Haus.

Jeanette, oder vielmehr Janina, bat sie, auf einem der Korbstühle Platz zu nehmen. Sie holte sich eine Streichholzschachtel aus dem Bücherregal und begann, die Kerzen im Zimmer der Reihe nach anzuzünden. Nina setzte sich nicht gleich, sondern wanderte erst noch von Bild zu Bild und betrachtete die verschiedenen Werke.

Auf einigen waren nur diffuse Farbspiele in Pastell zu sehen, auf anderen hingegen waren Motive zu erkennen. Ein weißer Schwan, der sich in einem schwarzen kleinen See im Wald spiegelte, eine nackte Frau, deren Haare bis zur Erde reichten, ein Horizont, luftige Wolken, Gesichter, eine Figur, vermutlich eine indische Gottheit mit Schnabel und unzähligen Armen. Auf allen Bildern war die gleiche Signatur zu erkennen und Nina stellte fest, dass sie sehr gut zur Einrichtung des Zimmers passten, allerdings keine größere künstlerische Qualität aufwiesen.

Als sie ihren kleinen Rundgang beendet hatte, nahm Nina Platz und beobachtete Janina, die gerade dabei war, die letzte Kerze anzuzünden und dann die Jalousien herunterzulassen. Es war ein sonderbares Gefühl, diese Prozedur nun von Janinas Wohnzimmer zu verfolgen. Was ihr schon sehr geheimnisvoll vorgekommen war, als sie durch ihr Küchenfenster gesehen hatte, war nun, da sie sich selbst im Haus befand, noch viel mystischer. Von draußen nahm man weder den Moschusgeruch wahr, noch hörte man den Gesang der tänzelnden Flöte.

Janina setzte sich in den anderen Korbstuhl. Sie lächelte, aber schwieg. Nina lächelte zurück. Es war spannend gewesen, eine Wahrsagerin zu konsultieren, um etwas über die Zukunft zu erfahren, aber jetzt überkam sie doch die Nervosität und sie fühlte sich unsicher. Sie erinnerte sich, wie sie während der Schulzeit mit ein paar Freunden »der Geist im Glas« gespielt hatte. Anfangs war es nur ein Spaß gewesen, aber als sich das Glas tatsächlich bewegte und Worte wie *Blut* und *Tod* formulierte, da waren sie zu Tode erschreckt. Camilla war sogar in Tränen ausgebrochen und hatte auf der Stelle aufhören wollen. Linda war die Einzige gewesen, die sich nicht geängstigt, sondern gemeint hatte, sie seien doch alle Feiglinge. Wahrscheinlich steckte sie dahinter.

Auf dem Tisch stand eine einfache Holzschachtel. Janina beugte sich vor und öffnete sie. Darin lag ein Kartenspiel. Sie nahm es heraus und begann, die Karten mit großer

Fingerfertigkeit zu mischen. Dann bat sie Nina abzuheben, sodass drei Stapel übrig blieben. Nina folgte. Dann nahm Janina die einzelnen Stapel und deckte die Karten der Reihe nach auf, sodass ein Sternenmuster entstand. Manche Karten lagen richtig herum, bei anderen standen die Motive auf dem Kopf. Nina sah auf die Symbole. Sie erkannte Männer und Frauen, Gebäude und Tiere. Die Bilder waren sehr derb gezeichnet, die Motive nur grob angedeutet, als wollte der Künstler ein Gefühl von Mittelalter kreieren.

»Aha.« Janina sah Nina ins Gesicht. Sie lächelte wieder. Ihre Zähne schimmerten gelblich, zumindest schien es so im Kontrast zu ihrem blassen Teint. »Dann schauen wir mal, was die Karten sagen.«

Nina schluckte. Ihr Herz schlug bis an den Hals. Was erwartete sie denn eigentlich? Was wollte sie hören? Dass das Glück auf sie wartete. Gesundheit. Geld. Liebe. Und wenn die Karten nun etwas ganz anderes sagten? Wenn sie stattdessen *Blut* und *Tod* bedeuteten … An der Stelle wurde sie unterbrochen, denn Janina begann zu sprechen.

»Hier liegen helle Karten«, sagte sie. »Vieles in Ihrem Leben läuft gut. Aber ich sehe auch Krisen in der Vergangenheit. Sie haben einiges durchgemacht. Schauen Sie mal.« Sie zeigte auf eine Karte, auf der zwei Bettler zu sehen waren, sie trugen kaum Kleider und um sie herum tobte ein Schneesturm. Über ihnen leuchtete ein buntes Glasfenster, auf dem fünf Sterne erkennbar waren. »Das ist eine schwere Karte. War Ihre Familie arm, als Sie Kind waren?«

Nina war sehr überrascht von dieser Frage.

»Nein … das kann man wohl kaum sagen. Meine Eltern haben beide gearbeitet. Wir konnten uns sicherlich keine kostspieligen Urlaube leisten, aber ich würde nicht sagen, dass wir arm waren.«

»Das muss sich nicht unbedingt auf Geld beziehen. Man

kann in verschiedener Hinsicht arm sein. Es gibt auch etwas wie eine geistliche Armut.« Janina sah Nina eindringlich an.

»Sie meinen Religion?«

»Zum Beispiel.«

Nina lachte. »Ja, wenn das so ist … Religiös waren meine Eltern gar nicht. Sie waren sehr, sehr, wie soll ich sagen, *einfach*. Mein Vater arbeitete in einer Zementfabrik, bis er in Rente ging, und meine Mutter ist im Einzelhandel. Meine ganze Familie ist eher bodenständig. Mein älterer Bruder, Timo, arbeitet in einem Lackierbetrieb und Jorma ist Vorarbeiter in einem Lager. Und ich bin ja auch nur Friseurin. Also richtiges Proletariat!« Nina wollte lachen, doch so richtig gelang ihr das nicht. »Meine Eltern hatten sich so gewünscht, dass ich weiter zur Schule gehe und aus mir etwas wird, doch … Ich wollte das nicht.« Sie zuckte mit den Schultern. »Jeder muss seinen eigenen Weg finden, nicht wahr?«

»Ja, das ist richtig.« Janina sah wieder auf die Karten. »Seitdem haben Sie sich von vielem befreit, das ist gut so. Ich sehe Luft und Raum.« Sie legte eine Pause ein und fingerte ein bisschen an den Karten. »Aber es bewegt sich nichts. Oder?«

Nina zögerte kurz. Dann antwortete sie. »Nein.«

»Es ist eine Sache, eine arme Umgebung hinter sich zu lassen – wenn Sie bitte entschuldigen, dass ich an dieser Stelle das Wort »arm« benutze –, aufzubrechen und Dinge zu verändern. Aber es ist etwas anderes, diese Armut im Herzen loszuwerden.«

Janina zeigte dabei auf eine Karte, die auf dem Tisch lag, und Nina beugte sich darüber, um das Bild besser erkennen zu können. Darauf war ein muskulöser Mann abgebildet, der sehr einfache Kleider trug und zehn lange Stäbe trug. Der Mann war auf dem Weg in ein kleines Dorf auf dem Land, das im Hintergrund zu sehen war, und die Stäbe schienen sehr schwer zu sein. Janina legte eine kurze Pause ein, bevor sie weitersprach. »Wir werden mit unseren Talenten geboren und dann liegt es an unserer Umgebung, ob sie gefördert oder unterdrückt werden. Ein musikalisches Kind kann im richtigen Umfeld zu einem weltberühmten Konzertpianisten werden. Wird es in einer anderen Umgebung groß, muss es sich vielleicht als Erwachsener damit begnügen, auf dem Weg in die Fabrik vor sich hinzupfeifen.« Sie schaute Nina ernst an. »Und wie ist es bei Ihnen, sitzen Sie am Flügel?«

»Nein.« Ninas Antwort kam leise und Janina sah sie eindringlich an, bevor sie fortfuhr.

»Egal, wie viel oder wie wenig Unterstützung Sie bisher in Ihrem Leben bekommen haben – Sie müssen sich selbst dazu durchringen, sich weiterzuentwickeln. Diese Karte hier …«, sie zeigte auf den Mann mit den Stäben, »… steht dafür, dass Sie Ihre eigenen kreativen Energien binden und damit verhindern, sich selbst zu verwirklichen. Ihr mangelndes Selbstvertrauen schränkt Ihre Möglichkeiten ein.«

Nina wusste nicht mehr, was sie antworten sollte. Sie wollte sich verteidigen, erklären, dass die Zeit nie reichte, wie müde sie immer sei, wie viele andere Dinge ständig wichtiger waren. Aber Janina schien keine Antwort zu erwarten. Sie fuhr nämlich fort, die anderen Karten zu deuten.

»Ich sehe, dass Sie viele Menschen um sich haben. Sie sind sehr beliebt.«

Nina lächelte still. Ja, das stimmte sicherlich. Sie hatte Kundinnen, die schon mehr als fünfzehn Jahre zu ihr kamen. Sie war gut in ihrem Job. Mehr gab es dazu nicht zu sagen. Und auch die Karten widersprachen nicht.

Janina lächelte auch. »Aber Sie müssen sich auch selbst

lieben. Den Wert Ihrer Talente sehen, in dem was Sie tun. Wenn Sie sich entwickeln wollen, müssen Sie loslassen können und die alten Vorstellungen, wie das Leben zu sein hat, über Bord werfen. Sie haben es in der Hand.« Sie hielt inne. »Sehen Sie mal auf diese Frau.« Janina zeigte auf eine andere Karte. »Sie schließt die Kiefer des Löwen mit einer Girlande aus Blumen. Das müssen Sie auch tun. Gegen die Angst angehen. Wenn Sie sie überwinden, sind Sie stark.«

»Aber ich habe keine Angst«, wand Nina ein.

»Nicht? Dann müssen Sie ein ganz besonderer Mensch sein.« Janina sah sie so lange an, bis Nina ihrem Blick auswich und anfing, ein paar Wollknötchen von ihrem Pullover zu zupfen.

Es war nun nicht Blut und Tod, was Janina da aufgedeckt hatte, aber Geld und Liebe auch nicht gerade. Sie dachte einen Moment lang nach. Überlegte, ob sie die Frage stellen sollte. »Ich habe eine Scheidung hinter mir«, sagte sie schließlich zaghaft. »Werde ich … einen neuen Partner kennenlernen?« Jetzt war es raus.

»Ich sehe nichts, das dem im Wege steht«, antwortete Janina sehr diplomatisch, nachdem sie noch einen Blick in die Karten geworfen hatte.

»Das heißt … Was werde ich …?«

»Das ist vielleicht ganz einfach eine Frage der Zeit. Oder der Prioritäten.«

»Und wie soll ich die setzen?«

»Zuerst an sich denken.«

»Aha … Heißt das, es dauert noch lange, bis ich jemanden kennenlerne?«

Janina sammelte die Karten, die auf dem Tisch lagen, wieder ein, mischte sie und hob ab. Dann legte sie drei Stück nebeneinander und eine vierte quer auf die mittlere.

»Hier ist Ihre Scheidung«, sagte sie und zeigte auf die

untere Karte, die in der Mitte lag. Ein Mann lag am Strand. In seinem Rücken steckten zehn Schwerter. Der Himmel über ihm rabenschwarz.

»Die ist ja schrecklich!«

»Ja. Aber schauen Sie mal den Horizont an. Es wird heller. Er hat das Schlimmste hinter sich.« Sie klopfte mit dem Finger auf die Karte, die rechts lag. »Hier sind Sie im Moment.« Darauf sah man einen Mann, der auf dem Weg in eine nächtlich dunkle Landschaft war. Im Vordergrund waren acht Becher aufgestellt. Es sah so aus, als hätte der Mann sie stehen lassen und das Bild drückte eine Art Trauer aus. Janina erklärte. »Sie tragen viele Gefühle in sich. Aber Sie wissen nicht recht, wohin mit ihnen. Es wäre einfacher, wenn ein anderer für Sie die Entscheidungen träfe, stimmt's?«

»Ja.«

»Aber Sie sind an einem Wendepunkt angekommen. Sie wollen sich verlieben, Bestätigung finden. Aber wie soll das gehen, wenn niemand in Ihrer Nähe ist, der Ihnen das Gefühl geben kann? Es muss etwas verändert werden, Sie müssen etwas verändern.« Janina sah Nina aufmerksam an. »Das war jetzt nicht das, was Sie hören wollten, oder?«

Nina schüttelte den Kopf. Janina fuhr fort.

»Sie möchten einen Zeitpunkt wissen, am liebsten noch einen Namen. Sie möchten, dass ich Ihr Problem löse. Dass ich sage, dieser dunkle mystische Fremde wird bald bei Ihnen auftauchen und Ihnen seine Liebe erklären.« Sie verzog ihren Mund zu einem Grinsen, um zu unterstreichen, was für ein klischeehaftes Bild sie eben gezeichnet hatte. »Aber das kann ich nicht. Sie haben die Scheidung hinter sich.« Sie zeigte noch einmal auf die Karte, die in der Mitte lag. »Aber Sie sind diejenige, die entscheiden muss, in welche Richtung es weitergeht.«

Nina schluckte. Sie verstand die Antwort nicht, aber etwas in Janinas Gesichtsausdruck hielt sie davon ab, noch mehr zu fragen. »Dann habe ich keine Fragen mehr«, sagte sie schließlich. Was nicht stimmte, so vieles wollte sie noch wissen. Im Moment hatte sie das Gefühl, dass jetzt noch mehr Fragen im Raum standen als zu dem Zeitpunkt, als sie gekommen war. Sie wollte aufstehen, doch Janina wies sie mit einer Handbewegung an, sitzen zu bleiben.

»Sie bekommen noch eine Karte als Rat mit auf den Weg.«

»Was ist das?«

»Ein Rat. Von mir für Sie. All meinen Kunden gebe ich eine Karte mit auf den Weg.« Janina sammelte die Karten, die auf dem Tisch lagen, wieder ein und mischte wieder. Dann hob sie ab und legte das Kartenspiel in die rechte Hand. Mit der linken nahm sie die oberste Karte und legte sie vor sich auf dem Tisch ab. Nina starrte sie an. Im Gegensatz zu den anderen Karten, hatte diese hier gar nichts Abschreckendes. An einem hellblauen Himmel schwebte eine großes gelbes Rad, umringt von märchenhaften Wesen. Über dem Rad saß eine Sphinx mit einem Schwert und darunter flog ein rötliches Wesen mit einem Tierkopf und einem Menschenkörper.

»Das ist das Glücksrad«, sagte Janina. »Es wundert mich gar nicht, dass ich das gezogen habe. Das passt zu der Kraftkarte, die Sie vorhin gesehen haben, die Frau mit dem Löwen. Sie müssen ein Risiko eingehen, Ihre Angst überwinden. Wenn Sie das tun, sehen Sie in dieser Karte nur Glück. Abenteuer und Spannung. Vielleicht eine neue Bekanntschaft, vielleicht eine Reise, die Sie weiterbringt.«

»Dann liegt es an mir …«

»Ja, stellen Sie sich vor, welch ein Glück …« Janina lächelte. »Das macht alles doch wesentlich einfacher.«

»Danke«, sagte Nina. »Das war … sehr spannend.«

Janina begleitete sie noch in den Flur. Es war ein merkwürdiges Gefühl, diesen blauen märchenhaften Raum mit all den Kerzen, der Flötenmusik und dem Moschusduft wieder zu verlassen. Im Flur war das Licht der Deckenlampe grell und Nina blinzelte, bis sich ihre Augen daran gewöhnt hatten. An den schlicht gemusterten Tapeten sah man noch deutlich, wo die Vorgänger ihre Regale aufgestellt und die Bilder an die Wand gehängt hatten. Sie war wieder zurück in der Gegenwart.

»Vielen Dank!«, sagte sie noch einmal und zog sich eilig die Jacke über.

»Keine Ursache.« Janina räusperte sich. »Das Honorar …«, sagte sie vorsichtig und es war ihr anzusehen, dass es ihr durchaus unangenehm war.

»Oh, entschuldigen Sie bitte!« Nina wurde ganz rot und suchte mit Hochdruck in ihrer Handtasche nach dem Portemonnaie. Sie hatte völlig vergessen, dass sie noch bezahlen musste, obwohl sie die Höhe des Honorars schon bei ihrem Telefonat erfragt hatte. Sie nahm einen Fünfhundert-Kronen-Schein heraus und gab ihn Janina, die ihn schnell zusammenfaltete und in ihrer Westentasche verschwinden ließ.

Dann verabschiedeten sie sich und Nina flitzte über die Straße zu sich nach Hause.

B*einahe wäre Nina* mit den beiden Teenies im ihrem Flur frontal zusammengestoßen. Matthias hatte seine Jacke schon angezogen und neben ihm stand ein junges Mädchen, das gerade dabei war, die rosa Steppjacke zuzuknöpfen. Nina entschuldigte sich, während sie ihren Mantel auszog und gleichzeitig das Mädchen neben sich musterte. Sie war klein, vielleicht eins sechzig, eins fünfundsechzig. Matthias war gut einen Kopf größer. Unter der pelzbesetzten Kapuze, die sie aufgesetzt hatte, fiel ein dunkler Pony in ihre Stirn. Zwei große braune Augen wandten den Blick schnell ab, als Nina sie ansah.

»Hallo!«, sagte Nina. »Ich bin Matthias' Mutter. Nina.«

Das Mädchen reichte ihr die Hand und brachte eine leise Begrüßung hervor.

Matthias unterbrach sie. »Ich bringe Felicia jetzt zum Bus.« Er drängte sich an seiner Mutter vorbei und öffnete die Tür. »Komm!«, forderte er Felicia auf, die ebenso flink an Nina vorbeihuschte. Ein kurzes »tschüs«, dann schlug Matthias die Tür hinter ihnen zu.

Nina ging aus dem Flur in die Küche. Auf dem Tisch standen zwei Teetassen und eine Packung Milch. Es duftete nach getoastetem Brot und auf der Arbeitsplatte standen noch Butter und Marmelade. Doch die Unordnung ärgerte sie nicht, vielmehr fühlte sie sich erleichtert. Solange Matthias mit seinen Freundinnen Tee trank und Robbie Williams hörte, gab es keinen Grund zur Beunruhigung.

Im Wohnzimmer war es dunkel, und Nina knipste hier und da ein Lämpchen an, bevor sie auf das Sofa sank. Da saß sie nun völlig regungslos, mit lang ausstreckten Beinen und schlappen Armen. Sie legte den Kopf ab und starrte einfach geradeaus an die Wand vor ihr. Die Bilder, die dort hingen, sah sie kaum mehr. Wie viele Jahre sie da schon hingen … Seit Jens ausgezogen war. Damals hatte sie ihre alten Gemälde und Zeichnungen hervorgekramt und diejenigen eingerahmt, die ihr am besten gefielen. Dann hatte sie sie mit ihren Lieblingspostern zusammen aufgehängt, die sie bei einem Besuch im Moderna Museet in Stockholm erstanden hatte.

Sie wollte Jens' Spuren beseitigen, das Haus sollte nur noch Matthias' und ihre Handschrift tragen. Die Bildergalerie war ein Teil davon, die Farben an der Wand ein anderer. Matthias hatte das Gelb für den Flur ausgesucht, während sie selbst entschieden hatte, das Wohnzimmer cremeweiß zu streichen. Sie hatten zusammen gearbeitet, bis alles fertig war. Sie fand selbst, dass es schön geworden war, aber seitdem hatte sie nichts mehr verändert. Nicht einmal Möbel verrückt.

Wie schnell man sich an Dinge gewöhnte, dachte sie sich, als ihr Blick über die Wand wanderte. An Chagalls schwebendem Liebespaar blieb sie hängen.

Sie hatte sich in dieses Bild mit den schwerelosen Figuren hoch über dem Boden schon vom ersten Moment an verliebt. Es hatte sie noch jahrelang inspiriert und viele ihrer eigenen Bilder, die an der Wand hingen, lebten auch von solch einer verträumten Stimmung. Auch wenn sie natürlich nie so gut waren.

Sie betrachtete die Bilder und erinnerte sich mit einem Mal an das Gefühl, das sie hatte, wenn sie malte. Die Stunden, in denen die Zeit still stand und das Motiv auf der weißen Fläche entstand, Pinselstrich für Pinselstrich. Die Figuren, die Form annahmen, die Farben, um ihre Körper zu füllen. Einen Moment lang dachte sie, ihr kämen die Tränen, und die Sehnsucht nach Pinsel, Farben und Leinwand fühlte sich an wie ein Klumpen im Magen.

Nina sprang auf und ging in den Flur. Sie nahm sich einen Hocker, stieg darauf und öffnete das oberste Fach des Garderobenschrankes. Ein Hockeyhelm flog ihr entgegen und landete auf dem Boden, wo er zwischen Stiefeln und anderen Schuhen liegen blieb. Sie warf einen Blick in den dunklen Schrank. Er quoll über. Vorsichtig zog sie zwei Badminton-Schläger heraus und legte sie auf dem Boden ab. Dann einen Baseball-Handschuh, unterschiedliche Eishockeyschützer und eine alte Daunenjacke, die sie im letzten Jahr in eine Plastiktüte gestopft hatte, um sie in eine Altkleidersammlung zu geben. Da lagen auch Wintersachen vom vergangenen Jahr, aus denen Matthias herausgewachsen war. Die könnte sie jetzt mit der Daunenjacke herunterholen und beim Winterflohmarkt in der Schule abgeben. Matthias hatte heute einen Brief mit dem Termin aus der Schule mitgebracht.

Als sie alles ausgeräumt hatte, stieg sie noch einmal auf den Hocker. Ganz hinten im Schrank befand sich ein Karton. Mit Mühe nur konnte sie ihn greifen und herausziehen. Erst schwankte sie einen Moment, als sie sein Gewicht auf den Armen spürte. Dann stieg sie vorsichtig vom Hocker herunter und trug die Kiste ins Wohnzimmer. Als sie sie öffnete, hielt sie fast den Atem an. Es war alles noch da.

Als erstes holte sie die Pinsel heraus und die Zeichenkohle, dann die Schachtel mit den Acrylfarben. In den Tuben war noch allerhand. Viel zu viel eigentlich. Sie hatte nach der Schule doch nicht so viel gemalt, wie sie es vorgehabt hatte. Eine Weile hatte sie sich Zeit dafür genommen, als

Matthias noch klein war, aber danach hatte sie die Farben in der Schachtel nicht mehr angerührt.

Sie holte die weiße Palette aus Kunststoff heraus und ließ die Finger über die kleinen Metalltuben gleiten. Dann entschied sie sich für das Kadmiumrot und versuchte, den Verschluss aufzudrehen. Er saß ziemlich fest und als er sich schließlich doch bewegte, fielen kleine Krümel vertrockneter Farbe vom Schraubverschluss und vom Deckel. Dann hielt sie die Öffnung über eine Mulde in der Palette und drückte vorsichtig auf die Tube. Nichts. Dann drückte sie etwas stärker, doch noch immer kam keine Farbe heraus. Nina stand auf und lief hinüber in die Küche. Kurz darauf war sie mit einer Gabel in der Hand zurück. Doch die ganze Farbe in der Tube war eingetrocknet und nicht mehr zu gebrauchen.

Sie versuchte es mit einer anderen und nahm wahllos irgendeine, doch auch beim Ockergelb sah es nicht besser aus. Ebenso beim Kobaltblau und Titanweiß. Frustriert legte sie die Tuben zurück in die Schachtel und schloss sie. Sie fluchte, als sie in die Küche ging und die Schachtel komplett in den Mülleimer warf.

Janinas Worte hatten sie inspiriert, aber als sie feststellen musste, dass alle Farben unbrauchbar geworden waren, landete sie schnell wieder auf dem Boden der Tatsachen. Vielleicht waren die Ratschläge einer Wahrsagerin, dass sie Talent besäße, genauso eingetrocknet wie die Farben, die soeben in den Mülleimer gewandert waren.

Sie räumte die restlichen Dinge wieder in die Kiste und trug sie in den Flur zurück. Dann schob sie sie ganz nach hinten im Schrankfach und stopfte alle anderen Sachen, die sie herausgenommen hatte, davor. Zum Schluss die Tüte mit der Jacke. Die Schranktür ließ sich kaum schließen. Sie durfte diesen Flohmarkt wirklich nicht vergessen.

Gerade als sie vom Hocker wieder herunterkletterte, kam Matthias nach Hause. Er hatte von der Abendkälte richtig rote Wangen bekommen. Oder von seiner Begleitung. Nina sah ihn an. Bot es sich jetzt an, ein paar Fragen zu stellen? Sie hatte nicht den Eindruck. Matthias tat so, als müsste er gähnen und fragte demonstrativ unbeteiligt, ob es etwas im Fernsehen gäbe. Sie antwortete, dass sie keine Ahnung hätte.

»Dann gehe ich ins Bett«, teilte er mit und schlich an ihr vorbei Richtung Badezimmer. Nina begann, die Küche aufzuräumen. Normalerweise musste er seine Sachen selbst wegräumen, diese Abmachung hatten sie getroffen, aber jetzt wollte sie mit ihm nicht streiten. Nicht heute.

Als Matthias den Kopf in die Küche steckte, um gute Nacht zu sagen, konnte sie doch nicht an sich halten. Sie hatte zwar vorgehabt, nicht nachzufragen, doch ein paar Informationen über seine Begleitung wollte sie nun doch.

»Geht Felicia in deine Klasse?«, fragte sie ihn und versuchte, nicht allzu neugierig zu klingen. Matthias war gerade aufs Gymnasium gekommen und Nina kannte noch nicht alle Namen seiner Klassenkameraden und Lehrer. Es hatte nie zur Diskussion gestanden, ob er weiter zur Schule gehen werde und Nina hatte sich sehr darüber gefreut, wenn sie auch bemüht war, es nicht an die große Glocke zu hängen. Sie wollte dem nicht zu viel Gewicht beimessen, vielleicht hätte ihn das eher abgeschreckt. Ihre eigenen Erinnerungen an das Gymnasium hatte sie nur am Rande erwähnt, und glücklicherweise hatte Matthias auch keine unangenehmen Fragen gestellt.

»Nein, sie macht eine Ausbildung im Medienbereich.«

»Ist sie nett?«

Matthias grinste breit. »Ganz okay.« Dann drehte er sich um und ging aus der Küche. »Gute Nacht, Mama«, rief er, schon mit dem Rücken zu ihr und auf dem Weg in sein Zimmer, wo er die Tür hinter sich schloss.

Nina blieb allein zurück. Es war Viertel nach zehn und so langsam wurde sie selbst auch müde. Wenn sie jetzt ins Bett ginge, bliebe noch Zeit, eine Weile zu lesen und sie bekäme trotzdem genügend Schlaf. Das würde ihr guttun, denn in letzter Zeit hatte sie viel zu wenig geschlafen. War lange wach gewesen und hatte stundenlang zwischen verschiedenen inhaltslosen Fernsehprogrammen hin- und hergezappt, bevor sie die Ruhe fand, ins Bett zu gehen.

Als sie im Bad stand, zog sie sich aus, stieg in die Dusche und drehte die Brause auf. Das Wasser lief über ihren Körper und spülte all die kleine Härchen ab, die über den Tag an ihrer Haut kleben geblieben waren. Wenn sie im Salon war, fiel ihr das gar nicht auf, aber wenn sie nicht duschte, bevor sie ins Bett ging, wusste sie, dass es in der Nacht zu jucken begann. Als sie fertig war, trocknete sie sich ab und putzte sich schnell die Zähne.

Als sie die Zahnpasta gerade wieder in den Spiegelschrank zurücklegen wollte, hielt sie inne. In den beiden obersten Fächern war ihre Kosmetik. Lippenstift, Rouge, Concealer, Kajalstifte, Maskara, Lippgloss und Lidschatten. So viele Farben.

Sie legte die Zahncreme hin und stellte die Zahnbürste zurück in das Glas, das am Rand des Waschbeckens stand. Dann nahm sie sich den schwarzen Kajalstift und schloss die Schranktür. Langsam hob sie die Hand auf Spiegelhöhe und begann, einen schwarzen Rahmen rundherum zu zeichnen. Innen skizzierte sie die Umrisse von etwas, das wie ein Pferd mit Schwanz aussah, und von einem Mann, der in Wellen um das Tier herumflatterte. Sie öffnete den Schrank erneut und holte Lippenstift und Cremelidschatten heraus. Mit den Fingern verstrich sie die Farbe auf dem

Spiegel und so färbte sich der Körper des Pferdes nach und nach blutrot, während das Meer rundherum in Gold und Türkis glänzte. Als sie fertig war, war der gesamte Spiegel mit Farbe bedeckt.

Nina trat einen Schritt zurück und betrachtete ihr Kunstwerk. Dann wusch sie sich die Hände, knipste das Licht aus und ging zu Bett.

Sie war eigentlich selbst erstaunt, dass es im Grunde so einfach war. Die zwei Alternativen hatte sie plötzlich ganz klar und deutlich vor Augen gehabt und es stand außer Frage, wofür sie sich entscheiden würde. Seitdem war die größte Angst vorbei. Es war, als hätte sie sich selbst gesehen, als sie da unter der Bettdecke lag, Franks Platz neben ihr war leer. Verlassen, weggeworfen. Aber jetzt stand sie wieder auf ihren zwei Beinen. Sie hatte Einsichten gewonnen und eine Entscheidung getroffen, das stärkte ihr nun den Rücken. Vorbei war die Zeit, in der sie stundenlang wach auf dem Bett gelegen und die Zeiger des Weckers verfolgt hatte, wie sie sich langsam über den Tag quälten. Stattdessen machte sie nun wieder ihr Bett, bereitete sich allein ein Frühstück, goss die Blumen, trug den Müll hinaus und wischte Staub auf dem Fensterbrett. Dieser Tage war sie sogar einkaufen gewesen. Als sie auf die Straße trat, hatte sie zwar heftiges Herzklopfen geplagt und ihr war so schwindelig geworden, dass sie nahe daran gewesen war, ohnmächtig zu werden, aber sie hatte sich zusammengerissen und es durchgestanden.

In dem kleinen Edeka-Laden hatte sie nicht nur Milch und Brot in den Korb gelegt, sondern auch Zutaten, um richtig zu kochen. Hackfleisch, ein Lachskotelett, ein Paket Hühnerbrust, einen Salatkopf, Kartoffeln, Tomaten … Dabei war es weniger die Inspiration, die sie antrieb, als vielmehr ein Gefühl von Würde. Das war ihr klar geworden, als sie die Regale ablief und ihre Einkäufe erledigte. Jetzt ging es nur noch nach ihrer Nase. Frank konnte beschließen, sie zu verlassen, aber er sollte keinen Einfluss darauf haben, wie der Rest ihres Lebens aussah.

Als er letztendlich vor ihrer Tür stand, drei Wochen, nachdem er in sein Auto gestiegen und zu der Frau gefahren war, die ihm offensichtlich mehr als alles auf der Welt bedeutete, war sie völlig gelassen. Er hingegen war nervös, konnte ihr nicht in die Augen sehen und zog seine Jacke im Flur nur zögernd aus. Als wäre die Goretex-Jacke auch eine Rüstung, die Gefühle und ein schlechtes Gewissen abhielt, und nicht nur ein Schutz gegen Regen und Wind.

Obwohl Frank mehr als sein halbes Leben in diesem Haus verbracht hatte, bewegte er sich wie ein Fremder, der zu Besuch kam. Im Wohnzimmer setzte er sich auf das Sofa und nicht in den Sessel, der so viele Jahre sein fester Platz gewesen war. Sie bot ihm Kaffee an, aber er lehnte ab. Erklärte, dass er nicht lange bleiben wolle.

Sie setzte sich in den braunen Ledersessel und schlug das eine Bein über das andere. Die Arme ganz ruhig auf den Armlehnen. Still und abwartend, bis er das Wort ergriff.

»Tja …«, begann er und zupfte an der Kante der kleinen gehäkelten Decke, die auf dem Couchtisch lag. »Wir müssen jetzt mal über die … Zukunft sprechen.«

»Ja.« Sie staunte selbst über den Klang ihrer Stimme. Er war tiefer, irgendwie voller und ausdrucksstark.

»Es eilt ja nicht. Bis auf weiteres wohne ich bei …« Er räusperte sich. »Bei Yvonne. Also verlange ich nicht, dass das Haus in naher Zukunft verkauft wird. Aber die Kosten sind ein Problem. Ich werde künftig eine Form von … Unterhalt bezahlen.« Das Wort war ihm offenbar sehr unangenehm und er sah Miriam verunsichert an. Sie protestierte nicht und so fuhr er kurz darauf fort. »Zumindest bis ich in Rente gehe. Aber das Geld wird nicht reichen, um alle Kosten, die das Haus verursacht, zu decken. Ich kann verstehen, dass du Zeit brauchst, um zu entscheiden, was du willst. Und wie du es willst. Und, wie gesagt, es eilt ja nicht, aber in ein paar Monaten müssen wir eine Lösung finden, damit unsere wirtschaftliche Situation dauerhaft geklärt wird. Ja, und dann die juristische natürlich.«

»Du sprichst von Scheidung?«

»Ja.« Er sah sie nicht an. Von der fast aggressiven Entschlossenheit, die er beim letzten Mal, als sie sich gesehen hatten, an den Tag gelegt hatte, war nichts mehr zu spüren. Stattdessen hatte es den Anschein, als bewegte er sich ängstlich auf einem frisch gebohnerten Boden vorwärts, immer in dem Bewusstsein, er könne stolpern oder fallen. »Ich kann verstehen, dass es schwer für dich ist«, fuhr er fort. »Aber glaube nicht, dass es mir leichtfällt.«

»Das tue ich nicht.« Sie lächelte still. »Es ist dein Leben, du musst wissen, was du tust.«

Er sah sie skeptisch an. Miriam saß völlig ruhig auf ihrem Stuhl und sah ihm ins Gesicht. Sie trug keine Wut in sich, keine Rachegelüste. Nur Trauer. Aber die lähmte sie nicht mehr. Sie hatten eine schöne Zeit miteinander gehabt und die war nun vorbei. Zu dem Schluss war sie inzwischen gekommen. Franks Zukunft war seine Sache. Ihre gemeinsame Reise endete hier. Und sie musste ihren eigenen Weg gehen.

Ihre Antwort schien ihn zu verunsichern und er sah ihr einen kurzen Moment ins Gesicht. »Wie geht es dir?«, fragte er.

»Ich habe eine schwere Zeit hinter mir«, gab sie ehrlich zu. »Aber das lässt sich nicht ändern. Ich komme klar.« Für einen Augenblick glaubte sie, in Franks Augen Tränen zu sehen.

»Es tut mir leid, dass ich dich verletzt habe.«

»Ja«, sagte sie. »Das hast du. Aber ich verzeihe dir.«

Er brachte nur ein Brummen hervor, als wolle er gegen ihre Vergebung protestieren. Frank war kein Gefühlsmensch, nicht einmal als ihre Kinder zur Welt kamen, hatte er sich von seinen Emotionen überwältigen lassen, und es war ihm ganz offensichtlich unangenehm, wie sich ihr Gespräch entwickelt hatte.

Es überraschte sie daher nicht, dass er wieder zu den praktischen Dingen zurückkehrte.

»Das Haus ist abbezahlt, aber mein … Unterhalt wird trotzdem die laufenden Kosten nicht decken können. Wir bezahlen ja Grundsteuer, Strom und Heizung, Müllabfuhr …« Er verstummte. Diesen Lebensbereich hatte er nie mit seiner Frau geteilt und Miriams ahnungsloser Blick schien ihn daran zu erinnern. »Ja, du musst dir ganz einfach einen billigeren Wohnraum suchen. Bald wirst du fünfundsechzig sein, dann wird es noch schlechter werden. Du hast ja nichts weiter als deine kleine Rente und das ist nicht viel. Definitiv zu wenig für ein eigenes Haus.«

Er setzte ein trauriges Gesicht auf. »Darum müssen wir das Haus verkaufen. Na ja, in absehbarer Zeit …«, schob er schnell hinterher. »Daraus wirst du ein gewisses Startkapital erhalten. Dann nehme ich mal an, wäre es das Beste, wenn du eine Mietwohnung fändest, mit den Zinsen könntest du dann die Kosten für die Wohnung decken. Wenn du dir eine Wohnung kaufst, hast du das Geld zwar in eine neue Immobilie gesteckt, aber du musst dir ja auch leisten können, darin zu wohnen. Wenn du dich nicht für eine Einzimmerwohnung entscheidest, die würdest du vermutlich ohne Kredit bekommen.« Frank versuchte ein Lächeln. Als hätte er soeben ein Licht im Dunkel präsentiert.

Miriam ließ ihn reden, als er noch weitere Möglichkeiten

aufzeigte. Nicht mit einem Wort erwähnte er, was er mit seinem Teil des Geldes zu tun gedachte oder wie viel das sein würde. Welchen Teil vom Kuchen er sich zugedacht hatte. Es war ihr auch egal.

»Wir müssen auch ein paar Rechnungen durchgehen«, fuhr er fort. »Einige Kosten kann man ja nicht abstellen, Strom, Öl, Telefon … Aber es wäre natürlich gut, wenn du versuchst, sparsam zu sein.« Er räusperte sich. »Aber da sind ja auch noch andere Dinge. Die Tageszeitung, die ›Wohnen zu Hause‹ …«

»›Wohnjournal‹«.

»Was?«

»›Wohnjournal‹ heißt sie.«

»Ach so, ja. Wie auch immer, es gibt ja Ausgaben, die man vermeiden kann. Und dann diese Patenschaft …«

»Aber das sind doch nur hundert Kronen im Monat.« Miriam sah Frank bittend an, der demonstrativ zur Seite schaute. Er hatte die Idee nie besonders gut gefunden, Miriam hatte ihn dazu überredet, und seit gut einem Jahr waren sie Paten für einen achtjährigen Jungen in Sierra Leone. Zwei Briefe hatten sie bislang von ihm erhalten. Er schrieb vom Leben in seinem Dorf und dass er seine Mama vermisste. Sie war tot. Ein Brief enthielt ein Foto von ihm, auf dem er zwei seiner kleineren Geschwister beschützend umarmte. Miriam hatte ihm in gebrochenem Schulenglisch geantwortet und Bilder von ihr und Frank und dem Haus dazugelegt.

»Es sind doch nur hundert Kronen«, wiederholte sie. »Macht das einen Unterschied?«

»Das sind eintausendzweihundert Kronen pro Jahr. Kleinvieh macht Mist.« Frank brummelte vor sich hin, als Miriam darauf nicht antwortete. »Ja, wir können es ja bis auf weiteres erst einmal laufen lassen«, sagte er schließlich.

»Aber wir müssen die Kosten im Auge behalten, hier und da und dort …«, schob er in einem pädagogischen Tonfall hinterher.

»Selbstverständlich.« Miriam nickte dankbar. »Kannst du mir dabei helfen? Ich nehme an, die Zeitung kann man einfach abbestellen. Es läuft ja alles auf deinen Namen. Außer dem ›Wohnjournal‹.«

»Ich kümmere mich darum. Du kannst einfach die Rechnungen, die kommen, an mich weiterreichen.« Er zog einen vorgeschriebenen Zettel aus der Jackentasche und legte ihn auf den Tisch, ohne ihn anzusehen. »Das ist die Adresse«, sagte er und hustete. »Und wie gesagt …« Plötzlich stand er auf. »Du solltest dir überlegen, wie du es dir vorstellst. Ich will dich nicht unter Druck setzen, aber in ein paar Monaten, spätestens in einem halben Jahr, müssen wir etwas unternehmen.«

»Ich verstehe. Das wird kein Problem sein. Ich bin sicher, die Dinge haben sich bis dahin geklärt.«

Frank sah sie misstrauisch an, sagte aber nichts. »Dann gehe ich mal«, meinte er stattdessen.

»Ja, das ist wohl das Beste.«

Er hielt kurz inne und zögerte. »Hast du den Kindern schon etwas gesagt?«

»Nein.« Zum ersten Mal während ihres Gesprächs versetzte es ihr einen Stich. Sie hatte sowohl mit Christer als auch mit Susanne telefoniert, aber keinem von beiden etwas erzählt. Sie konnte es einfach nicht. Stattdessen hatte sie gelogen und gesagt, Frank sei auf Geschäftsreise. Keins der Kinder hatte nachgefragt. »Willst du das nicht selbst erledigen?«

Frank murmelte etwas Unverständliches. Als sie noch einmal nachfragte, antwortete er ungehalten. »Du kannst so etwas besser als ich.«

»Das heißt, du willst, dass ich ihnen das mitteile?«

»Wenn es dir nichts ausmacht …« Frank wand sich.

Ob sie etwas dagegen hätte, ihren Kindern zu erzählen, dass ihr Vater sie wegen einer anderen Frau verlassen hatte? *Ob sie etwas dagegen hätte?*

Frank deutete ihr Schweigen richtig. »Ja … Nein … Das war eine dumme Idee. Ich werde mit ihnen reden. Demnächst.«

»Nein, Frank. Hier rufen sie an, bei mir. Ich will nicht noch einmal gezwungen sein zu lügen. Nicht demnächst. Jetzt sofort.« Ihre Stimme hatte plötzlich einen scharfen Unterton bekommen, sodass Frank instinktiv einen Schritt zurückwich.

»Ja, ich tue es«, sagte er. Er beeilte sich, Jacke und Schuhe anzuziehen und verließ nach einem kurzen Abschied das Haus.

Miriam ging zurück ins Wohnzimmer. Durch das Fenster beobachtete sie die Rücklichter des Volvos, der aus der Einfahrt stieß. Auf dem Couchtisch lag noch der handgeschriebene Zettel mit der Adresse.

Die von Frank.

Und die von Yvonne.

Sie hatte nicht erwartet, dass es so schnell gehen würde, doch schon nach einer Woche hatte sie den Anruf erhalten. Den ganzen Morgen war sie nervös durchs Haus gelaufen. Hatte versucht Albin zu beschäftigen, während sie selbst ihren Kleiderschrank nach ein paar passenden Kleidungsstücken absuchte. Letzten Endes entschied sie sich für den grauen Hosenanzug von InWear. Er passte gerade noch, auch wenn die Hose an der Taille etwas eng saß. Die meisten Kilos von der Schwangerschaft war sie wieder losgeworden, doch ihre siebenundfünfzig Kilo waren jetzt anders verteilt.

Sie entschied sich für eine hellblaue Bluse und zog noch einen schmalen schwarzen Gürtel durch die Schlaufen an der Hose. Die schwarzen Schuhe hatte sie bereits am Vorabend geputzt. Ihre frisch geschnittenen Haare wollte sie offen tragen, doch als sie einen Blick in den Spiegel warf, stellte sie fest, dass sie so viel zu jung aussah. Also bürstete sie die Haare durch und zog sie im Nacken mit einer Spange zusammen. Auch auf die Kontaktlinsen verzichtete sie. Mit der schmalen Brille, die schwarze Bügel hatte, sah sie etwas älter und seriöser aus.

Dann ging sie in die Küche, wo Albin saß. Er schaute sie verwundert an, als sei gerade eine fremde Person hereinmarschiert. Einen Moment lang dachte sie fast, er würde in Tränen ausbrechen, aber dann überlegte er es sich anders und trommelte stattdessen mit den Kunststoffschüsseln, die er gerade aus dem offenen Küchenschrank herausgeholt hatte, auf den Boden.

Sie nahm ihn mit hinüber in den Flur und begann, sich und Albin anzuziehen. Sie lagen noch gut in der Zeit. Sie musste ja auch noch bei Forsvik vorbeifahren. Wille sollte Albin übernehmen, während sie zu ihrem Vorstellungsgespräch ging. Sie hatte es nicht so bezeichnet, nur gemeint, Leif Brink wolle sich mit ihr unterhalten und sie fand es günstig, schon vorab einen Kontakt zu ihm herzustellen. Mit Blick auf die Zukunft. Sie hatte Wille auch nicht erzählt, dass der Brief, den sie geschrieben hatte, eine ganz offizielle Bewerbung gewesen war. Warum sollte sie ihn auch unnötig beunruhigen? Wahrscheinlich würde sie die Stelle ja doch nicht bekommen. Sicherlich gab es viele Mitbewerber.

Wille war von der Idee nicht begeistert gewesen, während der Arbeitszeit als Babysitter eingesetzt zu werden. Er hatte gemeint, es sei nicht gerade einfach, sich während des Tages eine Stunde frei zu machen. Das musste sie verstehen. Aber sie hatte insistiert. Sie bat nicht oft um etwas, aber dieses Mal nahm sie ihn in die Pflicht. Wen sollte sie sonst fragen? Ihre Eltern wohnten in Uppsala, Willes Eltern in Gävle. Und unter diesen Voraussetzungen mussten sie sich eben gegenseitig helfen, so gut es ging.

Obwohl sie noch genügend Zeit hatte, beeilte sie sich, als sie sich mit Albin im Kinderwagen in Richtung Bus in Bewegung setzte. Ihr Anzug fühlte sich unter dem Mantel steif an. Seit ihrer Elternzeit hatte sie sich wirklich vieles abgewöhnt. Was noch vor eineinhalb Jahren völlig normal gewesen war, erschien ihr nun ungewohnt und fremd. Als sie da im Flur mit der Aktentasche gestanden und einen letzten Blick in den Spiegel geworfen hatte, war es ihr vorgekommen, als sei sie auf dem Weg zu einem Maskenball.

Schon als sie an der Bushaltestelle ankam, war sie durch-geschwitzt und ärgerte sich, dass sie ein so hohes Tempo vorgelegt hatte. Nachdem es ein paar Tage lang schon rich-tig kühl gewesen war, war das Wetter wieder umgeschla-gen. Obwohl der Dezember vor der Tür stand, schien die Sonne und das Thermometer zeigte sechs Grad an. Albin war auch warm verpackt in seiner Fleecejacke, dem Biber-pelz, der Wintermütze und den Handschuhen. Sie zog den Reißverschluss der Jacke ein Stückchen auf, damit er es am Hals etwas luftiger hatte.

Der Bus war pünktlich, und so hob Ellinor den Kinder-wagen siebzehn Minuten später wieder an der Haltestelle Forsvik aus dem Bus. Sie sah zu dem großen Gebäude hin-auf, das ein bisschen abseits lag. Seine Fassade aus Stahl und Glas war wirklich imposant. Der Schriftzug mit kursiv gesetzten blauen Leuchtbuchstaben war genau über dem Haupteingang angebracht.

So viel sie wusste, hatte die Stadt dem Unternehmen sehr interessante Bedingungen geboten, damit Forsvik seine Zentrale hier errichtete, und der eigenwillige Bau des Ge-bäudes war ein Teil der Zugeständnisse. Für die Kleinstadt Sävesta war es wichtig, dass sich ein Unternehmen wie Fors-vik ansiedelte, nicht nur im Hinblick auf die Arbeitsplätze, sondern auch, weil Sävesta so als Standort an Bedeutung gewann.

Forsvik war in Schweden einer der führenden Hersteller von Bodenbelägen. Das Unternehmen gehörte Rune Fors-vik, der aus Sävesta stammte, und obwohl sein Sohn Mar-tin, der mittlerweile die Leitung übernommen hatte, mit der Stadt nichts weiter zu tun hatte, hatten ihn die Kom-munalpolitiker mit offenen Armen aufgenommen.

Ellinor warf einen Blick auf die Uhr. Sie war zehn Minu-ten zu früh und beschloss, noch einen kurzen Spaziergang im Park zu machen, bevor sie Wille anrief und ihm Albin übergab. Wenn sie Glück hatte, würde ihr Sohn einschlafen, es war gerade seine Zeit, obwohl er im Moment leider wach und munter wirkte. Als sie Wille überredet hatte, den Sohn zu übernehmen, war ein schlagendes Argument gewesen, dass es genau dann Albins Mittagsschlafzeit war und Wille vermutlich ganz normal arbeiten könne. Aber nun musste es eben trotzdem gehen. Wenn man bedachte, wie oft Wille Überstunden machte, dann durfte es kein Problem sein, eine Stunde am Tag einmal weniger effektiv zu arbeiten.

Nach einer Runde auf den schmalen Wegen im Park, die alle von Blättern übersät und ziemlich matschig waren, drehte sie und fuhr zurück in Richtung Bürogebäude. Albin war immer noch wach und zeigte keinerlei Anzeichen von Müdigkeit. Die Busfahrt und die ungewohnte Umgebung schienen seine Aufmerksamkeit zu fesseln.

Der Eingangsbereich des Gebäudes war langweilig, von der Dame, die an der Rezeption mitten auf dem polierten Steinboden platziert war, abgesehen. Ellinor stellte sich vor und bat sie, Wille Bescheid zu sagen.

Es dauerte ein paar Minuten, bis er auftauchte. Ellinor war schon unruhig geworden und sah auf die Uhr. Sie sollte in zwanzig Minuten bei Brink & Partner sein. Die Kanzlei lag mitten im Zentrum und sie hatte eine Viertelstunde Fußweg eingeplant.

Albin freute sich, als er seinen Papa erblickte, aber Wille war gar nicht begeistert. »Er sollte doch schlafen, hast du gesagt.«

»Ich habe gesagt, dass ich *glaube*, dass er schläft.«

Wille seufzte, lächelte aber Albin an und zog ihm die Mütze ab. »Hast du ihn auf einen Schneesturm vorbereitet?«

»Ich habe gedacht, es sei kälter, heute Nacht hatten wir ja auch Frost.«

»Dann holst du ihn in einer halben Stunde?« Wille nahm den Kinderwagen.

»In einer Stunde, habe ich gesagt. Allein der Weg dauert doch schon eine halbe Stunde.«

Wieder Seufzen. »Aber beeil dich. Wir sind hier nicht auf dem Spielplatz.«

Ellinor biss die Zähne zusammen. Das war ihr durchaus klar. Sie hätte ihn nicht darum gebeten, wenn sie eine Alternative gehabt hätte, aber jetzt war der falsche Zeitpunkt, um sich anzugiften. »Ich komme, so schnell ich kann«, sagte sie stattdessen. »In der Wickeltasche findest du ein Gläschen und eine Banane.«

»Okay, dann bis später.« Er ging zurück zu den Aufzügen. Auf dem halben Weg drehte er sich um. »Ach ja, und viel Glück!«

»Danke.«

Ellinor beeilte sich. Sie lief auf dem Weg in die Stadt der Sonne entgegen. Brink & Partner hatten ihre Kanzlei in einer Nebenstraße im nördlichen Innenstadtbereich. Sävesta war nicht gerade groß, aber obwohl sie die Straßen im Zentrum alle kannte, war sie nie in der Gotvaldsstraße gewesen. Wahrscheinlich befanden sich dort einfach keine Geschäfte. Sicherheitshalber hatte sie auf dem Stadtplan im Telefonbuch noch einmal nachgesehen. Sie kannte den Weg.

Mit gemischten Gefühlen stand sie vor der Kanzlei und klingelte. Zum einen war es Vorfreude, zum anderen eine gehörige Portion Nervosität. Eine Frau in den Vierzigern öffnete und lächelte sie freundlich an. Sie bat Ellinor herein und stellte sich vor: Monica Wallmark, die Sekretärin. Ellinor lächelte auch. Dass es tatsächlich noch Sekretärinnen gab! Wahrscheinlich waren Kanzleien die letzten Orte im ganzen Land, wo man noch Sekretärinnen beschäftigte. Monica nahm Ellinor den Mantel ab und bat sie, es sich in einem Sessel bequem zu machen. Leif Brink würde gleich Zeit für sie haben.

Ellinor stellte ihre Aktentasche auf dem Boden ab und sah sich diskret um. Der Lack des sehr schönen Eichenparketts war schon ziemlich matt und den Möbeln war anzusehen, dass sie einige Jahre auf dem Buckel hatten. An den Fenstern hingen unauffällig gemusterte Gardinen, und ein paar größere Grünpflanzen verhinderten die Einsicht von der Straße. Neben dem Sessel, in dem sie saß, stand ein kleiner Glastisch mit einer Schale Bonbons und auf dem Boden lag ein Perserteppich, der vermutlich nicht echt war. Im Vergleich zu dem eleganten Erscheinungsbild von Björklund & Schultz war diese Kanzlei hier wesentlich schlichter. Nicht dass sie einen schlechten Eindruck machte, aber hier wurde keineswegs so viel Wohlstand zur Schau gestellt, wie sie es gewohnt war.

Nach einer Weile ging eine Tür auf und ein Mann, vermutlich Herr Brink, tauchte auf. Er kam auf sie zu, grüßte freundlich und bat sie in sein Büro. Sein Alter hatte sie richtig geschätzt, aber statt des maßgeschneiderten italienischen Anzugs, den sie sich in ihrer Phantasie vorgestellt hatte, trug der wirkliche Leif Brink zerknitterte Hosen, ein Hemd und einen dunkelblauen Lambswoolpullover von Lacoste. Solch ein informeller Kleidungsstil wäre bei George Schultz oder Stefan Björklund undenkbar gewesen.

Brinks Büro war etwas eleganter als der Eingang. Der große Schreibtisch aus dunkelbraunem Holz war vermutlich antik und stand mitten im Raum. An zwei Wänden standen nur Bücherregale, voll von Akten und juristischer

Literatur. An der dritten Wand hing ein dezentes Ölgemälde in dunklen Farbtönen.

Leif Brink wies auf einen Stuhl und bat Ellinor, Platz zu nehmen. Nach kurzem Anklopfen erschien Monica Wallmark und bot Ellinor Kaffee an. Sie nahm dankend an. Irgendwo hatte sie gelesen, dass man das immer tun sollte. Wenn man ablehnte, wurde einem das möglicherweise negativ ausgelegt, weil man sich als unsozial erwies, wenn man stattdessen um Tee bat, bestand das Risiko, dass man für kompliziert gehalten wurde.

Frau Wallmark schloss behutsam die Tür hinter sich und Ellinor und Leif Brink waren wieder unter sich. Sie versuchte, betont ruhig zu atmen, um ihn nicht merken zu lassen, wie nervös sie war. Das war ihre große Schwäche, die sie sicherlich nicht in dem Gespräch preisgeben würde, aber schon Prüfungen und Zensuren an der Universität waren für sie reiner Nervenstress gewesen. Und bei Björklund & Schultz musste sie bei jeder neuen Herausforderung daran denken, was passieren könnte, wenn sie versagte. Auf der anderen Seite zog die Angst vor einem Scheitern nach sich, dass sie sich jedes Mal bis an ihre Grenzen engagierte. Nun war es mittlerweile schon länger her, dass sie sich in solch einer Situation befunden hatte, doch schon beim Schreiben der Bewerbungsunterlagen für dieses Gespräch war die alte Nervosität wieder aufgetaucht.

Monica Wallmark tauchte wieder mit einem Tablett auf, auf dem zwei dampfende Tassen Kaffee standen. Ellinor nahm schnell einen Schluck, dann stellte sie sie vor sich auf dem Schreibtisch ab.

Währenddessen plauderte Leif Brink ein wenig über das Wetter und den ungewöhnlich warmen Herbst. Ellinor gab sich Mühe, adäquat zu antworten und nicht allzu banal. Dann nahm er ein paar Unterlagen in die Hand, die auf dem Schreibtisch lagen und überflog sie rasch, um sich die wichtigsten Punkte in Erinnerung zu rufen.

»So, Frau Hauge … Sie wohnen noch nicht lange hier in Sävesta.«

»Nein, wir sind im Frühjahr erst hierher gezogen. Es gefällt uns gut«, fügte sie sicherheitshalber hinzu.

»Ja, es ist eine nette Kleinstadt. Ich selbst wohne hier seit zwölf Jahren. Vorher haben wir ein Haus in Stockholm gehabt, aber als die Kinder klein waren, wollte meine Frau lieber nach Sävesta ziehen. Sie ist hier geboren, da lag das nahe.«

Ellinor nickte interessiert. »Betreiben Sie seitdem die Kanzlei?«

»Nein. Erst bin ich ein paar Jahre nach Norrköping gependelt, bis ich mich hier selbständig gemacht habe. Das war natürlich ein großes Risiko, weil Sävesta so klein ist, aber es hat funktioniert. Wir sind das einzige Anwaltsbüro in der Stadt, die Konkurrenz ist also überschaubar.« Er lächelte. »Wie war das noch, Sie kommen aus …« Er sah noch einmal in den Unterlagen nach. »… Uppsala. Das ist natürlich ein Unterschied, ich nehme an, Ihnen ist bereits aufgefallen, dass wir uns hier im Kleinstadttakt bewegen.«

»Ja, aber ein bisschen Abwechslung ist doch schön.« Ellinor nahm noch einen Schluck Kaffee, während Leif Brink sich sammelte, um weitere Fragen zu stellen.

»Sie waren bei Björklund & Schultz in Uppsala im Bereich Gesellschaftsrecht tätig. Die Kanzlei hat einen guten Namen. Wie hat es Ihnen dort gefallen?«

»Gut«. Ellinor war sich nicht ganz im Klaren, wie sie fortfahren sollte. »Es war eine interessante Tätigkeit«, begann sie zaghaft. »Bei Björklund & Schultz arbeiten ein paar der besten Anwälte, die wir in Sachen Handelsrecht und Patentrecht im ganzen Land haben, und als junge Juristin bekam ich die Gelegenheit, viel von ihnen zu lernen. Für mich war es sehr wertvoll, ihre Arbeitsweise kennenzulernen.«

Leif Brink summte. »Wir sind natürlich nicht so spezialisiert, das ist Ihnen vermutlich klar. Als einzige Kanzlei vor Ort ist es wichtig, eine möglichst breite Kompetenz anzubieten. Das bedeutet hauptsächlich Familienrecht, Strafrecht und einfachere Streitigkeiten. Und bis zu einem gewissen Grad Ausländerrecht.«

»Selbstverständlich. Das weiß ich. Ich sehe es als Herausforderung, meine Kompetenzen auf diesen Gebieten zu erweitern.« Und dabei nickte sie und setzte ein ernstes Gesicht auf, um zu unterstreichen, was sie eben gesagt hatte. Sie wollte vermeiden, dass Leif Brink den Eindruck gewann, sie sei sich zu »fein« für die Aufgaben, die in dieser Kanzlei anfielen.

Brink ging noch etwas weiter. »Sie waren zudem am Södra Roslags Gericht …« Kopfnickend zeigte er seine Hochachtung. Ellinor entspannte sich etwas. Die Fakten ihrer Unterlagen sprachen für sich, das wusste sie. »Danach waren Sie aber nur ein gutes Jahr bei Björklund & Schultz tätig …«

»Ja. Dann habe ich Elternzeit genommen.«

»Und denken Sie nicht noch über weitere Kinder nach?« Er lachte, aber der Ernst seiner Frage war dennoch nicht zu übersehen.

»Im Moment nicht.«

Brink sah sie einen Moment lang an, dann wechselte er das Thema.

»Sie waren Vollzeit beschäftigt?«, fragte er und sah in ihre Mappe.

»Ja.«

»Das hieß?«

Sie überlegte kurz, wie sie darauf antworten sollte, entschied sich aber am Ende für die Wahrheit. »Es kam nur selten vor, dass ich weniger als sechzig Stunden in der Woche gearbeitet habe.«

»Verstehe.« Er nickte und trommelte mit seinem Stift auf die Tischplatte. »Ich will nicht verschweigen, dass auch hier immer wieder Überstunden gemacht werden, aber ich glaube, ich kann sagen, dass das die Ausnahme ist. Normalerweise arbeiten wir von neun Uhr bis halb sechs.«

Ellinor nickte. Sie konnte nur hoffen, dass das stimmte, was Leif Brink sagte.

»Im Moment sind Sie also in Elternzeit.«

»Ja.« Ellinor zögerte, und der Mann auf der anderen Seite des Schreibtisches sah sie fragend an. »Aber ich bin bereit, vom ersten Februar an zu arbeiten«, schob sie schnell hinterher. Ihr war klar, dass er die Frage stellen würde und sie hatte sich überlegt, wie sie die Antwort formulieren sollte. In dieser Situation gab es, was das Eintrittsdatum betraf, keinen Verhandlungsspielraum. Wenn sie den Job wirklich wollte, musste sie gute Miene zum bösen Spiel machen. Dass sie keine Ahnung hatte, wie sie das bewerkstelligen würde, sagte sie nicht.

»Ausgezeichnet.« Leif blätterte noch einmal in seinen Unterlagen und stellte weitere Fragen zu ihrem Studium und ihren Aufgabenbereichen bei Björklund & Schultz. Dann ging er die Stellenbeschreibung des vakanten Postens durch. Es war eine kleine Kanzlei, außer Leif Brink und der Sekretärin war nur noch ein Anwalt, Ove Nylén, angestellt.

Das Aufgabengebiet war vielfältig. Brink war bewusst, dass der Schritt von Björklund & Schultz zu Brink & Partner ein Karriereabstieg war, aber Ellinor selbst stellte es nicht so dar. Umgekehrt, sie versuchte, Begeisterung für das zu zeigen, was Leif Brink ihr erzählte. Einige Dinge seien ihr neu, das gab sie zu, doch sie sah keine größeren Probleme, auch wenn sie sich in die ein oder anderen Urteile des Verwaltungsgerichts erst einlesen müsste. Ihre Erfahrungen mit Prozessen im Bereich des Sozialgerichts, der Fürsorge und Psychiatrie waren nicht umfangreich. Aber sie lernte leicht.

»Ich nehme an, Sie möchten auch wissen, wie die Stelle dotiert ist?« Leif Brink sah ihr ins Gesicht. Das war nicht das Schlimmste, aber sie zwang sich, ihn auch anzusehen. Sie wollte nicht verzweifelt wirken. Wenn sie jede Summe akzeptierte, würde sie die völlig falschen Signale geben. »Natürlich ist das verhandelbar, aber wir dachten an 23 000 Kronen als Monatsgehalt. Was meinen Sie dazu?«

Das war nicht besonders viel, weniger natürlich als sie bei Björklund & Schultz verdient hatte, aber mit der Summe hatte sie gerechnet. »Ja«, entgegnete sie und versuchte, ganz neutral zu klingen. »Für den Anfang. Wenn Sie bereit sind, nach 12 Monaten neu zu verhandeln, dann würde ich das als Anfangsgehalt akzeptieren.«

»Das klingt vernünftig«, antwortete er und legte den Papierstapel auf dem Tisch ab. Dann stand er auf und Ellinor mit ihm. »Sie können sich vorstellen, dass wir noch einige Bewerbungen haben, die wir sichten müssen, aber es war sehr nett, Sie kennenzulernen und wir gehen davon aus, dass wir Ihnen noch vor Weihnachten Bescheid geben können.«

»Wunderbar.« Ellinor lächelte. Gleichzeitig hatte sie keine Ahnung, wie sie es aushalten sollte, so lange auf die Entscheidung zu warten. Sie wollte es am liebsten sofort wissen. Von ihm hören, dass sie den Job hatte.

Leif Brink begleitete sie, und die Sekretärin stand sofort

mit ihrem Mantel bereit. Sie verabschiedeten sich und gaben sich noch einmal die Hand. Als sie wieder hinaus in die Sonne trat, hatte sie ein richtiges Hochgefühl, und sie stand einen Moment lang ganz still da, bevor sie beim Blick auf die Uhr bemerkte, dass sie spät dran war. Sie hätte Albin eigentlich jetzt schon abholen sollen und so machte sie sich mit hohem Tempo auf den Weg, den sie gekommen war. Als sie bei Forsvik ankam, völlig verschwitzt von dem Marsch und dem Wolljackett unter dem Mantel, bat sie die Dame an der Rezeption noch einmal, Wille Bescheid zu sagen. Sie hörte sie schon von weitem. Albin heulte, sodass es durchs ganze Gebäude hallte, und als Wille mit dem Kinderwagen auftauchte, waren beide völlig rot im Gesicht.

»Eine Stunde, hast du gesagt«, schimpfte Wille und schob ihr den Wagen vor die Füße.

»Entschuldige bitte, es hat länger gedauert«, antwortete sie und sah aus dem Augenwinkel auf die digitale Uhr an der Rezeption. Vor knapp eineinhalb Stunden hatte sie Albin abgegeben.

»Ich muss jetzt gehen. Tschüs Albin.« Wille beugte sich zu ihm und strich dem heulenden Kind über den Kopf. Dann wandte er sich an Ellinor. »Am besten fährst du ihn so schnell wie möglich hier raus«, sagte er und zog ein Gesicht wegen des Lärmpegels. Dann verabschiedete er sich kurz und ließ seine Familie an der Rezeption zurück.

Ellinor versuchte, Albin zu beruhigen, während sie den Wagen durch die Eingangstür schob. Kaum waren sie draußen, wurde er stiller. Sie klappte die Rückenlehne nach unten und holte das kleine Schwein aus der Wickeltasche. Normalerweise nahm sie das nicht mit, wenn sie unterwegs waren, doch heute war es eine Ausnahme. Albin griff sofort nach dem Kuscheltier, legte es zufrieden neben sich und zog an der Schnur. Als es anfing zu spielen, dauerte es nicht lange, da fielen ihm die Augen zu und sie waren noch nicht in den Bus eingestiegen, da schlief der kleine Kerl ruhig und friedlich.

Nina saß gemütlich im Garten, in eine Decke gekuschelt. Sie hatte ihre Sonnenliege, die sie schon vor ein paar Wochen in den Schuppen gestellt hatte, noch einmal herausgeholt. Die Auflage war ein bisschen klamm und an den Rändern waren kleine schwarze Schimmelpünktchen. Doch die ignorierte sie einfach und schloss die Augen. So saß sie nah an der Hauswand. Die klare Herbstsonne wärmte sie, und mit dem Gesicht in der Sonne sah sie unter den Augenlidern bunte Farben hin- und hertanzen.

Sie hatte sich zwei Tage frei genommen. Das war mittlerweile fast schon eine Tradition, diese zwei Urlaubstage, wenn der Herbst in voller Blüte stand. Vor ein paar Jahren hatte sie sich eine Grippe geholt und eine Woche lang das Bett hüten müssen. Da war ihr aufgefallen, dass ihr Bedürfnis nach Ruhe in dieser Jahreszeit unglaublich groß war, und in den darauffolgenden Jahren hatte sie beschlossen, auch ohne Infekt ein paar Tage auszuruhen.

Zwei Tage waren nicht viel, aber sie reichten aus, um Kraft zu tanken, wenn die dunkle Jahreszeit vor der Tür stand. Sie nahm sich nichts vor, diese Zeit sollte nur ihr gehören. Keine Pläne, keine Uhr. Als sie Camilla davon erzählte, hatte die spontan die Idee, auch frei zu nehmen. Und gemeinsam irgendwohin zu fahren, zum Beispiel einen Wellness-Urlaub zu machen. Aber Nina winkte ab. Sie wollte einfach nur zu Hause sein, in alten Klamotten durchs Haus schlurfen, vielleicht ein bisschen spazieren gehen oder wie jetzt auf einem gammligen Gartenstuhl sitzen und die Nase in die Sonne zu halten.

Sie versuchte, sich zu entspannen, aber in der letzten Woche war sie aus dem Takt gekommen. In ihr rumorte es, sie kam einfach nicht zur Ruhe. Sie schlief unruhig und erwachte oft von merkwürdigen Träumen. Sie wusste, dass man sie deuten konnte, aber was sollte man mit den verwirrenden Bildern von Häusern, Landschaften und Menschen aus ihrer Vergangenheit anfangen? Wenn Träume wirklich eine Botschaft enthielten, warum waren sie dann nicht so verpackt, dass man sie verstand?

Nina seufzte ruhelos und öffnete wieder die Augen. Als sie in die tiefstehende Sonne sah, musste sie blinzeln. Im Gegenlicht erkannte sie eine Figur, die die Straße entlanglief. Es war eine Frau mit Kinderwagen, und Nina dachte sich gleich, dass das Ellinor sein musste. Obwohl sie eigentlich vorgehabt hatte, allein auf der Terrasse zu liegen und sich auszuruhen, freute sie sich. Sie mochte Ellinor und seit sie vor ein paar Wochen bei Miriam gewesen waren, hatten sie sich nicht mehr richtig gesprochen.

Nina stand auf und rief hinüber zur Straße. Ellinor schob langsamer, als sie ihren Namen hörte, und sah sich erst erstaunt um, doch dann erkannte sie Nina. Sie winkte zurück.

»Hast du es eilig?« Nina fuhr mit den Füßen in ihre Schlappen und ging den kleinen Weg zum Zaun.

Ellinor warf einen Blick in den Kinderwagen. »Nein, aber Albin schläft gerade.«

»Oh, entschuldige!« Nina hielt sich die Hand vor den Mund. »Ich werde sofort aufhören zu schreien.«

»Kein Problem. Arbeitest du heute nicht?«

»Ich hab mir frei genommen. Manchmal braucht man das einfach.«

»Machst du Witze?«

»Tja, bei dir geht das leider nicht … Ich kann mich noch erinnern, wie es war, als Matthias klein war. O Gott, diese Müdigkeit!« Nina lächelte Ellinor an, die offensichtlich gar nichts mehr davon hören mochte. »Komm, ich mache uns einen Tee. Ich sitze ja doch nur faul auf der Veranda herum. In der Sonne ist es so schön warm.«

»Ja. Ich bin total durchgeschwitzt. Keine Ahnung, was ich mir heute Morgen beim Anziehen gedacht habe.«

Nina half Ellinor, den Kinderwagen über die schmalen Stufen zu tragen. »Ich hole nur eine Tasse«, sagte sie und verschwand. Ein paar Sekunden später war sie zurück und schenkte Tee aus einer Kanne ein, die auf einem kleinen Tisch neben dem Sonnenstuhl stand. Dann breitete sie die Decke direkt auf dem Holzboden aus und bot Ellinor an, es sich bequem zu machen. Sie holte ihre eigene Tasse und setzte sich daneben. »Du siehst übrigens ganz schön gestylt aus«, meinte sie und betrachtete Ellinor eingehend. »Diese Brille … Wie eine Juristin.«

Ellinor musste lachen. »Das war ja auch Sinn der Sache.«

»Wo warst du?«

»Bei einem Vorstellungsgespräch.«

»Für diese Stelle? Und wie war es?«

Ellinor zögerte. »Ich glaube, ganz gut.«

»Wirst du dann hier in Sävesta anfangen zu arbeiten?«

»Jetzt müssen wir erst einmal abwarten … Sie haben ja noch mehr Bewerbungen erhalten.«

»Ja, aber dich haben sie immerhin eingeladen.«

»Ja …«

»Na, dann steht fest, dass du den Job bekommst! Wie viele arbeitslose Juristen wird es hier schon geben?«

Ellinor zuckte mit den Schultern. »Möglicherweise recht

viele. Und nicht nur hier. Sicherlich bewerben sich auch Leute aus Linköping und Norrköping. Vielleicht sogar aus Jönköping.

»Ach, jetzt sei mal nicht so pessimistisch. Was sagt denn Wille dazu?«

»Ich weiß nicht genau. Schließlich habe ich ja den Job noch gar nicht …«

Nina schnitt ihr das Wort ab. »Aber du willst ihn?«

»Ja.« Ellinor nickte. »Absolut.«

»Aber dann sollte Wille sich doch freuen, dass du überhaupt so weit gekommen bist, meine ich.«

»Schon, aber wir haben ein Problem, das wir erst lösen müssen, falls ich die Zusage bekomme.«

»Was für ein Problem?«

Ellinor trank einen Schluck Tee und nickte in Richtung Kinderwagen. Nina verstand nicht.

»Albin? Aber er kommt doch in die Kinderkrippe?«

»Aber noch nicht jetzt. Erst nach dem Sommer.«

»Ach so … Aber kann Wille denn nicht auch Elternzeit nehmen?

»Mmh.« Ellinor schlang die Arme um ihren Oberkörper.

»Frierst du?«

»Nein, gar nicht. Ich …« Sie brach ab, ohne den Satz zu beenden. »Du, die Sache kann unter uns bleiben, ja? Mit dem Job.«

Nina sah sie mit großen Augen an. »Ja, natürlich. Wenn du das möchtest.«

Ellinor zuckte mit den Schultern und ein nervöses Lächeln flog über ihr Gesicht. »Danke. Du kennst das ja mit den Gerüchten in Kleinstädten …«

Nina nickte verständnisvoll und goss ihnen beiden noch Tee nach. Der Dampf des heißen Getränks stieg ringförmig in die Luft auf, und beide Frauen spürten in dem Moment die Sonne wieder und schlossen instinktiv die Augen.

»Ich habe Miriam diese Woche übrigens mehrmals gesehen.« Ellinor wechselte das Thema.

»Ja, es hat den Anschein, als hätte sie den schlimmsten Schock hinter sich. Ich habe nur ein paar Worte mit ihr gewechselt, aber ich fand sie sehr gelassen und ruhig.«

»Ja, den Eindruck hatte ich auch.«

»Ich war gestern übrigens selbst da.« Nina war gespannt auf Ellinors Reaktion.

»Wo warst du?«

»Bei unserer Nachbarin. Bei Janina.«

Ellinor riss die Augen auf. »Wirklich?«

»Ja. Bist du jetzt geschockt?« Nina lachte.

»Nein, aber …« Ellinor zuckte mit den Schultern.

»Ich war einfach neugierig. Natürlich fragt man sich, was da drinnen eigentlich vor sich geht. Tust du das nicht?«

»Mmh, keine Ahnung …«

»Ach komm schon, du bist auch neugierig?«

»Ja, ein bisschen vielleicht schon …« Ellinor verstummte. »Und – wie war es?«

»Haha, ich hab doch gesagt, dass du neugierig bist!« Nina lachte. »Es war wirklich ziemlich spannend. Sie hat eine Menge Dinge gesagt, die … die mir mal jemand sagen musste.«

»Ach wirklich?«

»Ja. Es ist nicht ganz einfach, das wiederzugeben. Aber es war, als sähe sie Dinge in mir, die ich selbst verdrängt hatte.«

»Das klingt aber unheimlich.«

»Nein, das war es nicht. Kein bisschen.«

»Aber wenn man etwas verdrängt, hat man doch meistens einen guten Grund.«

»Oder man ist einfach zu feige.«

»Ach was, du bist doch nicht feige. Ich finde, du bist eine enorm mutige Person.«

»Danke, lieb von dir, das zu sagen.« Nina lächelte. »Ich habe das auch erst gedacht, ich stehe zu meiner Person. Aber ich frage mich, ob das auch wirklich die Wahrheit ist.«

»Wie meinst du das?«

Nina überlegte einen Moment lang, was sie damit sagen wollte. Einfach war es nicht. Sie konnte die Gedankengänge nur schwer fassen, sie kaum auf einen Punkt bringen. »Als ich jung war …«, begann sie zaghaft und legte wieder eine Pause ein, bevor sie fortfuhr. »Als ich jung war, hatte ich eine Menge Träume und Ideen, aber … Wenn ich mir mein Leben jetzt so ansehe, frage ich mich manchmal, was eigentlich daraus geworden ist.«

»Aber so geht es doch jedem. Als ich sieben Jahre war, wollte ich Balletttänzerin werden … Und wurde Juristin.«

»Ja, aber stell dir vor, du hättest noch immer den Traum, Balletttänzerin zu sein. Wärst du dann als Juristin glücklich?«

Ellinor zuckte mit den Schultern. »Das ist doch ein bisschen weit hergeholt … Und welche Träume sind das, die du aufgegeben hast?«

»Ach, das spielt doch keine Rolle.« Nina winkte ab. Sie wollte nicht noch mehr in die Tiefe gehen. »Ich wollte nur sagen, dass der Besuch seinen Sinn hatte. Er hat mir einiges zu denken gegeben. Anregung zum Umdenken.«

»Das klingt aber anstrengend.«

Nina musste lachen. »Jetzt klingst du aber feige!«

»Wieso feige? Ich komme gerade von einem Vorstellungsgespräch!«

»Und bist du nicht neugierig, was daraus wird?«

»Du meinst bestimmt, dass unsere Nachbarin eine Antwort für mich hätte?«

»Vielleicht.«

»Da warte ich lieber den Bescheid von der Kanzlei ab.«

»Ach komm schon! Natürlich gehst du erst zu Janina!« Nina redete auf sie ein. »Sogar Miriam war da und schau sie dir an! Jetzt steht sie wieder im Garten und harkt das Laub zusammen.«

»Dann muss ich das wohl als versteckte Kritik an unserem laubübersäten Garten verstehen …«

»Ja, selbstverständlich. Nachbarschaftsverein gegen ungepflegte Gärten. Nina Heinonen, erste Vorsitzende. Guten Tag, guten Tag …« Sie lachte. »Nein, ganz im Ernst. Es war wirklich einen Besuch wert. Du wirst davon profitieren.«

»Aber ich will doch gar nichts erfahren.«

»Super, dann kannst du ja ganz gelassen da sitzen und dir anhören, was sie zu sagen hat …«

Ellinor wand sich. »Wie auch immer, heute nicht. Ich werde jetzt mit Albin nach Hause gehen.« Sie stellte die Teetasse hin und stand auf, aber Nina ließ nicht locker.

»Er schläft doch. Du kannst jetzt rübergehen. Ich passe auf ihn auf, wenn er wach wird. Glaub mir, ich bin ein guter Babysitter!«

»Ja, ich weiß nicht … Wahrsagerei ist nicht so mein Ding.«

»Dann sieh es als Mutprobe. Beweise mir, dass du dich traust.«

»Ich muss dir doch nichts beweisen.« Mit Betonung auf dem letzten Wort. Die lockere Stimmung war urplötzlich verschwunden.

»Nein, beweise es dir selbst. Komm, Ellinor. Ich habe das Gefühl, das ist wichtig für dich.« Nina stellte sich neben sie und legte ihr die Hand auf die Schulter. Sie war zu weit gegangen, das spürte sie. Eigentlich sollte sie aufhören, Ellinor zu überreden, sie kannte sie nicht gut genug. Doch sie konnte sich einfach nicht bremsen.

»Wichtig für wen?«

»Für dich.« Nina zog ihre Hand weg.

»Mir scheint, es ist eher dir wichtig.«

»Okay, dann eben mir.«

»Dann soll ich *deinetwegen* zu einer Wahrsagerin gehen?«

Nina versuchte, ein möglichst unschuldiges Gesicht zu machen. »Du könntest es mir doch zum Geburtstag schenken, das ist ja bald …«

Ellinor konnte sich das Lachen nicht verkneifen. »Du bist ganz schön anstrengend, weißt du das?«

»*Yes.*«

Ellinor seufzte. »Was meinst du, soll ich einfach hinübergehen und klingeln?«

»Ja. Sie ist zu Hause. Ich habe sie im Haus gesehen. Und es sind keine Kunden da«, schob sie schnell hinterher.

»Ich kann es nicht fassen, dass ich mich darauf einlasse.« Ellinor schüttelte den Kopf. »Wenn Albin wach wird, musst du aber gleich Bescheid sagen. Okay? Er wird todunglücklich, wenn er mich nicht findet.«

»Ich schwöre.« Nina hielt zwei Finger in die Luft und machte ein ernstes Gesicht.

Ellinor stand noch einen Moment lang da und zögerte, dann seufzte sie laut und drehte sich um. Nina sah, wie sie die Straße überquerte und zu Jeanette Falcks Haus hinüberging. Es dauerte einen Moment, bis die Tür geöffnet wurde und die rothaarige Frau erschien. Ellinor sprach mit ihr und zeigte hinüber zu Nina. Dann ließ Janina sie eintreten.

Nina setzte sich wieder auf ihren Liegestuhl in die Sonne. Sie linste nach wie vor zum Nachbarhaus hinüber, doch die Sonne spiegelte sich so in den Scheiben, dass man nicht sehen konnte, was sich dahinter abspielte. Wieder einmal hatte sie ihrem Instinkt nachgegeben, und wieder einmal war sie sich gar nicht so sicher, ob es wirklich richtig gewesen war.

Als sie öffnete, trug sie noch ihren Morgenrock. Es war schon fast halb elf, aber Jeanette Falck lief in einem langen, lilafarbenen Frotteemantel herum. Auf der linken Brust war ein Fleck zu sehen, woher er stammte, war nicht zu definieren. Ihr Haar war zu einem provisorischen Knoten zusammengebunden, ihr Gesicht blass und ungeschminkt.

Ellinors erster Impuls war es, sich zu entschuldigen und zu gehen. Kein guter Zeitpunkt. Aber wie sollte sie das anstellen. Jeanette Falck kannte sie ja bereits. Immerhin waren sie Nachbarn und grüßten sich, wenn sie sich trafen. Wie wär's mit einer Ausrede? Dass ihr 100 g Zucker fehlten oder ein Schraubenzieher? Deswegen klingelte man schon mal bei den Nachbarn. Aber auf die Schnelle fiel ihr nichts ein, was wirklich glaubwürdig geklungen hätte. Stattdessen begann sie stotternd, ihr Anliegen zu erklären. Dass Nina sie geschickt hätte. Und sie eigentlich gar nicht wüsste, wie so etwas vor sich ging.

Am Ende brachte sie schließlich doch die Frage heraus. Ob Jeanette jetzt wohl Zeit für eine Konsultation hätte? Auf dem kurzen Weg über die Straße hatte sie sich die Worte zurechtgelegt. Konsultation. Das klang nicht so lächerlich, das sagte man auch in anderen, seriösen Berufen. Bei einem Arzt oder einem Anwalt. Doch besonders viel half dieses Gedankenspiel auch nicht. Sie kam sich richtig dumm vor und bat hundert Mal um Entschuldigung, als sie miteinander sprachen. Während Jeanette Falck ihr zuhörte, ging ein

262

Lächeln über ihr Gesicht. Schließlich bat sie Ellinor hinein und ließ sie im Wohnzimmer kurz warten, damit sie sich umziehen konnte.

Ellinor stand nun in dem blauen Zimmer und vergaß für eine Weile all ihre Bedenken. So sehr war sie von der Einrichtung und den Farben an der Wand in dem öden kleinen Haus beeindruckt. Sie hatte ja einen Besichtungstermin in dem Haus gehabt, als es leer stand, doch jetzt war es nicht wiederzuerkennen. Das Wohnzimmer hatte eine völlig andere Ausstrahlung. Der Raum war ganz … anders. Exotisch. Nicht besonders ordentlich. Unter dem Divan in der Ecke lugten Staubmutzen hervor und auch die Fensterbretter waren von einer feinen Schicht überzogen.

Auf der einen Seite des Zimmers standen zwei Korbstühle an einem Tisch. Auf der dunklen Holzplatte waren ein paar Karten aufgedeckt. Sie musste an Patiencen denken. Als hätte Janina bis eben noch dort gesessen, bevor sie aufgestanden und zur Tür gegangen war. Ellinor trat ein paar Schritte vor. Ihr war klar, dass es sich um Tarotkarten handelte, aber sie hatte noch nie welche gesehen. Die Bilder waren kryptisch. Sie sah Männer und Frauen in Mänteln, Rüstungen, drapierten Kleidern und Kutten. Sie sah Schwerter, goldene Becher, Bettler und Tiere. Viele der Bilder sahen grausam und finster aus. Ob Miriam doch recht gehabt hatte, als sie von einer Hexenwerkstatt sprach?

Ellinor ließ die Fingerspitzen über die Tischkante gleiten und drehte sich ein bisschen, um die Karten anschauen zu können, die auf dem Kopf standen. Da hielt sie mit einem Mal die Luft an. Ein grimmiger, gehörnter Teufel sah ihr direkt ins Gesicht und winkte mit einer Hand. Aus seinem Rücken schienen Fledermausflügel zu wachsen und in der anderen Hand hielt er eine lodernde Fackel.

Einen Moment lang starrte sie auf das Bild auf dem Tisch,

dann hob sie die Karte langsam auf. Vor dem Teufel waren ein Mann und eine Frau angekettet. Sie waren nackt und schienen, als hätten sie sich aufgegeben. Wie Haustiere, ohne eigenen Willen. Lange Zeit sah Ellinor die Karte an. Dann zuckte sie zusammen. Janina war hineingekommen. Rasch legte Ellinor die Karte zurück auf den Tisch. Als ob sie etwas Verbotenes getan und ihre Nachbarin sie dabei erwischt hätte.

»Entschuldigung«, murmelte sie. »Ich wollte nicht … Ich …«

»Kein Problem.« Janinas ruhige Stimme unterbrach Ellinors Versuch einer Entschuldigung. »Sie haben sich eine interessante Karte ausgesucht«, sagte sie und nahm die Karte, die Ellinor gerade hingelegt hatte, in die Hand.

»Ich habe sie mir nicht ausgesucht. Ich habe sie nur in die Hand genommen, um das Bild anzuschauen.«

»Haben Sie das mit den anderen Karten, die auf dem Tisch lagen, auch getan?«

»Nein …«

»Gut, dann können wir wohl sagen, dass Sie sich diese hier ausgesucht haben?«

»Ja, na ja … Aber nicht bewusst.«

Janina schmunzelte. »Nein, selbstverständlich nicht. Beim Tarot geht es nicht ums bewusste Handeln. Wir wollen Kontakt zum Unbewussten aufnehmen. Und genau das haben Sie getan.«

»Aha.« Ellinors Stimme klang brüchig. Wie peinlich. Warum hatte sie sich nur darauf eingelassen? Sie glaubte doch gar nicht an so ein Zeug.

»Das ist der Teufel, das haben Sie sicherlich erkannt.« Janina nahm Platz und bedeutete Ellinor, es ihr nachzutun. Dann legte sie die Karte auf den Tisch und schob sie Ellinor hin.

»Werfen Sie mal einen Blick auf die Menschen. Glücklich sehen sie nicht gerade aus, oder?« Sie wartete keine Antwort ab. »Sie sind an den Teufel gekettet, sie kommen nicht los.«

»Er hat sie gefangen …« Ellinors Stimme war leise, fast widerwillig wurde sie in die Diskussion verwickelt.

»Aber sehen Sie die Ketten um ihren Hals?« Janina beugte sich vor und wies auf die groben Ketten, die am Sockel, auf dem der Teufel stand, befestigt waren und die die zwei menschlichen Gestalten gefangenhielten. »Sehen Sie, wie lose sie sitzen? Der Ring um den Hals ist so weit, dass man ihn jederzeit abstreifen könnte. Aber sie begreifen das nicht. Sie sitzen lieber weiterhin als Opfer an der Seite des Teufels. Darum geht es bei dieser Karte.« Janina betrachtete sie schweigend eine Weile, dann lächelte sie plötzlich und sammelte die restlichen Karten wieder ein. »Ich lege manchmal die Karten für mich selbst«, erklärte sie. »Damit war ich gerade beschäftigt, als Sie geklingelt haben.«

»Dann habe ich Sie gestört …«

»Das hätte ich schon gesagt.« Janina sah sie streng an. »Jetzt sind Sie hier. Und so soll es sein.« Sie mischte weiter. »Gibt es etwas Besonderes, das Sie auf dem Herzen haben?«

»Nein.« Die Antwort kam blitzartig. Sie war nicht hierhergekommen, um irgendetwas zu erfahren. Sie war gekommen, weil Nina sie überredet hatte. Nun lehnte sie sich zurück und verschränkte die Arme vor der Brust.

»Dann schauen wir einfach mal, was kommt.« Janina hielt Ellinor den Stapel hin und bat sie abzuheben. Dann begann sie, die Karten mit geübten Handgriffen auf den Tisch zu legen. Einige offen, andere verdeckt. Als das Bild vom Teufel wieder auftauchte, hielt sie demonstrativ einen

Augenblick inne. Dann legte sie den Stern fertig und betrachtete ihn eine Zeitlang, bevor sie begann.

Was dann kam, war verwirrend. Es sollte alles nur ein Spiel sein, mehr nicht, aber mit jeder Karte, die Janina deutete, fiel es Ellinor schwerer, die Distanz zu wahren. Es ging um ihre Kindheit, um Ellinors Rolle als Streitschlichterin, die sich jedem anpasste um des lieben Friedens willen. Janina benutzte vielleicht nicht exakt diese Worte, doch Ellinor erkannte sich gleich, wie sie immer zwischen der Ohnmacht ihrer Eltern und den Eskapaden ihrer Schwester Rebecka vermittelte. Diese Worte riefen Erinnerungen wach, keine schönen Erinnerungen, und Ellinor fiel es schwer, sich nichts anmerken zu lassen, als Janina ihr Streben beschrieb, es immer allen recht zu machen.

»Sie sehen mit Abstand auf das Leben, stimmt's? Sie sind nicht diejenige, die es lenkt. Sie sind das kleine Mädchen, das am Bahnhof steht und den Zügen hinterherschaut.« Janina sah ihr ins Gesicht. Ihr Blick war klar, aber Ellinor meinte, etwas wie Mitleid darin zu erkennen. Sie schluckte.

»Das ist wohl mal so, mal so …«, meinte sie verkniffen. Sie spürte einen Kloß im Hals, der schmerzte und Unruhe verbreitete, und mit einem Mal spürte sie eine Träne über die Wange laufen. Schnell wischte sie mit der Hand darüber. Sie war nicht der Typ, der weinte. Und schon gar nicht vor fremden Leuten.

Janina schien nicht gerade überrascht. »Sie sind Steinbock, stimmt's?«, fragte sie und zog ein Paket Papiertaschentücher aus der Jacke und hielt es Ellinor hin.

»Ja … Woher wissen Sie das?« Ellinor schnäuzte, war aber froh, dass sie das Gesprächsthema gewechselt hatten. Das Bild von dem kleinen Mädchen auf dem Bahnhof schmerzte noch immer.

»Das ist mein Beruf.« Janina zuckte mit den Schultern, um zu unterstreichen, dass sie dieses Wissen selbstverständlich fand. »Und ein bisschen Glück. Die Karten weisen darauf hin, aber es hätte auch sein können, dass Sie einfach viele Energien des Steinbockes in sich tragen. Das kann man nie so genau wissen.«

»Nein …« Sicher, es kam schon einmal vor, dass sie Horoskope las, aber doch eher aus Spaß und Neugier und nicht, weil sie daran glaubte. »Und was heißt das? Ich meine, dass ich Steinbock bin?«

»Das bedeutet eine ganze Menge, aber das, woran ich eben dachte, war, dass Sie die Zeit auf Ihrer Seite haben. Sie sind noch so jung.«

»Nun ja, ich werde im Januar achtundzwanzig.«

Janina entfuhr ein Lacher. »Ja, genau. Jung. Und Sie werden noch jünger werden …«

»Wie soll ich das verstehen?«

»Je älter Sie werden, desto jünger werden Sie sich fühlen. Das ist typisch für Steinböcke. Das verantwortungsbewusste Kind, das Sie gewesen sind …« – sie zeigte auf eine Karte, auf der eine finstere Königin auf ihrem Thron saß und einen Stern in der Hand hielt – »… wird lernen, die Dinge nicht mehr so schwer zu nehmen. Nicht immer wird die Welt auf Ihren Schultern ruhen.«

»Das klingt nicht schlecht …«

»Ja. Aber vergessen Sie nicht: Sie müssen erst die Kette von Ihrem Hals entfernen.« Sie sah auf und betrachtete Ellinor lange, ohne ein einziges Mal zu blinzeln. »Sie haben es ja gesehen, der Teufel ist wiedergekommen …«

Ellinor nickte. Natürlich hatte sie es gesehen. Keine Frage. Sie mochte diese Karte gar nicht. Sie machte ihr Angst, dieses angekettete Paar, das da einfach so stand, ausgeliefert und passiv.

Janina fuhr fort. »Sie müssen den Teufel loswerden, um Ihren Weg fortsetzen zu können. Vergessen Sie das nicht. Es liegt in Ihrer Hand.«

Stille im Raum. Dann setzte Janina sich auf. »Sie bekommen von mir auch noch eine Karte mit auf den Weg«, sagte sie und sammelte die Karten, die auf dem Tisch lagen, ein. Dann mischte sie wieder, hob selbst ab und nahm den Stapel mit den abgenutzten Karten noch einmal in die Hand. Die oberste deckte sie auf und legte sie offen auf den Tisch. Im ersten Moment war sie sehr erstaunt. Dann sammelte sie sich und begann zu sprechen. Ellinor hörte gespannt zu. Dies war eine ganz andere Botschaft. Nicht mehr dunkel. Nicht mehr schwer. Und tatsächlich lächelte sie zufrieden über das, was Janina zu sagen hatte.

Dann war die Sitzung vorbei.

Miriam hatte gerade zur Harke gegriffen, die an der Hauswand stand, als sie Nina auf der Straße erblickte. Sie schob einen Kinderwagen und sang, ziemlich hoch, Summ, summ, summ. Trotz ihres Gesangs war das Schreien aus dem Wagen nicht zu überhören. Als Nina Miriam bemerkte, hörte sie auf zu singen und lenkte den Wagen in Richtung auf Miriams Haus zu. An der Hecke grüßte sie freundlich und beugte sich hinunter, um das Kind herauszuholen.

»Das ist Albin«, erklärte sie und hob ihn heraus. »Ich passe eine Weile auf ihn auf.«

Der Kleine wurde nun still und sah sich um. Miriam lächelte ihn an.

»Suchst du deine Mama? Die Mama kommt gleich.« Sie wandte sich an Nina. »Komm doch rein, ich glaube, ich habe im Schuppen noch ein paar alte Spielsachen.«

Nina setzte Albin ab und nahm ihn an die Hand. Dann gingen sie beide den Weg zur Garage hinauf, wo Miriam stand. Sie hatte schon eine gelbe Plastikwanne mit Schaufel, Eimer, Sandförmchen und Bällen aufgetan.

»Die Mädchen sind ja längst aus dem Alter heraus«, sagte sie fast entschuldigend. »Irgendwie ist das übrig geblieben.«

»Ist ja perfekt! Ich hatte auch schon überlegt, ob ich noch Spielsachen von Matthias aufgehoben habe, aber ich glaube, ich habe alles weggeworfen, als Jens und ich uns getrennt haben. Du weißt schon, man geht die ganzen alten

Schränke und Kisten durch und mistet aus …« Sie verstummte. »Entschuldige bitte, wie plump von mir …«

»Das macht nichts. Ich verstehe schon.« Miriam stellte die Wanne vor Albin ab, der auch sofort anfing, verschiedene Teile auf den Asphalt zu räumen. Er machte einen zufriedenen Eindruck und mitunter entfuhr ihm ein Jauchzen vor Freude, wenn er wieder eine Schaufel entdeckte, die er auf die Kante der Wanne hauen konnte.

»Wann kommt Ellinor denn zurück?«

»Sie kann jeden Augenblick wieder da sein.« Nina zog ein Gesicht. »Ich habe ein bisschen Angst, dass ich sie zu dem Besuch bei unserer mystischen Nachbarin überredet habe …«

»Ach ja?«

»Ja, ich selbst bin auch schon dort gewesen«, entschuldigte sich Nina. »Es ist nicht so, dass ich nur euch dahin lotse.«

Miriam schmunzelte. »Hast du denn ein paar Antworten auf deine Fragen bekommen?«

»Na ja, ehrlich gesagt bin ich mit noch mehr Fragen wieder heimgegangen. Aber das ist auch etwas wert, oder?«

»Sicher.« Miriam nickte bedächtig.

»Und dann muss man manches von dem, was sie sagt, auch erst verarbeiten. Das braucht Zeit.« Nina beobachtete, wie Miriam reagierte. »Oder was sagst du dazu?«

»Ja, da hast du wohl recht. Manches kann man annehmen, anderes wiederum nicht.«

»Ja, das ist sicherlich so.« Nina zögerte ein bisschen. »Einige dieser Bilder auf den Karten haben mich verfolgt. Und manches, was sie sagte …« Sie hielt inne und sah über die Hecke, wo sich an Jeanette Falcks Haus soeben die Tür öffnete. »Sieh an, jetzt ist sie fertig.« Nina winkte mit den Armen und rief laut. »Hallo, Ellinor, wir sind hier!«

Ellinor winkte zurück und kurz darauf stand sie auch bei Miriam im Garten. Dann begrüßte sie Albin, hockte sich neben ihn und betrachtete den roten Eimer, den er ihr stolz vorführte.

»Ist er schon lange wach?«

»Nein, lange nicht. Und er war guter Dinge. Oder, was meinst du, Miriam?« Nina zwinkerte über Ellinors Kopf hinweg.

»Doch, wirklich.«

»Wie schön.« Ellinor stand wieder auf. Unter ihren Augen war schwarze Farbe verschmiert. Als ob die Mascara verlaufen sei.

»Miriam und ich haben uns gerade über Janina unterhalten …« Nina konnte sich nicht beherrschen. »Wie war es denn?«

Ellinor holte tief Luft und machte im ersten Moment ein Gesicht, als ob es nicht den Anschein hatte, als wollte sie darauf antworten. Doch dann überlegte sie es sich offenbar anders. »Sie war sehr direkt.« Ellinor atmete auf.

»Wie meinst du das?«

»Ja, wie soll ich sagen … Sie sprach von der eigenen Verantwortung.«

»Wofür?«

»Für … für das eigene Leben.« Ellinor wandte den Blick ab.

»Du musst nichts erzählen, wenn du nicht willst.« Miriam legte Ellinor die Hand auf den Arm. »Was sie gesagt hat, war an dich gerichtet. Nur du entscheidest darüber.«

»Ja …« Ellinor schwieg eine Weile. Dann musste sie lachen. »Stellt euch vor, ich bin bei einer Wahrsagerin gewesen! Das hätte ich im Leben nie geglaubt.« Doch das Lachen blieb ihr im Hals stecken. Sie sah die beiden anderen an. »Es war schon sonderbar«, meinte sie schließlich. »Aber auch interessant, auf gewisse Weise.«

»Ja, stimmt genau!« Ninas Begeisterung flammte wieder auf. »Ich weiß auch nicht, was ich mir davon versprochen habe. Ich glaube, nichts eigentlich. Aber dann, als sie anfing mit ihren Deutungen, hatte ich das Gefühl, dass alles, was sie sagte, stimmte. Ging es euch auch so?«

Ellinor verzog das Gesicht. »Na ja …«, sagte sie zögerlich und sah sich um. Albin war eben mit ein paar Dingen in der Hand abgezogen und hatte sie zu einem Blumenbeet getragen, wo er im Begriff war, mit dem Graben zu beginnen. »Ja, teilweise schon, einiges erkannte ich wieder.«

»Und wie war es bei dir?« Nina wandte sich an Miriam. »Hast du dich wiedererkannt?«

Miriam überlegte einen Moment, dann antwortete sie. »Ja, das kann ich wohl sagen«, meinte sie schließlich. »Und ich habe auch die Ratschläge bekommen, die nötig waren. Jedenfalls bereue ich es nicht, dagewesen zu sein.« Sie lächelte Nina an. Nun schwiegen sie alle drei und sahen zu Albin hinüber, der noch immer Erde aus dem Beet schaufelte. Doch keine von ihnen versuchte, ihn davon abzuhalten. Am Ende nahm Nina wieder den Faden auf.

»Und hast du eine Karte mit auf den Weg bekommen?«, fragte sie Ellinor und drehte sich zu ihr um.

»Ja. Am Ende hat sie eine extra für mich gezogen, als Rat. Meinst du die?«

Nina nickte. »Das hat sie bei mir auch gemacht. Und war es eine gute Karte?«

Ellinor strahlte. »Ich denke schon. Das Glücksrad … Das klingt doch gar nicht schlecht.«

»Das Glücksrad? Wirklich? Genau wie bei mir! Eine richtig gute Karte, oder? Sie handelt von Abenteuer und neuen Bekanntschaften. Und Reisen.«

»Merkwürdig …« Miriam strich sich mit der linken Hand leicht übers Kinn. »Das Glücksrad. Ich habe diese Karte auch bekommen.«

Die drei Frauen sahen sich mit großen Augen an.

»Wisst ihr was, ich bekomme eine Gänsehaut«, sagte Nina schließlich. »Das Kartenspiel war doch ganz dick. Glaubt ihr, sie hat geschummelt?«

»Aber warum sollte sie das tun?« Ellinor war ratlos.

»Ja, weiß ich auch nicht …«

»Sie sprach auch von neuen Bekanntschaften.« Miriam sah die beiden anderen an. »Da muss man wohl zugeben, dass sie recht hatte?«

Ellinor grinste. »Stimmt. Fehlt nur noch das Abenteuer.«

»Und die Reise«, ergänzte Nina. Sie hielt inne. »Und wenn das ein Zeichen ist, eine Aufforderung …«

»Wozu?«

»Dass wir eine Reise unternehmen. Wir alle drei.«

»Wir können ja mal zusammen mit dem Bus nach Sävesta fahren …« Ellinor musste lachen, stockte aber, als sie sah, dass Nina ein durchaus ernstes Gesicht machte.

»Aber, ehrlich gesagt, Miriam hat recht. Die neuen Bekanntschaften haben wir schon gemacht. Dann müssen wir nur noch die Reise organisieren.«

»Vielleicht muss man das auch nicht so wörtlich nehmen.« Miriam schien noch nicht überzeugt. »Das mit der Reise, meine ich. Das könnte ja auch eine Art Symbol sein.«

»Ja, richtig«, Ellinor nickte.

»Ein Symbol?« Nina schnaubte. »Eine Reise ist eine Reise. Wenn die Karten von einer Reise sprechen, dann kann das wohl kaum bedeuten, dass wir zu Hause sitzen und ›Abenteuer Reisen‹ anschauen.«

»Nein, aber …«

Nina schnitt Miriam, die widersprechen wollte, das Wort ab. »Es muss ja nicht so weit sein, was meint ihr? Das können wir doch selbst bestimmen. Wir könnten nach Kopenhagen oder nach London oder …«

»Für mich ist es nicht ganz einfach, mich freizumachen.« Ellinor sah zu Albin hinüber.

»Aber ein Wochenende wird sich doch einrichten lassen, oder? Du stillst doch nicht mehr.« Nina ließ einfach nicht locker.

»Nein, das nicht …«

»Und was meinst du, Miriam? Wäre das nicht ein Spaß? Eine Reise würde dir sicher guttun.«

»Ich weiß nicht recht …«

»Wir können uns ja auch ein Ziel in Schweden aussuchen. Was haltet ihr von Stockholm?« Nina sah die anderen beiden fragend an. Keine Antwort. Sie fuhr fort. »Ein Wochenende in Stockholm. Das muss gar nicht teuer sein, wenn wir ein günstiges Hotel finden. Überlegt mal, wie schön das wäre.« Sie klatschte vor Freude in die Hände. »Wir können durch die Museen ziehen, auf Djurgården flanieren, essen gehen, tanzen … Ein bisschen Tapetenwechsel, das täte uns doch allen gut?«

Ellinor trat von einem Fuß auf den anderen. »Ja, im Grunde hast du recht …«

»Da siehst du es! Und Albin wird auch ohne dich wunderbar zurecht kommen. Wir müssen doch nicht mehr als eine Nacht fort sein. Was meinst du, Miriam?«

»Vielleicht könnt auch ihr zwei …«

»Aber Miriam, was sagen die Karten! Natürlich fahren wir alle drei!«

Miriam seufzte. »Gut, wenn du das sagst.« Sie dachte einen Moment noch nach. »Na ja, ganz unmöglich wäre es eigentlich nicht«, meinte sie schließlich, schien jedoch noch nicht überzeugt zu sein.

Nina klatschte vor Freude in die Hände. »Wunderbar! Und wann geht es los?«

»Vielleicht im Frühling?« Ellinor schien von Ninas Begeisterung ein wenig angesteckt zu sein, doch in ihrer Stimme lag noch etwas Zurückhaltung.

»Ach was, Ellinor …« Nina machte ein enttäuschtes Gesicht. »Wir könnten doch noch vor Weihnachten fahren? Miriam, was sagst du?«

»Ja, vor Weihnachten wäre nicht schlecht. Was danach kommt, weiß ich noch nicht so recht …« Miriam verstummte und Nina wandte sich wieder eilig an Ellinor, die gerade ihren Timeplaner aus dem Aktenkoffer gezogen hatte und nun blätterte.

»Ich muss das natürlich mit Wille besprechen, aber … was haltet ihr von diesem Wochenende? Dem sechzehnten und siebzehnten? Dann könnte man auch gleich noch ein paar Weihnachtsgeschenke besorgen und das Angenehme mit dem Nützlichen verbinden.«

Nina fand die Idee gar nicht gut. »Aber Sinn der Reise ist es doch, dass wir etwas davon haben«, warf sie ein. »Dass wir mal etwas anderes sehen und Spaß haben. Heißt das, sich in einem vollen Kaufhaus eine Woche vor Weihnachten durchzudrängeln?«

Miriam unterbrach sie. »Es lässt sich bestimmt einrichten, dass beides möglich ist. Wenn Ellinor gern Weihnachtsgeschenke einkaufen will, dann wird sie das auch noch schaffen.«

Nina murmelte einen Kommentar, aber dann war ihr Enthusiasmus auch schon wieder zurück. »Dann organisiere ich für dieses Wochenende die Fahrkarten und buche ein Hotel. Ist das so in Ordnung?«

Miriam und Ellinor nickten. In dem Moment kam Albin auf seine Mama zu, die lehmigen Hände weit ausgestreckt. Ellinor hob ihn in den Wagen. »Zeit, nach Hause zu fahren«, meinte sie und lockerte die Bremse. »Vielen Dank fürs Babysitten! Und über die Reise sprechen wir noch. Wie gesagt, ich muss erst mit Wille reden.« Dann verabschiedete sie sich und fuhr wieder hinunter auf die Straße.

Nina drehte sich zu Miriam um. »Ist das so in Ordnung für dich?«, fragte sie vorsichtig.

»Doch, schon.« Miriam lächelte schnell. »Das wird sicher schön.«

»Bestimmt wird es schön. Das wird mehr als schön!« Nina umarmte sie. »Ich melde mich, sobald ich Näheres in Erfahrung gebracht habe.«

Miriam stand noch ein paar Minuten in der Einfahrt und sah Nina in ihr Haus gehen. Dann lief sie zurück in ihren Garten und griff wieder zur Harke, die sie an die Johannisbeersträucher gelehnt hatte. Wie viel Laub jetzt gefallen war! In letzter Zeit hatte sie sich wirklich zu wenig um den Garten gekümmert. Jetzt gab es viel zu tun. Die Rosen mussten abgedeckt und der Rasen musste ein letztes Mal gemäht werden. Dann musste sie den kleinen Gemüsegarten umgraben und die verblühten winterharten Stauden zurückschneiden. Niemand sollte sagen können, sie vernachlässige ihren Garten.

Langsam begann sie zu harken. Nina hatte sie mit der Reise überrumpelt. Warum hatte sie nur gleich zugesagt? Die Unruhe, die sie in der letzten Zeit so gut hatte in Schach halten können, machte sich wieder bemerkbar. Sie arbeitete schneller und versuchte, ihre Konzentration auf die Harke zu richten, mit der sie rhythmisch die einzelnen Blätter zu überschaubaren Haufen zusammenkehrte. Vielleicht war das auch gar nicht so schlimm, dachte sie bei sich. Wenn

sie nach Stockholm fuhr, würde das auch kaum etwas verändern. Sie hielt einen Augenblick inne und lehnte sich an
die Harke, fast außer Atem. So stand sie eine ganze Weile
da und starrte mit leerem Blick vor sich hin. Ganz langsam nahm ein Gedanke Gestalt an. Vielleicht hatte diese
Karte doch ihren Sinn. Vielleicht war es gerade so, dass sie
verreisen sollte. Sie schüttelte sich ein wenig, und als sie
von neuem die Harke nahm und kraftvoll weiterarbeitete,
spürte sie wieder die Ruhe in sich.

Wille war spät dran. Ellinor hatte Albin schon ins Bett gebracht und saß auf dem Sofa vor dem Fernseher, als sie
seinen Schlüssel in der Tür hörte. Heute war keine gute
Gelegenheit, ihren Unmut kund zu tun. Zwar zeigte sie
für seine Überstunden zunehmend weniger Geduld, aber
heute hatte er tatsächlich einen triftigen Grund. Und den
brachte er auch gleich vor, als er in der Tür stand.

»Ich musste noch sehr viel von dem nacharbeiten, was
am Vormittag liegengeblieben war«, sagte er, um einem
noch gar nicht ausgesprochenen Vorwurf von Ellinor zu-
vorzukommen.

»Verstehe«, antwortete sie knapp. Nach diesem defen-
siven Einleitungssatz hätte sie gern noch etwas hinterher-
geschoben. Doch sie verkniff es sich. Stattdessen versuchte
sie, sich auf den Bildschirm zu konzentrieren, wo gerade
eine grell geschminkte Homestylistin damit begann, eine
Wand Gold und Schwarz zu streichen. Wille ging in die Küche und wärmte sein Essen auf. Eine Weile saß sie allein auf
dem Sofa und hörte das Klappern von Töpfen und Geschirr,
bevor sie aufstand und zu ihm ging. Nichts würde besser,
wenn sie in die Rolle der beleidigten Hausfrau schlüpfte.

Sie lehnte sich mit dem Rücken gegen die Arbeitsplatte.
»Wie war es denn bei der Arbeit?«

»Stressig.«

»Aber Albin hat doch nicht die ganze Zeit geschrien,
oder?«

»Nein, aber die halbe.«

Schweigen im Raum. Ellinor wartete. Würde er sie nicht nach ihrem Tag fragen? Wille setzte sich hin und begann, die in der Mikrowelle aufgewärmten Pfannkuchen zu essen.

»Es lief übrigens ganz gut«, sagte sie, als noch immer keine Frage kam. »Mein Gespräch.«

»Ach ja. Schön. Vielleicht klappt es dann ja im Herbst.«

»Mmh.« Ellinor schluckte. »Und wenn sich vorher schon etwas ergeben würde … Was meinst du dazu?«

Wille hörte auf zu kauen und sah auf. »Wie soll ich das verstehen?«

»Wenn die Stelle, die in der Zeitung ausgeschrieben war, eventuell …« Sie verstummte.

»Aber das Thema hatten wir doch schon. Du musst mit deinen Bewerbungen abwarten, bis Albin in der Kindertagesstätte anfängt. Wie sollte das sonst funktionieren?«

»Ich weiß es nicht.«

Wille aß weiter. Es war ihm anzumerken, dass er verärgert war.

»Es ist sicherlich eine Ausnahme, dass es so eine Stelle in Sävesta gibt.«

»Aber dann wird sich eben etwas anderes finden.« Willes Tonfall wurde scharf. Er schob den halbleeren Teller zur Seite. »Wir haben das alles doch schon besprochen. Und wenn ich mich recht erinnere, dann waren wir uns einig, dass du bei Albin zu Hause bleibst. Oder habe ich das falsch verstanden?«

»Nein, das nicht, aber …« Ellinor brachte ihren Satz nicht zu Ende. Wille hatte ja recht, sie hatten sich darauf geeinigt. Aber als sie diese Entscheidung getroffen hatten, hatte sie sich auch alles anders vorgestellt. Jetzt saß sie allein mit einem Baby in einer Stadt, in der sie keinen Menschen kannte. Ihre Chancen, in Sävesta eine qualifizierte Arbeitsstelle zu finden, würden gleich Null sein. Sie holte tief Luft. »Vielleicht können wir unsere Pläne ändern«, meinte sie. »Es wird hier nicht leicht für mich werden, einen Job zu finden. Und falls ich die Chance jetzt bekomme, dann könnten wir sie vielleicht auch ergreifen.« Sie sagte bewusst *wir*, um zu betonen, dass dies ihr gemeinsames Problem war. Wille schien das nicht so zu sehen.

»Ich kann jetzt nicht frei nehmen, das ist dir doch klar. Ich arbeite hier gerade erst ein halbes Jahr. Das wäre das Ende meiner Karriere bei Forsvik, wenn ich plötzlich Elternzeit nehmen würde. Diesen Luxus können wir uns nicht leisten, so schön es auch wäre.« Er beruhigte sich ein wenig und sprach weiter. »Ich kann verstehen, dass du auch wieder anfangen willst zu arbeiten, dass du dich nach dem Leben draußen sehnst. Aber das kommt doch schon im nächsten Herbst. Kannst du nicht einfach versuchen, die Zeit zu Hause noch zu genießen?«

»Ja …« Das war keine konstruktive Diskussion. Eigentlich wäre sie auch nicht nötig gewesen, denn sie wusste ja noch gar nicht, ob sie den Job bekam. Aber nun war es zu spät. Wille war sichtbar verärgert und sie beschloss, das Gespräch so schnell wie möglich zu beenden. »Übrigens«, sagte sie. »Ich habe heute mit Miriam und Nina gesprochen.«

»Ach ja?«

»Wir hatten die Idee, für ein Wochenende gemeinsam zu verreisen.« Sie sah Wille an und wartete auf eine Reaktion.

»Ihr drei? Zusammen?«

»Ja.«

Wille brach in Gelächter aus. Erst war sie froh gewesen, dass er das vorangegangene Thema offensichtlich vergessen hatte, doch seine Reaktion fand sie ärgerlich.

»Was ist daran so komisch?«

»Ich finde es durchaus ein bisschen lustig. Das musst du zugeben.«

»Muss ich?«, fragte sie. »Wir haben das Wochenende in 14 Tagen ins Auge gefasst.«

Wille hörte auf zu lachen. »Wohin wollt ihr denn fahren?«

»Nach Stockholm. Nina will sich um Hotel und Fahrkosten kümmern. Sie meinte, es würde nicht so teuer werden.«

»Meinst du denn, dass das für Albin so gut ist?«

»Wie meinst du das?«

»Na ja, die ganzen Menschen dort in der Stadt. Da ist doch viel Rummel.«

»Aber Albin fährt nicht mit.« Ellinor schüttelte den Kopf, als sie Willes Verwirrung sah. »Albin bleibt bei dir. Eine Nacht wirst du doch wohl schaffen?«

»Aber … Aber er wird dich vermissen!«

»Dann könnt ihr euch gegenseitig ja trösten.« Ellinor ließ sich nicht abbringen. Und sie musste einfach mal raus. Nina hatte recht. Je mehr sie darüber nachdachte, desto klarer sah sie. Seit Albin auf der Welt war, hatte sie nichts mehr allein unternommen. Jetzt war es an der Zeit. Sie wollte durch die Stadt ziehen, ohne einen Kinderwagen zu schieben, sie wollte sich ein hübsches Kleid anziehen und die Fingernägel lackieren, ausgehen und das Leben genießen.

»So so, es wäre nett gewesen, wenn du vorher mal gefragt hättest, bevor ihr solche Entscheidungen trefft«, sagte Wille eingeschnappt und stand auf, um seinen Teller in die Spüle zu stellen. »Dann hoffen wir mal, dass ich an diesem Wochenende Zeit habe.«

»Ja, das hoffen wir mal.«

Wille bemerkte ihren sarkastischen Tonfall. »Aber du hast doch keinen Grund, sauer zu sein? Wir sind immer zwei, die für die Familie zuständig sind. Deshalb müssen wir uns absprechen, wenn wir uns etwas vornehmen. Das ist dir doch wohl klar?«

Ellinor wandte sich ab. Wann hatte Wille zuletzt nachgefragt, ob es ihr passte, wenn er später kam? »Ja, das ist mir klar«, antwortete sie. Jetzt hatten sie genug gestritten. Aber ihre Entscheidung stand fest. Sie würde nach Stockholm fahren.

Nina klopfte sanft an Matthias' Tür. Neben der Musik war von drinnen nichts zu hören. Sie klopfte noch einmal, jetzt etwas kräftiger.

»Wasnlos?« Matthias' Stimme klang genervt.

»Ich habe einen Tee gemacht. Falls ihr auch welchen möchtet.«

»Nee.«

»Okay.« Nina ging zurück zur Küche, doch auf halbem Weg hörte sie, wie die Tür aufging. Matthias sah heraus, mit zerzaustem Kopf.

»Doch, wir möchten doch Tee. Gibt es auch Brote?«

»Lässt sich machen. Kommt ihr in die Küche?«

»Ja.« Matthias verschwand wieder in seinem Zimmer.

Nina stellte drei Tassen auf den Tisch und holte Milch, Butter und Käse aus dem Kühlschrank. Dann schnitt sie ein paar Scheiben von dem Brot, das sie auf dem Heimweg gekauft hatte, ab. Gerade wollte sie rufen, dass alles fertig sei, da standen Matthias und Felicia in der Tür. Das junge Mädchen brachte ein kurzes Hallo heraus und sah dann wieder betreten zu Boden.

»Isst du jetzt auch?« Matthias sah unerfreut auf die drei Tassen.

»Hatte ich vor. Wenn ich darf.«

Matthias seufzte. »Kannst du dich nicht ins Wohnzimmer setzen?«

Felicia sah auf und zog ihn am Ärmel. »Ach komm,

sie kann doch bei uns sitzen«, sagte sie mit tiefer Stimme und sah Matthias mit ihren großen braunen Augen an. Er seufzte wieder, während Nina sich übertrieben höflich bedankte.

»Ach, wie liebenswert«, sagte sie. »Da hörst du es, Matthias. Ich *darf* in meiner eigenen Küche sitzen.«

Anfangs sprach Felicia nicht gerade viel, sondern antwortete meist einsilbig auf Ninas Fragen, aber nach einer Weile war sie nicht mehr ganz so schüchtern. Manchmal gelang es Nina sogar, Blickkontakt zu Felicia zu halten. Sie konnte verstehen, was Matthias an ihr mochte. Neben der Tatsache, dass sie süß war, verfügte sie auch über einen unterschwelligen Humor, der hier und da aufflackerte. Zudem machte sie, auch wenn sie etwas zurückhaltend war, einen sehr selbständigen Eindruck – ganz anders als die Mädchen ihres Alters. Sie sagte ihre Meinung, wenn ihr etwas nicht passte und piesackte Matthias mit Kleinigkeiten. Nina mochte sie auf Anhieb.

»Am nächsten Wochenende bin ich übrigens fort.« Nina sah Matthias an.

»Ach ja?« Er strahlte. »Wohin willst du denn?«

»Nach Stockholm.«

»Auf einen Kurs?«

»Nein, ich verreise mit Nina und Miriam. Ich will mir einfach ein schönes Wochenende machen.«

»Mit den beiden? Warum fährst du nicht mit Camilla?«

»Es hat sich so ergeben.« Sie hatte keine Lust, ihm von Janina und den Weissagungen zu erzählen. Manches war einfach nichts für einen Teenager. »Bleibt die Frage, was du an diesem Wochenende machst. Eigentlich bist du hier bei mir, aber ich dachte daran, Jens zu fragen, ob wir tauschen können.«

Matthias sah enttäuscht aus. »Muss das sein?«

»Nanu, ich dachte, du bist so gern bei Papa?«

»Ja, schon … Aber es wäre auch mal klasse, allein zu Hause zu sein.«

»Das hat beim letzten Mal nicht besonders gut funktioniert …«

»Aber das war nicht meine Schuld. Das war …«

»Komm, das Thema ist geklärt.« Nina schüttelte den Kopf. »Dieses Mal legen wir eindeutig fest, dass hier keine Freunde von dir auftauchen. Okay?« Sie sah ihn eindringlich an, lange genug um zu registrieren, dass er Felicia einen Blick zuwarf. »Ja, meinetwegen«, fügte sie hinzu. »Felicia kann kommen, aber niemand sonst. Das musst du mir versprechen. Sonst gehst du zu Jens.«

»Ich verspreche. Wann fährst du?«

»Am Samstag, und zwar früh am Morgen. Am Sonntagnachmittag komme ich zurück. Ich glaube, der Zug kommt um halb vier an. Schaffst du das?«

»Kein Problem.«

Felicia räusperte sich und sah auf die Küchenuhr an der Wand. »Ich muss los«, sagte sie. »Danke für den Tee.«

Matthias stand auf. »Ich komme mit zum Bus.« Er begleitete sie in den Flur, während Nina den Tisch abräumte. Als die Haustür zuflog, war es mit einem Mal ruhig im Haus. Nina nahm den Deckel der Margarinenschachtel und drückte ihn darauf. Dabei landete ein Klecks an ihrem Daumen und instinktiv schob sie den Finger in den Mund und leckte ihn ab, ohne nachzudenken. Sie verzog das Gesicht, als sie den ranzigen Geschmack der zimmerwarmen Margarine wahrnahm und stellte die Schachtel schnell wieder in den Kühlschrank.

Die Fahrt nach Stockholm stand. Die Zugfahrkarten waren gebucht, und sie hatte auch ein zentrales Hotel mit Wochenendpreisen aufgetrieben, wo eine Übernachtung nicht mehr als 580 Kronen kostete. Sie hatte Miriam und Ellinor Bescheid gesagt und beide waren einverstanden gewesen. Trotzdem war sie nervös. Ein Wochenende in Stockholm mit zwei Nachbarinnen, die sie eigentlich kaum kannte, und es war auch noch ihre Idee gewesen. Matthias hatte recht gehabt, wahrscheinlich hätte sie sich mit Camilla mehr amüsiert, aber jetzt hatten sie sich entschieden, und letzten Endes gab es ja auch einen Grund für diese ungewöhnliche Reisegruppe.

Nina räumte die Teetassen vom Tisch und stellte sie in die Spüle. Es war schon Wochen her, dass sie bei Janina gewesen war. Trotzdem spukten ihr Janinas Worte immer wieder im Kopf herum. Sie hatte sich eigentlich für eine recht forsche Person gehalten, eine die tat, was sie wollte. Aber Janinas Aufforderungen, auch Risiken einzugehen und sich nicht länger zurückzuhalten, hatten sie nachdenklich gemacht. Ein Leben voller Kompromisse. Fragen, die sie sonst so ohne weiteres unter den Teppich kehrte, ließen sich mit einem Mal nicht mehr abschütteln. Keine Frage, sie liebte ihr Leben und ihre Arbeit, aber hatte sie es sich wirklich so vorgestellt? Und wo waren ihre Träume geblieben?

Etwas wagen, um zu gewinnen. Ja, natürlich. Es war nicht so, dass sie es nicht wollte, sie wusste nur einfach nicht, wie sie es anstellen sollte.

Nina wischte ein paar Brotkrümel vom Holzbrett. Dann ging sie ins Wohnzimmer und machte Licht. Zuletzt knipste sie die Halogenspots an, die die Wand mit den Bildern anstrahlten. Sie ließ ihre Hand noch auf dem Lichtschalter liegen und betrachtete ihre Werke an der Wand lange und vollkommen ruhig. Sie waren wirklich gut, das sah sie selbst.

Einen Moment zögerte sie noch, dann trat sie einen

Schritt vor und nahm die eingerahmte Kohlezeichnung von Matthias als Baby ab. Das tat sie auch mit dem farbenprächtigen Ölgemälde, das sie im Kunstunterricht zum Thema »Feuer« gemalt hatte. Auch ein Aquarell, auf dem der See von Sävesta zu sehen war, stellte sie dazu, sowie zwei Selbstportraits in Kohle. Dann betrachtete sie die restlichen Bilder an der Wand. Sie waren nicht schlecht, aber auch nicht ausgesprochen gut. Nicht gut genug.

Dann trug sie die Bilder, die sie abgenommen hatte, zum Couchtisch und ließ sich dort nieder. Vorsichtig öffnete sie die Rahmen. Als schließlich alle Werke vor ihr lagen, nahm sie jedes einzelne noch einmal genau unter die Lupe. Einen kurzen Moment lang war sie nahe daran, es sich anders zu überlegen, doch dann fasste sie sich ein Herz.

Eines der beiden Selbstporträts nahm sie in die Hände und drehte es um. Sie hatte es auf der Rückseite mit Bleistift signiert und auch das Datum notiert. 22. April 1991. Nina zögerte. Doch dann stand sie auf und verließ das Zimmer. Kurz darauf war sie mit einem Radiergummi und einem Stift wieder zurück.

Als sie mit dem ersten Bild fertig war, kamen die anderen dran. Bei der Zeichnung von Matthias war es schwieriger, denn die hatte sie mit Tinte signiert. Nach ein paar misslungenen Versuchen entschied sie sich, den Rand so zu beschneiden, dass die Zahlen verschwanden. Das Motiv war noch gut zu sehen, aber das Bild war mit einem Mal viel kleiner und das Baby war nicht mehr mittig. Egal. Hauptsache, sie hatte nicht mehr ein Bild vor Augen, das fünfzehn Jahre alt war.

Als sie fertig war, ging sie hinüber ins Schlafzimmer und begann, die Kleiderschränke zu durchwühlen. Ganz hinten fand sie schließlich die schwarze Mappe. Als sie sie öffnete, fielen ihr unzählige Blätter und Bilder entgegen, die sie damals aussortiert hatte, als sie sich entscheiden musste, welche sie rahmen und im Wohnzimmer aufhängen wollte. Sie blätterte sie durch. Ihre Auswahl war nicht schlecht gewesen. Die meisten Zeichnungen aus der Mappe waren etwas kindliche Motive gewesen, und sowohl an den Skizzen als auch an den Gemälden erkannte man noch die Unreife des Künstlers. Nur ein Bild wies eine höhere Qualität auf. Ein Porträt von Camilla, wie sie vor einem Spiegel saß und sich schminkte. Ihre damals noch junge Freundin blinzelte und hielt eine Mascarabürste hoch. Ihr Haar war dunkel gewesen, das hatte Nina noch in Erinnerung, tulpenschwarz hieß die Farbe, doch das sah man der Bleistiftzeichnung nicht an.

Sie warf einen Blick auf die Rückseite. Das Bild war signiert, aber ohne Datum. Sie drehte es wieder um. Die junge Frau vor dem Spiegel schien irgendwie zeitlos. Sie wusste nicht recht, doch dann legte sie schließlich auch dieses Bild zu den anderen, für die sie sich entschieden hatte. Alle anderen schob sie auf einen Haufen, den sie unter dem Bett verstaute. Ihre ausgewählten Werke legte sie in die Mappe. Sie war groß genug, dass sogar das Ölbild hineinpasste und sie den Reißverschluss ohne Probleme zuziehen konnte. Dann stellte sie die Mappe zurück in den Kleiderschrank.

Nina war regelrecht erschöpft. Und das, obwohl sie bei der Arbeit den ganzen Tag lang stehen und die Arme hochhalten konnte. Jetzt war sie völlig erschlagen davon, ein paar Blätter Papier hin- und herzuschieben. Sie machte es sich auf dem Bett bequem, streckte sich und holte ein paar Mal ganz tief Luft. Dann schloss sie die Augen. Jetzt stand immerhin fest, was sie in Stockholm zu tun hatte.

Ellinor nahm den Fuß vom Gaspedal und griff nach dem Handy in ihrer Tasche. Sie war fast atemlos, als sie sich mit ihrem Namen meldete. Der Mann am anderen Ende der Leitung entschuldigte sich und fragte, ob er gerade störe. Nein, überhaupt nicht. Ellinor schluckte. Sie hatte dem Gespräch entgegengefiebert und war nun doch überrumpelt, als es kam.

Es dauerte nicht lange. Sie müssten sich noch einmal unterhalten, darüber waren sie sich einig. Aber er wollte auf jeden Fall gleich anrufen, meinte er. Die gute Neuigkeit mitteilen. Dafür bedankte sie sich und sagte, dass sie sich über die Entscheidung sehr freue, aber dass sie noch ein paar Tage Bedenkzeit benötigte. Leif Brink reagierte erstaunt, hatte aber letztendlich Verständnis. Wenn sie jedoch Abstand nehmen wolle, wäre er ihr dankbar, wenn sie das schnellstmöglich mitteilen würde, sagte er.

Abstand? Nein. Es handele sich vielmehr um praktische Details, entgegnete sie. Ein paar Kleinigkeiten müssten vorab geregelt werden. Aber das sollte kein Problem darstellen. Wirklich nicht.

D*ie Luft war klamm* und über den Gärten ringsum hingen vereinzelt Nebelschwaden. Miriam ging mit langsamen Schritten. Zwar hatten sie noch keine Minusgrade, aber es konnte trotzdem schon hier und da glatt sein und sie wollte keinesfalls riskieren zu stürzen und sich die Knochen zu brechen.

Sie kam von ihren Enkelkindern. Veronika war beim Elternsprechtag in der Schule gewesen und Christer hatte Fahrstunden am Abend gegeben. Er arbeitete als Lehrer in einer Fahrschule. Miriam hatte für die Mädchen gekocht und mit Jenny und Mathilda zu Abend gegessen. Frikadellen mit Bratkartoffeln und dazu Soße mit grünem Pfeffer. Und als Beilage Broccoli. Die Mädchen hatten ordentlichen Hunger gehabt, nur den Broccoli hatten sie liegengelassen. Miriam hatte keinen großen Appetit gehabt, sie hatte zugehört, was die Kinder von der Schule und den Klassenkameraden zu berichten hatten.

Veronika war heimgekommen, als das Essen gerade beendet war. Und Miriam hatte sich schlagartig überflüssig gefühlt, in dem Moment, als diese energiegeladene Frau wieder das Ruder übernahm, doch sie wollte noch bleiben, bis Christer kam. Als er schließlich eintrudelte, war es offensichtlich, dass er hundemüde war. Er umarmte sie zur Begrüßung und sagte nur kurz »Hallo, Mutter«.

Sowohl Christer als auch Susanne wussten nun Bescheid. Frank hatte endlich mit ihnen gesprochen. Susanne war aufgebracht gewesen und hatte spontan gesagt, sie wolle ihn nie wiedersehen. Er sei ein Lügner und Egoist und sie schäme sich, solch einen Vater zu haben. Das hatte Miriam natürlich nicht von Frank erfahren, er hatte ihr nur mitgeteilt, dass die Kinder informiert seien. Susanne hatte ihre Mutter selbst angerufen und den Vater heftig beschimpft. Miriam hatte versucht ihr klarzumachen, dass ihr Vater sein Leben so leben müsste, wie er es für richtig hielt und er sei glücklich mit Yvonne und dies sei die Hauptsache. Doch auf Susanne hatten ihre Entschuldigungen keinen Eindruck gemacht. Im Gegenteil, je mehr Verständnis Miriam zeigte, desto zügelloser wurde ihre Kritik. Das machte Miriam traurig. Sie wollte nicht zwischen Frank und den Kindern stehen. Es würde die Sache nicht besser machen, wenn auch noch ihre Beziehung belastet war.

Susanne hatte angeboten, nach Hause zu kommen, aber Miriam hatte abgelehnt. Sie käme zurecht, da müsse sie sich keine Sorgen machen. Sie wusste, wie teuer die Flüge waren. Susanne sollte ihr Geld lieber für wichtigere Dinge ausgeben.

Mit Christer war es etwas anderes gewesen. Das erste Mal, als sie ihn sah, nachdem er es erfahren hatte, hatte er nur beiläufig erwähnt, was »Vater erzählt« hatte. Und dann hatte er sich erkundigt, wie es ihr ginge. Aber eigentlich vermittelte er den Eindruck, als wollte er es gar nicht wissen. Er schien erleichtert zu sein, als sie ihm versicherte, dass es ihr gutging und dass das Leben trotz alle dem weitergehe. Seitdem hatte er sie nicht wieder darauf angesprochen. Es hatte fast den Anschein, als wollte er ignorieren, was geschehen war.

Als er sich nun auf das Sofa fallen ließ und die Füße hochlegte, fragte er nur knapp, wie es ihr ginge. Sie bedankte sich und meinte, es ginge ihr gut. Dass sie den Rasen nun zum letzten Mal gemäht habe und darauf hoffe, dass das milde Wetter langsam zu Ende gehe, damit der Garten zur Winterruhe käme. Christer nickte, schien aber nicht sehr interessiert. Als sie ihm von der Reise erzählte, die bevorstand, zog er kurz die Augenbrauen hoch, war aber ganz beruhigt von dem, was sie erzählte. Wenn seine Mutter verreiste und versuchte, sich zu amüsieren, konnte es ihr nicht so schlecht gehen. Er gähnte ausgiebig und sie verabschiedete sich daraufhin mit wenigen Worten. Dann ging sie in den Flur und zog Schuhe und Mantel an. Bevor sie ging, drückte sie die Mädchen zum Abschied und sagte, sie sollten gut auf sich aufpassen.

Nun war sie schon fast am Lingonstig angekommen. Der Nebel war dichter geworden und als ein Auto an ihr vorbeifuhr, sah sie feine Wassertropfen im Scheinwerferlicht glitzern. Als sie an Jeanette Falcks Haus vorbeikam, stand noch immer dasselbe Auto vor der Tür. Sie hatte Besuch, obwohl es bereits auf neun Uhr zuging. Doch mittlerweile konnte sie das gelassen sehen. Jeanette Falck war kein schlechter Mensch und vermutlich waren es ihre Kunden ebenso wenig. Sie gehörte ja nun auch dazu. Ein ganz normaler Mensch, einer von vielen.

Als sie ankam, lag ihr Haus ganz im Dunkeln, bis auf die Adventslichterbögen, die sie wie immer im Wohnzimmer, in der Küche und im Schlafzimmer aufgestellt hatte. Das sanfte Licht der Kerzen im Fenster schien durch kleine Büschel Engelshaar hindurch. Sie liebte diese Jahreszeit. Wenn man das Haus schmücken durfte und es sich gemütlich machte. Heutzutage war vieles so nüchtern wie in den Wohnzeitschriften, die Veronika las und ihr mitunter zum Lesen gab. Weiße Wände, weiße Möbelstücke, weiße Teppiche. Zu Weihnachten dekorierte man dann auch noch den Tannenbaum in weiß, möglichst mit weißen Kugeln. Stilvoll, so diktierten es die Überschriften. Aber eben nicht gerade gemütlich. Dieses Jahr würde sie keinen Weihnachtsbaum aufstellen, weder einen weißen noch einen grünen, aber die Adventslichterbögen, die Krippe und den ein oder anderen Engel hatte sie hervorgeholt.

Als sie im Haus war, ging Miriam zu ihrem Putzschrank und holte die rosa Gummihandschuhe heraus, die über einem Eimer hingen. Dann griff sie nach einem Putzlappen und der Flasche Ajax. Sie begann, im Wohnzimmer die Fensterbretter, die Bücherregale, den Couchtisch und den Fernseher abzustauben. Dann drehte sie eine Runde durchs Haus und wischte noch sämtliche anderen Möbelstücke ab. Das Tuch war bald schwarz vor Staub. Eigentlich hatte sie doch vor kurzem erst geputzt? Und am Morgen war sie bereits mit dem Staubsauger zugange gewesen.

Dann füllte sie ihre Kupferkanne mit Wasser und ging noch einmal herum, um ihre Blumen zu gießen. An der prachtvollen Porzellanblume blieb sie eine Weile stehen. Mittlerweile war sie schon alt, wohl noch aus den achtziger Jahren, aber sie blühte noch immer jedes Jahr. Bibi hatte sie einen Ableger gegeben, der auch gut gekommen war. Sie fragte sich, ob es den da oben in Hudiksvall noch gab.

Als sie mit dem Blumen gießen fertig war, ging Miriam wieder in die Küche und öffnete den Kühlschrank. Sie holte Milch, Orangensaft, Käse, Butter, einen halben Becher Sahne, eine Packung Mettwurst, einen offenen Becher Crème fraîche und einen Würfel Hefe heraus, der in ein paar Tagen ablaufen würde. Die flüssigen Lebensmittel kippte sie in den Abfluss und spülte gründlich nach. Dann nahm sie die Tüte mit dem Brot aus dem Brottopf, der auf der Arbeitsplatte stand. Sie schmierte sich zwei Brote mit jeweils zwei Scheiben Mettwurst und legte sie aufeinander in eine Dose, die sie dann wieder in den Kühlschrank stellte.

Sie hatte mit dem Gedanken gespielt, auch eine Thermoskanne mitzunehmen, aber sich entschieden, es zu lassen. Kaffee gab es auch im Zug zu kaufen.

Die leeren Milchpackungen und die übrigen Lebensmittel, die sie hervorgeholt hatte, warf sie in einen Müllbeutel und knotete ihn zu. Auch den Abfall aus dem Abfalleimer nahm sie heraus. Seufzend bemerkte sie, dass sie vergessen hatte, die Pfandflaschen und Dosen in den Laden zurückzubringen. Wie schusselig von ihr. Doch nun war es nicht mehr zu ändern. Bevor sie die Küche verließ und das Licht ausknipste, warf sie einen letzten Blick auf ihre Küche. Alles war sauber und ordentlich, genauso wie sie es haben wollte.

Das meiste für ihre Reise war vorbereitet. Die Kleider, die sie mitnehmen wollte, waren gewaschen. Eine elegante graue Wollhose mit Bügelfalte und eine weiße Bluse hingen frisch gebügelt im Kleiderschrank. Ein Paar Nylonstrümpfe und ein Kleid für den Abend hatte sie zusammengelegt und auf dem Bett deponiert. Die blauen Pumps hatte sie in einem Schuhsack verstaut und eine passende Kette dazu ausgesucht.

Die kleine marineblaue Reisetasche hatte sie schon am Morgen aus dem Keller geholt. Jetzt stellte sie sie auch auf das Bett. Das gelbe Meisterkaffee-Logo fiel ihr auf. Eine Kaffeetasse, von der drei Kringel Dampf von dem offensichtlich frisch aufgebrühten Kaffee aufstiegen. Ein Weihnachtsgeschenk von der Firma vor ein paar Jahren. Vielleicht hätte sie aus Stolz eine andere Tasche nehmen sollen? Aber was spielte das schon für eine Rolle. Diese hatte genau die richtige Größe und war die beste, die sie nach Franks Auszug finden konnte.

Die Schuhe packte sie zuerst ein, dann ein paar Slips und einen BH. Sie nahm nicht die übliche weiße Baumwollunterwäsche. Stattdessen hatte sie sich ein blassrosa Set ausgesucht. Es war aus einem festen, aber glänzenden Material, mit feiner Spitze am Dekolleté und am Bund. Der Slip brachte ihren Bauch in Form, und der BH stützte ihren Busen so perfekt, dass man ihn schon ahnen konnte, wenn sie ein Oberteil mit entsprechendem Ausschnitt wählte. Doch solche Kleidungsstücke besaß Miriam eigentlich gar nicht. Wen sollte es erfreuen, wenn sie ihren alternden Körper zur Schau stellte? Schon die rosafarbene Unterwäsche war ein Grenzfall. Frank hatte es einmal so ausgedrückt, sie sei sehr »jugendlich«. Seitdem hatte sie sie nur noch sehr selten getragen.

Miriam hielt inne und überlegte noch einmal, was sonst noch in den Koffer gehörte. Etwas Warmes vielleicht. Da oben in Stockholm konnte es wesentlich kälter sein. Sie zog eine wollweiße Schurwollstrickjacke vom Bügel aus dem Schrank, legte sie zusammen und packte sie obendrauf. Dann öffnete sie die unterste Schublade der Kommode und schob ein paar Pullover beiseite. Darunter lag ein flaches Päckchen, in Seidenpapier eingeschlagen. Sie zog es heraus und legte es auf das Bett. Bedächtig entfernte sie das knisternde weiße Papier und hob das Teil hoch.

Es war ein Nachthemd, figurbetont, fast bodenlang, aus champagnerfarbener Seide mit schmalen Trägern und sanften Spitzen am Ausschnitt. Miriam strich über den weichen Stoff. Sie hatte es nie getragen. Mehr als acht Jahre hatte es dort gelegen. Es war ein Geschenk von Bibi und Jan-Åke zu ihrem Fünfzigsten gewesen. Die anderen Gäste hatten gepfiffen und applaudiert, als sie das Paket geöffnet hatte. Sie erinnerte sich noch genau daran, wie peinlich es ihr gewesen war. Allein der Gedanke, dass Jan-Åke dabei gewesen war, als sie es ausgesucht hatten, trieb ihr die Hitze in die Wangen. Frank hatte das Geschenk gemustert und gesagt, dass es ja sehr hübsch sei, aber ob sie nicht für eine Schürze mehr Verwendung hätte. Dann hatte er gelacht und die anderen Gäste auch. Nur sie und Bibi hatten still daneben gesessen.

Aber jetzt würde sie es tragen. Es hatte lange genug im Schrank gelegen. Sie wickelte das Nachthemd wieder in das Seidenpapier und legte es auf die Strickjacke. Dann begab sie sich ins Badezimmer.

Viel packte sie nicht in ihre kleine Kulturtasche. Eine Flasche Oil of Olaz, ein Deo, eine Zahnbürste und eine kleine Zahncreme für die Reise. Das Kenzo-Parfüm, das Susanne ihr letztes Jahr zu Weihnachten geschenkt hatte, nahm sie auch mit. Sie schluckte noch einmal und sah in den Spiegel. Der Gedanke an Susanne hatte sie aus der Ruhe gebracht und Miriam versuchte, das Bild zu verdrängen. Ein schlechtes Gewissen machte die Sache nicht einfacher.

Dann reckte sie sich zum obersten Fach im Badezimmerschrank. Da stand ganz hinten diese braune Glasdose. Mit zitternder Hand holte sie sie herunter und wischte den Staub mit dem Zeigefinger weg. Auf dem Etikett stand ihr Name. Das war ein gutes Gefühl. Ein Beweis dafür, dass sie das Richtige tat.

Sie beeilte sich und packte die Dose auch in die kleine Tasche. Dann zog sie den Reißverschluss zu und sah auf. Ihr Gesichtsausdruck, den sie nun im Spiegel sah, war ruhig und entschlossen. Jetzt konnte sie sich auf die Reise machen.

Ellinor saß schweigend auf dem Rücksitz. Der Platz vorn neben Wille war von Albin in seinem rückwärts gerichteten Kindersitz belegt. Sie lächelte ihn an und versuchte, sich auf den kleinen Kerl zu konzentrieren, der mit dem Spielzeugfrosch wedelte, den er mitnehmen wollte. Die Stimmung im Auto war angespannt. Wille hatte zu Ellinors Reise nichts mehr verlauten lassen, aber er war weit davon entfernt, sich für sie zu freuen. Ihr tat das weh. Es ging doch wirklich nur um zwei Tage, sie würde doch morgen Abend bereits zurück sein. Und dafür musste sie nun ein schlechtes Gewissen haben?

Aber es war nicht nur die Reise, die ihr schwer im Magen lag. Das Gespräch mit Wille stand ihr noch bevor. Vielleicht wäre es besser gewesen, sie hätte es ihm schon gestern gesagt, als sie es erfahren hatte, doch aus irgendeinem Grund hatte sie es für sich behalten. Sie fand den Zeitpunkt für ein Gespräch so kurz vor ihrer Abfahrt nicht günstig. So wollte sie lieber abwarten, bis sie zurück war und sie sich zu Hause ganz in Ruhe hinsetzen und reden konnten. Da wäre mehr Zeit zum Diskutieren und sie könnte Wille besser erklären, was in ihr vorging. Damit er verstehen könnte, dass ihre Entscheidung, die sie vor dem Umzug getroffen hatten, revidiert werden musste. Weil sich die Dinge, die sie nicht hatten vorhersehen können, verändert hatten. Je mehr sie darüber nachdachte, desto schlimmer spürte sie das ungute Gefühl in der Magengegend. Warum musste sie jetzt ein schlechtes Gewissen haben? Warum war es nicht möglich, ihre Freude uneingeschränkt mit ihrem Mann zu teilen?

Wille bog Richtung Bahnhof ab und hielt vor dem gelben Gebäude. Ellinor zögerte, als sie sich abschnallte und aussteigen wollte. Sie beugte sich vor und küsste sanft Albins Füße. Er sah sie an und lachte, während sie versuchte ihm zu erklären, dass sie morgen wieder zurück sein würde. Jetzt war es das erste Mal, dass sie über Nacht fort sein würde. Es wäre ein wesentlich besseres Gefühl gewesen, wenn sie Wille auf ihrer Seite gehabt hätte. Wenn er ihr bestätigt hätte, dass das mit ihnen beiden gut klappen würde und sie sich keine Sorgen zu machen bräuchte. Aber den Gefallen hatte er ihr nicht getan.

»Viel Spaß.« Wille unterbrach ihren Gedankenfluss und sie ließ Albins Fuß los.

»Ja. Danke«, sagte sie und versuchte zu lachen. Ellinor beugte sich zu Wille und gab ihm einen Kuss auf die Wange. Dann nahm sie die Tasche vom Sitz und stieg aus. Als sie sah, wie der Wagen wieder losfuhr, schossen ihr die Tränen in die Augen. Sie winkte ihnen lange nach. Da erblickte sie Nina, die auf sie zugerannt kam, in der einen Hand eine Reisetasche, in der anderen eine schwarze Mappe.

»Hallo, ich bin gerade mit dem Bus angekommen. Hast du Miriam schon gesehen?«, fragte sie völlig außer Atem, während sie Ellinor umarmte.

»Nein, Wille hat mich gerade hergefahren. Vielleicht ist sie schon auf dem Bahnsteig. Was hast du denn dabei?« Ellinor zeigte auf die Mappe.

»Nichts besonderes. Kleinigkeiten. Wollen wir?«

Dann zogen sie los. Ellinor sah neugierig auf Ninas Mappe, aber sie schien nichts weiter über den Inhalt sagen zu wollen und so richtete sie ihren Blick nach vorn. Sie gingen ins Bahnhofsgebäude hinein und liefen zum Bahnsteig, wo sie Miriam stehen sahen. Sie trug einen beigen Mantel und eine braune Kappe. Neben ihr stand eine kleine dunkelblaue Reisetasche auf dem Boden.

»Ich war wohl die Erste«, meinte sie und es klang beinahe wie eine Entschuldigung. »Ich habe mir eine Taxe genommen. Als ich bei dir geklingelt habe, Nina, hat niemand geöffnet, da dachte ich mir, du bist schon weg.«

»Du hättest doch bei uns mitfahren können. Dass ich daran nicht gedacht habe!« Ellinor schüttelte den Kopf.

Miriam winkte ab. »Ach was, das war doch nett, mal wieder Taxi zu fahren. Oft kommt das nicht vor.«

Ellinor seufzte noch einmal, um zu zeigen, dass es ihr wirklich sehr leid tat, dass sie an ihre Nachbarin nicht gedacht hatte. Gleichzeitig war sie froh, dass sie Miriam die gedrückte Stimmung im Auto erspart hatte.

»Wir liegen richtig gut in der Zeit.« Nina gähnte. »Vielleicht ist es für einen Samstag etwas früh, aber wenn wir uns nun schon auf die Reise machen, wollen wir den Tag ja auch nutzen, oder?«

Die anderen nickten zustimmend. Im gleichen Moment war ein Gong von einer Uhr zu hören und eine raue Lautsprecherstimme kündigte an, dass der Zug nach Stockholm in Kürze auf Gleis eins einfahren würde. Nina sah den anderen beiden ins Gesicht. »Ja, meine Damen«, sagte sie und lächelte. »Jetzt geht's los.«

Sie machten es sich auf ihren Plätzen bequem und als sich der Zug in Bewegung setzte, lehnte Ellinor den Kopf an die Scheibe. Viel Schlaf hatte sie in der Nacht nicht bekommen. Albin war sehr unruhig gewesen, sodass sie mindestens dreimal aufgestanden war und ihn wieder hingelegt oder ihm Wasser geholt hatte. Die Müdigkeit spürte sie nun wie Blei im Körper, und das rhythmische Rattern des

Zuges machte sie noch schläfriger. Sie warf einen Blick auf die beiden anderen.

Nina hatte sich eine Illustrierte genommen und Miriam saß einfach nur da und sah aus dem Fenster. Wie hübsch sie war in ihrer grauen Hose und der frisch gebügelten weißen Bluse. Eine ältere Dame auf Reise. Ellinor spürte in dem Moment, wie wenig sie sich eigentlich kannten. Das galt auch für Nina. Sie waren Nachbarinnen, aber eigentlich nicht mehr. Es lagen zehn Jahre zwischen Nina und ihr und sogar dreißig Jahre zwischen ihr und Miriam. Auch wenn man ihre Ausbildung bedachte, hatten sie wenig gemeinsam. Nicht dass das etwas zu bedeuten hatte. Freundschaft machte keine Unterschiede, und vielleicht würden sie mit der Zeit ja richtige Freundinnen werden, dachte sie. Die Reise würde es zeigen.

Obwohl sie es zu verhindern versuchte, wanderten ihre Gedanken immer wieder nach Hause zu Wille. Woher nahm er sich eigentlich das Recht, ihr ein derart schlechtes Gewissen zu machen? Seine Einsilbigkeit in den vergangenen Tagen hätte sie beinahe dazu gebracht, die Reise abzusagen. Aber nun war sie unterwegs. Sie biss die Zähne zusammen, dass man es knirschen hörte. Das war ihr Urlaub, und Wille sollte es nicht auch noch schaffen, ihr die Stimmung zu vermiesen. Alles andere konnten sie klären, wenn sie wieder zurück war.

Sie musste blinzeln, als ihr die schwache Dezembersonne in die Augen schien und bereits nach ein paar Minuten hatte sie die Müdigkeit übermannt. Als sie erwachte, hatte sie von der unbequemen Sitzposition einen verspannten Nacken und ihre Augen waren ganz verklebt. Sie sah sich um und bemerkte, dass Nina sie beobachtete.

»Du bist eingeschlafen.«

»Lange?«

»Ziemlich. Wir sind gerade an Flen vorbeigefahren. Weit ist es nicht mehr.«

Ellinor reckte sich. »Tut mir leid, als Reisebegleitung tauge ich wohl nicht besonders.«

»Ach was, mach dir keine Gedanken! Ich habe es genossen, in Ruhe meine Zeitung zu lesen. Miriam und ich waren im Zugrestaurant und haben einen Kaffee getrunken. Hast du keinen Hunger?«

Ellinor überlegte. »Ich glaube nicht. Ich habe heute Morgen gut gefrühstückt.«

Miriam hatte den beiden zugehört. »Ja, gleich sind wir da«, meinte sie. »Was habt ihr heute vor?«

»Ich möchte gern durch die Geschäfte ziehen und nach Weihnachtsgeschenken schauen.« Ellinor bemühte sich, ein Gähnen zu unterdrücken.

»Und du Nina?«

»Ja, ich würde auch gern in die Stadt gehen. Ich habe mir ein paar Kleinigkeiten vorgenommen.«

Ellinor sah sie neugierig an. »Was denn für Kleinigkeiten?«

»Nichts Besonderes. Nur ein paar Dinge, die ich erledigen möchte, wenn ich schon in Stockholm bin.« Sie wandte sich ab und packte ihre Zeitschrift und den MP3-Player in die Tasche.

»Und was ist mit dir, Miriam?«

»Ich weiß nicht recht.« Sie machte ein nachdenkliches Gesicht. »Etwas Nettes. Vielleicht gehe ich in ein Museum. Oder spazieren, Richtung Djurgården. Da ist doch diese Promenade, die am Wasser entlang führt, wie heißt sie noch …?«

»Strandvägen?«

»Ja, genau. Da ist es so schön.«

Noch eine halbe Stunde Geplauder, dann fuhr der Zug

in den Bahnhof von Stockholm ein. Ellinor sah aus dem Fenster. Auf der einen Seite lagen das Stadshus und Riddarfjärden in der glitzernden Sonne. Auf der anderen Seite der Gleise sahen sie Gamla Stan, die Altstadt, und wenn sie sich noch ein wenig umdrehte, erkannte sie auch die Berge in Södermalm hinter ihnen. Sie lächelte vor sich hin. Ein Tag in Stockholm ohne Kinderwagen, ohne Einkaufstüten. Dieser Luxus war unbeschreiblich.

Der Zug quietschte, als er schließlich im Hauptbahnhof zum Stehen kam. Sie nahmen ihr Gepäck und stiegen aus. Nina übernahm die Führung.

»Das Hotel liegt am Ende der Drottninggata«, erklärte sie. »Das ist nicht weit, dahin laufen wir.«

Die beiden anderen folgten ihr und zwanzig Minuten später hatten sie das Haus aus den Siebzigern erreicht. Auf dem Schild, das oben angebracht war, stand *Queens Hotel*. Sie gingen durch die Eingangstür und sahen sich um. Nina räusperte sich.

»Vielleicht nicht gerade luxuriös …«, sagte sie zur Entschuldigung. »Aber es war ziemlich günstig.«

»Und liegt zentral«, fügte Ellinor hinzu. »Das ist doch klasse. Wir sitzen doch sowieso nicht im Hotel und drehen Däumchen.«

Sie checkten ein und erhielten ihre Zimmerschlüssel.

»Was meint ihr«, fragte Nina, als sie in den Fahrstuhl stiegen, um in den dritten Stock zu fahren. »Wollen wir uns heute Abend um halb sieben in der Lobby treffen? Ich habe uns einen Tisch für sieben Uhr bestellt. Das Restaurant ist nur einen Katzensprung entfernt.« Die anderen nickten. »Gut.« Nina schob den Schlüssel ins Schloss. »Dann wünsche ich Ihnen beiden einen angenehmen Aufenthalt.«

*M*iriam *schloss die Tür* und blieb einen Moment in dem kleinen Flur ihres Hotelzimmers stehen. Obwohl draußen die Sonne schien, war es hier drinnen dunkel. Das Fenster ging auf einen Hof und da sah man nichts anderes als eine graue Mauer. Ansonsten war an dem Zimmer nichts auszusetzen. Natürlich war es kein Vier-Sterne-Hotel, das war für den Preis auch nicht zu bekommen, aber es war sauber und ordentlich. Eine Bank, auf der man seinen Koffer abstellen konnte, ein Schreibtisch mit Telefon, an der Wand ein kleiner Fernseher, ein Sessel und dann ein großzügig bemessenes Bett. Sie linste durch den Spalt der Badezimmertür. Es roch nach Putzmittel.

Sie zog ihre Stiefel aus und betrat das Zimmer. Ihre Reisetasche stellte sie auf der Bank ab. Dann zog sie den Reißverschluss auf und holte das Kleid heraus. Es war knittrig geworden, obwohl sie es mit viel Mühe zusammengelegt hatte. Sie hängte es auf einen Bügel und hoffte, dass es sich bis zum Abend wieder glatt hängen würde.

Als sie ihre paar Kleidungsstücke ausgepackt hatte, nahm sie ihre Kulturtasche und ging ins Badezimmer. Einen Augenblick betrachtete sie sich im Badezimmerspiegel. Sie sah eine Frau mittleren Alters. Nein, sie sah eine alte Frau. Nicht nur ihr Gesicht spiegelte die Müdigkeit wider, ihre ganze Figur wirkte in sich zusammengesunken. Miriam bemühte sich, in den Spiegel zu lächeln, doch besonders viel änderte sich nicht. Ihr dünnes feines Haar, das in ihrer Jugend so blond gewesen und mit den Jahren immer dunkler geworden war, war nun fast ganz ergraut. Ihr einfacher Pagenschnitt sah aus wie immer. Langweilig. Eigentlich kein Wunder, dass Frank sich nicht mehr für sie interessierte. Es war nicht genug, nur für den anderen da zu sein, wie hatte sie das nur glauben können? Männer brauchten mehr. Etwas fürs Auge, das sie fesselte, das sie begehren konnten.

Miriam schob den Pony zur Seite und fasste ihre Haare im Nacken mit einer Hand zusammen. Ob das besser aussah? Sie war sich nicht sicher, aber ihr Gesicht wirkte so ganz anders. In ihrem Täschchen war ein Lippenstift, der einzige, den sie besaß, und sie legte eine ordentliche Schicht der korallenroten Farbe auf. Außerdem fuhr sie mit dem Zeigefinger darüber und verstrich das Rot auf den Wangen. Sie rieb so lange, bis die Farbe gleichmäßig verteilt war. Dann zog sie ihre Haare noch einmal aus dem Gesicht und betrachtete sich erneut.

Eigentlich war es dafür jetzt zu spät, das war ihr klar, aber der Gedanke, der ihr gekommen war, ließ sie nicht mehr los. Sie verließ das Badezimmer und suchte nach einem Telefonbuch. In der untersten Schreibtischschublade wurde sie fündig. Miriam griff sich den gelben Katalog und begann zu blättern. Geschlagene sechs Seiten nur Friseursalons. Wie sollte sie sich da entscheiden? Miriam betrachtete die ganzen Namen, dann schloss sie die Augen und ließ ihren Finger erst kreisen, bis sie ihn irgendwo landen ließ. Er traf eine Anzeige, eine der größeren. *Carsten & Alexander*. Miriam hatte das Gefühl, dass ihr der Name bekannt vorkam, doch sicher war sie sich nicht. Auf jeden Fall befand er sich in der Birger Jarlsgata und sie prägte sich die Hausnummer ein, bevor sie das Telefonbuch zur Seite legte, zum Bett hinüberging und sich dort niederließ.

Als sie lag, konnte sie durchs Fenster einen kleinen Streifen Himmel sehen. Lange lag sie so da und schaute, versuchte sich an dem intensiven Blau zu erfreuen, doch das Gefühl drang nicht durch in ihr Inneres. Ihre Finger zuckten, ihre Armen zitterten leicht. Sie konnte hier nicht länger liegen. Sie musste hinaus in die Stadt. Etwas Schönes unternehmen. Die Reise genießen, den Tag. Ihr war, als würde die Kraft kaum reichen, sich aufzurichten. Die Füße wieder auf den Boden zu stellen, aufzustehen, Stiefel und Mantel anzuziehen, die Tür zu öffnen und das Hotel zu verlassen.

Die frische Luft draußen auf der Straße tat ihr gut. Die Sonne und die ungewöhnliche Wärme zu dieser Jahreszeit hinterließen den Eindruck, als sei es Frühling, aber überall in der Stadt sah man Weihnachtsmänner und Lichterketten, und die Straßen quollen über vor Menschen im Weihnachtseinkaufsfieber. Miriam war heilfroh, dass sie sich nicht durch die vollen Kaufhäuser drängen musste. Ihre Weihnachtsgeschenke hatte sie schon gekauft. Zumindest die zwei für Jenny und Matilda. Sie lagen zu Hause auf dem Küchentisch und Miriam hoffte sehr, dass die Mädchen sich darüber freuen würden. Sie hatte lange mit der Verkäuferin beratschlagt und die süßen Cordkleider mit Blumen und Stickereien schließlich wieder zurückgehängt. Stattdessen hatte sie für jeden einen Plüschkapuzenpullover ausgesucht und passende T-Shirts dazu. Für Matilda in türkis und für Jenny in rosa. Auf dem Rücken war in Glitzerbuchstaben *Love* aufgedruckt und am Zipper des Reißverschlusses hing ein kleines Herz. Sicherheitshalber hatte sie den Bon aufgehoben.

Miriam bummelte die Straße entlang. Der ganze Betrieb um sie herum brachte ihre Lebensgeister langsam zurück. Bei Åhléns bog sie links ab, ging über den Sveaväg und weiter die Hamngata entlang, so wie es auf der Karte im Telefonbuch eingezeichnet gewesen war. Die großen, grell leuchtenden Eingänge der Kaufhäuser ließen sie kalt. Die gleichen Ketten, das gleiche Angebot wie zu Hause in Sävesta. Der Unterschied war wohl der, dass es in der Hauptstadt kleine Perlen in den Seitenstraßen zu entdecken gab, die Touristen wie sie nie fanden.

Langsam war es Mittagszeit geworden. Eigentlich sollte sie etwas essen. Noch hatte sich kein Hungergefühl eingestellt, doch als sie auf dem Weg zum Norrmalmstorg am Nordiska Kompaniets-Kaufhaus vorbeikam, ging sie hinein. Die große Empfangshalle war beeindruckend. Sie blieb stehen und ließ ihren Blick nach oben an die Decke wandern, wobei ihr fast schwindelig wurde. Ein riesiger Weihnachtsbaum schwebte in der Höhe, und hinter den Geländern der oberen Stockwerke sah man, wie die Menschen in dicken Winterkleidern kreuz und quer liefen. Auf der rechten Seite war die Schmuckabteilung, linkerhand wurden Blumen verkauft, aber geradeaus, ein paar Stufen höher befand sich ein kleines Café im Erdgeschoss. Das hatte sie gesucht.

Natürlich war es voll von Leuten. Zuerst fand sie keinen einzigen freien Platz, aber als sie ein paar Minuten gewartet hatte, erhob sich ein älteres Paar und Miriam ging schnell zu ihrem Tisch. Fasziniert betrachtete sie, wie der Mann seiner Frau in den eleganten dunkelbraunen Pelzmantel half. Sie knotete sich ein Seidentuch mit Hufeisenmuster um den Hals und als die beiden das Café verließen, hing ein schwerer Duft von Parfüm in der Luft.

Miriam zog ihren Mantel aus und nahm Platz. Die Tische standen eng beieinander und genau gegenüber saß ein Mann ihres Alters mit einer jungen Frau am Tisch, die ziemlich laut auf ihrem Handy telefonierte. Sie drehte unablässig mit dem Zeigefinger an einer ihrer langen blonden

Haarsträhnen und als sich ihr rotgeschminkter Mund zu einem schrillen Lachen öffnete, sah man eine perfekte Zahnreihe blinken. Der Mann sah Miriam an und lächelte, quasi als Entschuldigung für seine lautstarke Gesellschaft. Miriam lächelte zurück. Er machte einen netten Eindruck, doch als eine junge Kellnerin an ihren Tisch trat, wandte sie ihren Blick schnell wieder ab und bestellte ein Kännchen Tee und ein Toast mit Krabben.

Miriam sah sich um. Jede Menge gutaussehender junger Mütter mit Kinderwagen im Café. Wie sich die Zeiten änderten, dachte sie. Mit Säuglingen ins Restaurant zu gehen, war in ihrer Jugend undenkbar gewesen. Da wurde erwartet, dass sich die Mütter nur um ihre Kinder kümmerten. Als ob das genug wäre.

Ihr Blick wanderte weiter. Die meisten Besucher waren Frauen. Freundinnen, die sich zu einem schnellen Mittagessen im Einkaufsrummel trafen. Manche von ihnen waren vielleicht so alt wie sie selbst, doch sie konnte keinerlei Ähnlichkeiten feststellen. Diese Frauen sahen mindestens zehn Jahre jünger aus als sie. Sie trugen Jeans und Blazer, Polohemden und exklusiven Schmuck mit Perlen und Edelsteinen. Sie malte sich aus, dass das vielleicht Geschäftsführerinnen von eleganten Büros waren, vielleicht auch Anwältinnen und Ärztinnen. Dass sie in großzügigen Wohnungen lebten mit Stuck an der Decke und offenem Kamin. Sie hatte genau vor Augen, wie ihre protzigen Sofas aussahen, wie ihr Eichenesstisch mit weißen Lilien und Gräsern dekoriert war und wie der Samtüberwurf auf ihrem Doppelbett im Licht einer echten Tiffanylampe glitzerte. Sie hatte so oft solche Bilder angeschaut, dass sie wusste, wie deren Leben aussah. Wie ihres jedenfalls nicht.

Sie war in Sävesta geboren und hatte den größten Teil ihres Lebens in dem Haus im Lingustig verbracht. Dass ihr Leben völlig anders hätte verlaufen können, der Gedanke war ihr nie gekommen. Bis jetzt. Sie versuchte sich vorzustellen, dass sie nun eine Frau war, die im Hotel nächtigte, die verreiste, die ihre Freundinnen traf und in Restaurants saß. Jetzt befand sie sich allein im Kaufhaus und aß Krabbentoast. Miriam reckte sich. Die junge Frau gegenüber am Tisch beendete in dem Moment gerade ihr Gespräch.

»Tut mir leid, ich muss los«, sagte sie in einem lässigen Ton zu dem Mann am Tisch. »Ich treffe mich in fünf Minuten mit Alexander am Stureplan. Danke fürs Essen!« Sie wartete keine Antwort mehr ab. Stattdessen sprang sie auf und nahm ihren Mantel, bevor sie sich hinunterbeugte und den Mann auf die Wange küsste. »Bis bald. Ich ruf dich an.« Dann rauschte sie davon.

Miriam, die das Gespräch belauscht hatte, warf einen dezenten Blick auf den Mann, der der Frau hinterhersah. Er hatte schon dünnes Haar, aber buschige Augenbrauen und trug einen Dreitagebart. An seinem Hemd war der oberste Knopf offen und darüber trug er ein Tweedjacket mit Wildlederflecken auf den Ellenbogen. Auf seiner Wange war noch der Abdruck ihres Lippenstiftes zu sehen. Sie musste an Frank denken. Er hatte sie zwar wegen einer anderen verlassen, doch glücklicherweise nicht wegen einer zwanzig Jahre jüngeren Blondine. Obwohl das nun auch eigentlich keine Rolle mehr spielte.

Der Mann am Tisch nebenan hatte bemerkt, dass sie ihn musterte. »Ja, ja«, sagte er aufmunternd. »So wird man also einfach sitzen gelassen.«

Miriam war es unangenehm. Es war nicht ihre Art, fremde Leute zu belauschen. »Ja«, antwortete sie und versuchte, von der Peinlichkeit der Situation abzulenken. »Aber allein kann es ja auch ganz nett sein.« Was für ein Unsinn. Sie ärgerte sich gleich wieder über ihren Kommentar, aber der Mann schien die Konversation fortsetzen zu wollen.

»Da haben Sie recht. Und ich sitze lieber hier und trinke noch einen Kaffee, als dass ich mich in das Chaos in den Boutiquen stürze.« Er schüttelte sich bei dem Gedanken daran und nickte zu den Menschenmengen hinunter, die durch den Eingang strömten.

»Ja, das Weihnachtsgeschäft ist in vollem Gange.« Wieder kein geistreicher Kommentar. Es war so ungewohnt, sich mit Fremden zu unterhalten. Sie konnte zwar auf die Kunden in Bibis Präsentstübchen zugehen, aber hier war das etwas anderes, mit so wildfremden Menschen. Zudem war er ein Mann. Miriam nahm einen Schluck Tee, um die Röte auf ihren Wangen zu kaschieren.

Der Mann musste lachen. »Ja, dass man es nie lernt«, meinte er und holte sein Portemonnaie heraus. »Es ist ja nicht direkt etwas Neues, dass Weihnachten am vierundzwanzigsten ist, und trotzdem ist es jedes Jahr das Gleiche. Ich stecke den Kopf in den Sand, bis es nicht mehr geht und dann muss ich einen Tag vor Heiligabend losrennen und unter Zeitdruck einkaufen. Es geht ja, aber meist wird es recht teuer.« Er schüttelte den Kopf und legte ein paar Scheine auf den Tisch.

Miriam lachte über seine Beschreibung, doch ihr fiel keine passende Antwort ein. Für sie war Weihnachten gar nicht so voller Stress und Verpflichtung, wie es wohl so viele andere empfanden. Weihnachten war die Zeit im Jahr, in der sie endlich ihre Familie um sich hatte. Sie genoss es, sie bekochen zu können und liebte den Advent, wenn sie am ersten Sonntag zu backen begann. Christers Töchter aßen so gern ihre Mandelmuscheln und Butterschnitten, und die Schale mit selbstgemachtem Knäckebrot und in Schokolade getauchtes Marzipan, die am Nachmittag des

Heiligen Abend auf dem Tisch stand, war schon Tradition. Und wie hatte sie die schönen langen Sonntage genossen, wenn Frank und sie Zeit füreinander hatten, ohne dass die Arbeit oder Geschäftsreisen dazwischen kamen.

Was die Weihnachtsgeschenke anging, so lagen Welten zwischen dem, was ihr Tischnachbar beschrieben hatte und ihren eigenen Gewohnheiten. Normalerweise kaufte sie die Weihnachtsgeschenke schon Ende November und sie hatte es sich selbst zur Aufgabe gemacht, sich um alle Präsente für Kinder und Enkel zu kümmern. So musste Frank nur noch ein Geschenk für sie selbst aussuchen. Eine fast unlösbare Aufgabe, wenn man sein Gejammer bedachte. Dieses Problem hatte er in diesem Jahr immerhin gelöst.

Der nette Herr von anderen Tisch stand auf, um zu gehen. Miriam rutschte mit ihrem Stuhl etwas nach vorn, um ihm Platz zu machen. »Es war nett, Ihre Bekanntschaft zu machen«, verabschiedete er sich und lächelte wieder. »Und ich wünsche Ihnen ein wunderschönes Weihnachtsfest.«

»Danke schön. Das wünsche ich Ihnen auch.«

Miriam blieb noch eine Weile sitzen, bis sie auch bezahlte und das Café verließ. Auf dem Weg zum Ausgang kam sie an der Kosmetikabteilung vorbei. Die exklusiven Düfte lockten sie zwischen die Regale.

An einem der Tische stand ein junger Mann in weißem Kittel und schminkte eine Frau, die auf einem Hocker saß. Er schien sehr konzentriert und als er am Ende ihre Lippen mit perlmuttfarbenem Glanz überzog, sah es aus, als würde ein Künstler letzte Hand an sein Kunstwerk anlegen. Fasziniert blieb Miriam stehen und staunte. Als die Frau von dem Hocker aufstand, sah sie aus wie ein Mannequin aus einer Illustrierten.

Miriam wollte gerade weitergehen, als jemand sie am

Arm fasste. Sie drehte sich um. Ein anderer Mann, der den gleichen weißen Kittel trug, lächelte sie an. Er trug eine akkurate Frisur und sein Gesicht hatte so feminine Züge wie bei einem jungen Mädchen.

»Entschuldigen Sie«, sprach er sie mit sanfter Stimme an. »Ich glaube, Ihnen würde ein richtig roter Lippenstift hervorragend stehen! Sie haben ein so klassisches Gesicht, wenn Sie das entsprechend unterstreichen, sehen Sie blendend aus.« Er sah sie erwartungsvoll an. »Wenn Sie mir nur ein paar Minuten Zeit schenken, dann zeige ich es Ihnen«, schlug er vor.

Miriam war so überrumpelt von seiner Idee, dass sie nicht darauf kam zu widersprechen, und so landete sie auf dem Hocker, der gerade frei geworden war. Der junge Mann bat sie, es sich bequem zu machen. Ein paar Zuschauer standen bereits da. Miriam war es ein bisschen unangenehm, doch der Mann, der sie angesprochen hatte, ließ ihr keine Möglichkeit zu protestieren. Vorsichtig strich er ihr Haar aus dem Gesicht und betrachtete sie eingehend. Er summte und konzentrierte sich, dann griff er zu Pinsel und Farbe. Miriam schloss die Augen. Was für ein unwirkliches Gefühl, dazusitzen und die federleichten Pinselstriche im Gesicht zu spüren. Nach einer Weile bemerkte sie die Menschen um sie herum gar nicht mehr und sie ertappte sich selbst dabei, dass sie die Situation genoss.

Nach einer guten Viertelstunde war er fertig. Es sollte nur eine kleine Kostprobe sein, meinte er. Damit sie einen Eindruck davon bekam, was möglich sei. Wie eine gute Fee sprang er um sie herum, als sie in den Spiegel sah. Er war gespannt darauf, wie es ihr gefiel, sagte immer wieder, wie phantastisch sie aussah und dass er mit dem Lippenstift genau den richtigen Ton getroffen habe.

Miriam sah in den Spiegel und holte tief Luft.

»Sieht das nicht *wuuunderschön* aus?« Der junge Mann klatschte vor Begeisterung in die Hände.

»Doch.« Es war wunderschön. Keine Frage. An einer anderen. Einer Frau, die sich schminkte und die Lippen blutrot trug.

»Das ist wirklich absolut Ihr Farbton! Und wissen Sie, wie er heißt? *Happiness*! Ist das nicht herrlich?!«

»Ich nehme ihn.« Miriam lächelte.

»Natürlich, den müssen Sie nehmen. Alles andere wäre ein Verbrechen!« Er zog ein erschrecktes Gesicht und beugte sich vor, um unten aus dem Regal eine neue Packung zu nehmen. »Neue Mascara brauchen Sie vielleicht auch?«

Neue Mascara? Könnte man sagen, wenn man eine alte besäße.

»Ja, danke.«

Der Mann zog aus einer anderen Schublade noch eine glänzende kleine Schachtel hervor und tippte den Preis in die Kasse. Miriam schloss kurz die Augen, als sie die Summe sah. Dass so wenig so viel kosten konnte. Sie bezahlte, bedankte sich und packte die kleine Tüte in ihre Handtasche. Dann verließ sie das Kaufhaus.

Es war nicht weit zur Birger Jarlsgata, nur ein paar Minuten Fußweg vom Nordiska Kompaniets Kaufhaus. Dann stand sie vor einem Platz, von dem sie annahm, dass es der Stureplan sein musste. Miriam erkannte den berühmten Betonpilz. Der Treffpunkt der Stockholmer. Hier traf sich die High Society. Sie sah sich um. Die Menschen, die hier mit Einkaufstüten in der Hand und genervten Gesichtsausdrücken an ihr vorbeihetzten, machten keinen schöneren oder glücklicheren Eindruck als alle anderen. Sie hielt sich auf der linken Seite und bog vom Stureplan in die Kungsgata, lief noch ein paar Straßen weiter und stand dann vor der Straße, die sie sich gemerkt hatte.

Carsten & Alexanders Schaufenster war riesig und der Salon war hell beleuchtet und blendend weiß. Als Miriam hineinging, schlug ihr der Geräuschpegel wie eine Wand entgegen. Die laute Musik und der Lärm der Trockenhauben schreckten sie im ersten Moment ab. Ein paar Sekunden brauchte sie, bis sie sich daran gewöhnt hatte. Sie stand ein paar Meter vor der Rezeption, wo ein schwarzhaariges junges Mädchen mit Nasenpiercing etwas in den Computer tippte.

Miriam ging auf sie zu und räusperte sich. »Guten Tag, ich hätte gern einen Haarschnitt.«

»Ja, gern.« Das Mädchen sah auf und gab etwas in die Tastatur ein.

»Bei einem bestimmten Stylisten?«

»Ja, ich weiß nicht recht.« Sie zögerte. »Vielleicht Carsten oder Alexander …«

»Sind Sie bei einem der beiden schon Kundin?«

»Nein.«

Das Mädchen lächelte. »Weder Carsten noch Alexander nehmen neue Kunden an. Tut mir leid«, fügte sie hinzu, sah aber nicht so aus, als würde sie es ernst meinen. »Sie könnten einen Termin bei Linda bekommen, sie ist *senior stylist*. Passt es Ihnen am vierten Januar?«

»Januar? Nein, ich … Ich hatte mir vorgestellt … ich wollte gleich …«

Das Mädchen sah sie irritiert an. »Jetzt gleich? Haben Sie einen Termin?«

»Nein.« Miriam wurde langsam klar, dass da nichts zu machen war.

»Da kann ich leider nichts für Sie tun. Wissen Sie, wir haben bis zu einem Monat Vorlaufzeit.« Sie versuchte, betont freundlich zu sein und sah Miriam übertrieben mitleidsvoll an.

»Ich verstehe. Trotzdem vielen Dank.« Sie machte auf dem Absatz kehrt und war gerade an der Tür und wollte sie öffnen, als ihr jemand hinterher rief.

»Hallo, Entschuldigung!«

Miriam drehte sich noch einmal um. Das Mädchen an der Rezeption winkte sie heran. Neben ihr stand ein großer junger Mann mit blondem Pferdeschwanz. Er trug schwarze Lederhosen und am Oberkörper nur ein enges weißes T-Shirt. Knapp bekleidet. Miriam lief zurück – hatte sie etwas vergessen oder verloren?

»Sie haben Glück! Es sieht so aus, als wäre Andys nächste Kundin verhindert.«

Andy, so hieß offensichtlich der junge Mann neben ihr, machte ein verärgertes Gesicht. »Setz sie gleich auf die schwarze Liste«, schimpfte er. »So ein mieser Stil, einfach nicht zu erscheinen. Ich habe echt anderes zu tun, als auf Kunden zu warten, die nicht gewillt sind zu kommen! Und das war ein Termin zum Schneiden und Färben, das bedeutet zwei Stunden *totally lost*!«

Das Mädchen an der Rezeption versuchte ihn zu beruhigen. »Aber jetzt haben wir hier ja eine Kundin. Dann war das jetzt Glück im Unglück, oder?«

Andy gab keine Antwort. Stattdessen betrachtete er Miriam eingehend, was seine Stimmung auch nicht gerade verbesserte. »Geht es hier nur um einen Haarschnitt?«, fragte er angesäuert.

Das Mädchen sah Miriam fragend an. »Was dachten Sie?«

»Ja, das hatte ich mir so vorgestellt, aber …«

Andy kam um den Tresen herumgelaufen und begann, an ihren Haaren zu zupfen. »Wenn wir hier ein paar blonde und silberne Strähnchen machen, dann ist von dem Grau nicht mehr viel zu sehen.« Er sah Miriam an, doch sie rea-

314

gierte offenbar nicht so, wie er es sich gewünscht hatte. Er seufzte. »Man überlistet das Grau, indem man das Haar ein paar Nuancen aufhellt. Das sieht supergut aus.«

»Ach ja …«

»Sie können Ihren Mantel dort ablegen.« Er zeigte auf eine Kleiderstange. »Und dann legen wir los.«

Nina sah an dem Gebäude hinauf. Die Fassade mit ihren goldenen Buchstaben und kleinen Statuen war beeindruckend, und sie umklammerte ihre Mappe, während sie die Treppe hinaufging und nach den letzten Stufen vor dem großen Eingangsportal stand. Ihr Puls schlug, als hätte sie gerade ein Lauftraining hinter sich und sie spürte, wie ihre Zunge am Gaumen festklebte. Ihr Mund war ganz trocken geworden, als sie die Hand auf die schwere Klinke legte. Sie hatte hin- und herüberlegt. Jetzt war es an der Zeit, einen Schritt nach vorn zu tun. Der Gedanke war ebenso angsteinflößend wie verlockend. Ihr Leben würde nicht mehr dasselbe sein.

Sie holte tief Luft und merkte die Anspannung bis in die Fingerspitzen. Sie zog einmal an der Holztür und dann noch ein zweites Mal. Dann ließ sie die Klinke los und ihr Arm fiel kraftlos nach unten. Die Tür war geschlossen.

Wie angewurzelt blieb sie stehen, völlig verwirrt. In ihrer Phantasie war die Tür offen gewesen. Sie war hineingegangen, hatte mit jemandem gesprochen, gezeigt, was sie vorzuweisen hatte und ihre Arbeitsproben abgegeben. Dass sie warten musste, war ihr klar gewesen. Ein paar Wochen, vielleicht sogar Monate. Aber nicht das hier. Eine abgeschlossene Tür.

Nina sah sich um. Es gab nicht einmal eine Klingel. Sie trat ein paar Schritte zurück und sank auf der ersten Treppenstufe nieder. Es war Samstag. Schulen waren am

Wochenende nicht geöffnet. Sie legte den Kopf zwischen die Hände und wiegte ihn sachte. Wie hatte sie so blöd sein können.

Ihre Beine zitterten, als sie aufstand. Sie beugte sich hinunter und nahm ihre Mappe in die Hand. Die würde sie bestimmt auch mit der Post schicken können. Oder sie fuhr einfach unter der Woche noch einmal nach Stockholm und reichte sie ein.

Vielleicht.

Vielleicht ließ sie es auch sein. Die Energie, die sie vor ihrer Reise verspürt hatte, war mit einem Mal verschwunden. Sie blickte auf die Straße. Auf der anderen Seite des kleinen Parks konnte sie das Außenministerium sehen, sie kannte die Fassade aus dem Fernsehen. Ein Mann in grauem Sakko ging in dem Moment durch die Eingangstür. Vielleicht war das ja jemand, den sie kennen sollte. Doch mit Politikern kannte sie sich nicht besonders gut aus. Nina machte noch einen Schritt nach unten. In dem Moment hörte sie, wie sich die Tür öffnete. Da stand plötzlich eine junge Frau und Nina sprang die paar Stufen wieder nach oben.

»Hallo, Entschuldigung …«, begann sie, doch weiter kam sie nicht.

»Sie wollten herein?« Die junge Frau hielt die Tür einen Spalt offen.

»Ich … ich weiß nicht. Ich habe …« Nina hielt zur Erklärung die Mappe hoch, aber diese Geste schien die Frau nicht zu verstehen. Nina stammelte weiter. »Ich wollte mich bewerben … Für die Kunstakademie. Ich habe Bilder dabei, aber die Tür war verschlossen.« Sie schwieg. Die junge Frau starrte sie noch immer an, als warte sie auf eine Fortsetzung. Nina sah hinunter auf ihre Mappe. »Ich habe das eingepackt, was ich hatte«, sagte sie fast entschuldigend.

»Es ist schon länger her, dass ich gemalt habe, ich habe vergessen … Es war nie Zeit.« Die Worte purzelten durcheinander und die junge Frau mit den Dreadlocks, die vor ihr in rotem Mantel mit großen schwarzen Knöpfen stand, machte nun ein neugieriges Gesicht.

»Dann wollten Sie sich hier bewerben? Heute?« Sie zog die Augenbrauen hoch.

Nina nickte unglücklich. »War ziemlich blöd von mir, stimmt's?«

Die junge Frau musste lachen. Sie machte einen netten Eindruck. »Das ist nichts Besonderes«, antwortete sie. »Die meisten, die hier sind, sind ein bisschen chaotisch. Ich würde fast sagen, das ist die Voraussetzung dafür, dass man genommen wird.«

Nina versuchte zu lächeln. Sie hatte beinahe schon einen Krampf in der Hand, mit der sie die Mappe umklammerte. Die Frau fuhr fort. »Jedenfalls ist im Moment keine Bewerbungszeit. Ich weiß nicht, wann sie wieder losgeht. Das kann man auf der Homepage nachlesen. Oder rufen Sie am Montag an.« Sie schob die Tür noch ein paar Zentimeter weiter auf. »Dann müssen Sie jetzt also nicht hinein?« Als Nina den Kopf schüttelte, kam sie heraus und ließ die Tür wieder los. Die fiel mit einem dumpfen Schlag ins Schloss. »Viel Glück«, ertönte noch ihre Stimme und schon sprang sie die Treppe hinunter und nahm immer zwei Stufen gleichzeitig.

Nina stand noch vor der geschlossenen Tür. Völlig regungslos. Eigentlich sollte sie enttäuscht sein. All die Vorfreude, all die Anspannung. Doch das war nicht das, was sie fühlte. Vielmehr spürte sie Erleichterung. Und eine Spur Wehmut. Sie dachte, sie hätte begriffen, was sie tun sollte, wohin ihr Weg ging. Doch dann war es anders gekommen. Die Seifenblase war zerplatzt.

Langsam ging sie die Treppe hinunter. Dann stand sie ziellos auf der Straße ohne die geringste Ahnung, was sie jetzt anfangen sollte. Der ganze Tag, die ganze Reise, eigentlich noch viel mehr, hatten sich um ihre Bewerbung gedreht. Etwas anderes hatte sie sich nicht vorgenommen.

Weiter nördlich ging ihr Blick auf die Drottninggata. Dort waren nun noch mehr Leute unterwegs als auf dem Hinweg. Langsam bewegte sie sich in diese Richtung. Sie bummelte die Straße entlang und sah in die Schaufenster. Ging mal in das eine oder andere Geschäft, überließ es dem Zufall. Schob Kleider auf der Stange hin und her, interessierte sich aber nicht wirklich für das, was sie ansah.

Bald stand sie wieder am Sergels Torg. In der Mitte des dichten Verkehrs erhob sich oben die Glasstatue, und die schwarz-weiße Plattform erstreckte sich auf der unteren Ebene des Platzes. Alle Gebäude und Straßen waren über und über mit Weihnachtsdekoration geschmückt. Die matte Sonne minderte den Effekt am Tage, aber am Abend würde die ganze Stadt glitzern und funkeln. Sie entschied sich für eine Richtung und lief weiter. Die Mappe, die sie noch trug, war unhandlich und immer wieder passierte es ihr, dass sie Leute anrempelte und sich entschuldigen musste. Das hatte sie sich selbst zuzuschreiben, es war keine gute Idee gewesen.

Nach einer Runde durch die Galleria kam sie zum Kungsträdgården, der gemütlichen Parkanlage mitten in der Stadt. An einem Samstag wie heute bewegten sich die meisten Menschen in den Einkaufsstraßen und als sie unter den hoch aufragenden Bäumen spazierenging, war es bedeutend ruhiger. Ein paar Minuten später war sie auf der anderen Seite des Parks angelangt. Weiter vorn am Wasser konnte sie das Königliche Schloss sehen, und rechter Hand lag das feudale Gebäude, das, wie sie wusste, das

Café Opera war. Einmal war sie dort gewesen, aber das war sicherlich mindestens zehn Jahre her. Sie zögerte. Es war schon recht spät und sie hatte nach dem belegten Brot im Zug nichts mehr gegessen. Sie ging ein paar Schritte weiter auf das Café zu und sah nach, ob es offen war. Dieses Mal ließen sich die Türen öffnen und sie trat ein. In dem weitläufigen Eingang blieb sie wieder staunend stehen. Die große Bar auf der linken Seite war menschenleer, aber im oberen Stockwerk sah sie Leute.

Das angenehme Geklapper von Porzellan und Besteck empfing sie, als sie oben ankam. Der Geräuschpegel in dem kleinen Speisesaal war erstaunlich hoch, aber er störte sie nicht. Die Möbel waren altmodisch und die Tische mit weißen Leinentischdecken dekoriert. Ein Kellner kam auf sie zu und kurz darauf hatte sie einen Platz an einem Fenstertisch. Von ihrem Ledersessel aus konnte Nina über den Kungsträdgården blicken und die Menschen dort unten beobachten. Sie atmete tief durch und schloss für ein paar Sekunden die Augen.

Es kommt wie es kommt, ging es ihr durch den Kopf. Und sicher hat das alles einen Sinn.

Als der Kellner mit der Karte zurückkam, entschied sie sich schnell für ein Mittagessen. Eingelegter Lachs und Stampfkartoffeln mit Dillsauce. Eigentlich war sie versucht gewesen, das Kalbsfilet zu bestellen, doch der Preis hatte ihr den Appetit verschlagen. Ein Glas Weißwein bestellte sie außerdem, als ob es etwas zu feiern gab. Was auch immer.

Sie lehnte sich entspannt zurück und nahm einen Schluck von dem kühlen Wein, der sofort serviert worden war. Am Tisch gegenüber saßen zwei Männer mittleren Alters oder etwas darüber. Der eine von ihnen sah schon ein wenig verlebt aus. Sein Haar war ungekämmt und strubbelig und seine Nase ließ vermuten, dass er nicht zum ersten Mal mit ordentlichem Durst Bier trank. Der gestrickte Pullover, den er trug, war ziemlich fleckig und an einem Ärmel aufgerissen. Bis zu ihrem Platz vernahm Nina den Geruch von ungewaschener Wolle. Der Mann stach unter den übrigen Gästen in seiner Erscheinung hervor und sie wunderte sich, dass man ihn überhaupt hineingelassen hatte.

Der Mann, der ihn begleitete, war ein ganz anderer Typ, er trug Krawatte und Pullunder unter seinem Sakko, war ordentlich frisiert, sogar mit Scheitel. Sie unterhielten sich recht laut und zeitweise ahnte man einen Streit aufflammen, doch dann brachen sie wieder in lautes Gelächter aus und klopften sich freundschaftlich auf die Schulter. Sie waren ganz offensichtlich gute Freunde, vielleicht auch Kollegen, und der Ton, in dem sie miteinander sprachen, verhieß, dass sie sich schon lange kennen mussten.

Nina konnte es sich nicht verkneifen, ihnen heimlich zuzuhören.

»Shit«, hörte sie den Mann in dem grauen Pullover sagen. Er fuchtelte mit den Armen, während er sprach. »Ich bin mit dem verdammten Bild im Kopf aufgewacht. Es hing wie ein großes rotes Monster direkt über mir. Begreifst du? Ich konnte gar nicht anders, ich musste einfach aufstehen und schon am Morgen etwas Hochprozentiges trinken, ich wäre diese teuflische Farbe sonst nie losgeworden. Egal wo ich war, ich sah nur dieses Rot. Ich konnte nicht einmal aufs Klo, ohne diese Farbe zu sehen. Rot, rot, rot …!« Er hob die Stimme und der andere Mann legte ihm die Hand auf die Schulter, um ihn zu dämpfen.

»Aber dann fang doch an. Mal die Farbe weg, Viktor. Bring sie auf die Leinwand, dann bekommst du sie aus dem Kopf. Das funktioniert. Ich kenne dich doch.« Der Mann im Sakko lehnte sich zurück, als hätte er das Wort zum Sonntag gesprochen. Der andere nickte.

»Ja, ich weiß.« Er sah säuerlich aus, aber dann hob er wieder die Stimme. »Aber dieses Mal ist es viel schlimmer! Begreifst du? Als hätte mir jemand die Eingeweide herausgerissen und mir über den Kopf gehauen. Warum zum Teufel muss es nun das Rot sein?! Warum nicht einfach Blau?«

»Als es blau war, hast du dich über das Blau beschwert. Erinnerst du dich? Du hast gesagt, es fühle sich an, als sei dir der Himmel auf den Kopf gefallen.«

Der Mann im grauen Pullover murmelte etwas vor sich hin und der andre sprach weiter. »Es ist nicht die Farbe, die dich quält, es ist der Trieb zu malen. Wenn du ihn nicht befolgst, dann wird es so weitergehen. Du hättest auch mit Pistaziengrün im Kopf aufwachen können und es wäre dir genauso ergangen. Reiß dich zusammen! Kämpf dich durch das Rot. Lass es rausbluten! Auf die Leinwand!«

Nina lauschte fasziniert. Noch nie hatte sie jemanden so reden gehört. Ihr war, als hörte sie einen Dialog aus einem alten, gestelzten Theaterstück, aber gleichzeitig konnte sie sich dem Charisma des strubbeligen Mannes nicht entziehen. Seine Augen leuchteten, wenn er sprach. Sie sah zu ihm hinüber, als er den Kellner herbeiwinkte und ein weiteres Bier und einen Jägermeister bestellte. Irgendwie kamen ihr seine raue Stimme und die rot schimmernde Nase bekannt vor, seine überdeutliche Gestik, die ungeschliffene Art. Sie nahm einen Bissen von ihrem Lachs, der vor kurzem serviert worden war, und sperrte weiter die Ohren auf. Sein Begleiter hatte das Thema gewechselt und sprach nun von einer Ausstellung, die sie beide besucht hatten. Die Art und Weise, wie der Mann im grauen Pullover Farben und Motive kommentierte, frustrierte sie noch mehr. Sie kannte ihn auf jeden Fall. Er musste Künstler sein, so viel stand fest. Aber welcher? Ein Name geisterte in ihrem Kopf herum. Ob das sein konnte? Konnte das neben ihr dort Viktor Widmark sein?

Je öfter sie hinüber sah, desto überzeugter wurde sie. Natürlich, er war es. Sie musste sich zusammenreißen, um nicht zu glotzen. Viktor Widmark war einer der größten Künstler Schwedens und noch dazu einer, der auch Bilder für Hunderttausende von Kronen ins Ausland verkaufte. Sein intensiver dramatischer Stil wurde von vielen kopiert, aber nur von den Originalen strahlten die Farben auf so betörende Weise. Sie selbst hatte seine Bilder auch oft angeschaut, als sie noch malte. Das Ölbild mit dem Feuer, das nun in der Mappe lag, war ein Ergebnis einer Widmark-Ausstellung gewesen, die sie mit der Schule besucht hatte. Dass er nun nur ein paar Meter entfernt von ihr saß, war ganz unwirklich, und sie musste sich beherrschen, dass sie nicht ihre Hand ausstreckte, um seinen fleckigen Pullover zu berühren.

Jetzt unterhielten sich die Männer über eine Reise nach New-York. Viktor Widmark rutschte ungeduldig auf seinem Stuhl hin und her, dann kippte er das Glas mit Jägermeister, das der Keller soeben serviert hatte, hinunter.

»Verdammt, ich komme einfach nicht zur Ruhe, Torsten! Nach New York ist Schluss damit, ist das klar? Sonst male ich nie wieder Bilder.«

»Völlig klar, Viktor. Völlig klar. Nach dieser Ausstellung lasse ich dich in Ruhe. Ich werde selbst wie ein Wachhund vor deiner Tür lauern. Nicht ein Mensch wird über deine Schwelle kommen.«

Viktor Widmark grummelte. Er schien der Sache nicht recht zu trauen, sagte aber kein Wort mehr.

Der andere Mann, der ganz offensichtlich Torsten hieß, setzte sich auf, als der Mann ihm gegenüber noch einen Jägermeister bestellte. Er gab dem Personal ein diskretes

Zeichen, dass er bezahlen wolle und während Viktor sein nächstes Glas bekam, gab er dem Kellner seine Karte. Als sie sich schließlich zum Aufbruch bereit machten, war der berühmte Künstler deutlich angetrunken. Er rannte auf dem Weg hinaus einen Stuhl um und entschuldigte sich lauthals beim Personal, das herbeieilte und den Stuhl wieder aufstellte. Dann verließen die beiden das Restaurant.

Nina blieb sitzen. Sie war schon lange fertig mit dem Essen und auch ihr Weinglas und ihre Kaffeetasse waren leer. Trotzdem hatte sie sich Mühe gegeben, ihr Essen in die Länge zu ziehen. Jedes Wort von Viktor Widmark war etwas Besonderes gewesen, und nun, da die beiden gegangen waren, war sie noch ganz ergriffen. Er hatte von Farben und Malerei in einer Art und Weise gesprochen, die sie nie für möglich gehalten hätte. Als sei das Malen ein Gefühl, ein Zwang, die Grundlage für das Leben überhaupt.

Und da saß sie nun. Mit ihrer Mappe und den alten Bildern. Sie schämte sich. Sicherlich, diesen Drang hatte sie auch verspürt, vielleicht nicht in gleichem Maße wie Viktor Widmark, aber sie hatte noch gut in Erinnerung, wie wichtig es für sie gewesen war. Das Malen stand an erster Stelle, vor allem anderen. Und was war dann geschehen? Vermutlich spielte es gar keine Rolle.

Die Gegenwart war wichtig.

Nina bezahlte und ging. Es war der letzte Samstag vor Weihnachten, die Geschäfte waren noch geöffnet. Sie zog ihre Jacke über, verabschiedete sich und ging eilig hinaus. Noch war Zeit.

Ellinor spazierte die Drottninggata entlang. Es war bereits dunkel geworden, aber das Gedränge auf der Straße hatte noch nicht nachgelassen. Die Menschen wurden von den beleuchteten Geschäften angezogen wie die Nachtschmetterlinge vom Licht. Sie selbst war mit ihren Weihnachtseinkäufen ganz zufrieden, aber ihre Füße taten weh und nach einem Tag Fußmarsch fühlte sich ihr Körper ganz schwer an.

Am Designtorg hatte sie eine kindliche Brosche entdeckt, auf der Perlen in verschiedenen Rosatönen angebracht waren. Die würde sie Rebecka schenken. Eigentlich war das mehr, als sie verdiente, dachte Ellinor bei sich, als sie die hundertneunundachtzig Kronen auf den Tisch legte. Rebecka gab für Ellinors Weihnachtsgeschenk in der Regel keine Summen aus. Eine Duftkerze, eine Flasche Badeschaum oder ein Taschenbuch. Einmal hatte sie von der großen Schwester sogar Topflappen geschenkt bekommen. Vermutlich als Provokation.

Für ihre Mutter hatte sie ein Paar Schaffellpantoffeln gekauft und ihr Vater sollte ein Buch bekommen. Für Albin hatte sie ein Puzzle mit Tieren und einen neuen Schlafanzug erstanden. Sie hatte erst einen entdeckt, dessen Stoff rot war, darauf viele kleine weiße Herzen. Doch dann hatte sie lange gezögert. Vermutlich war er für Mädchen gedacht. Und wenn schon. Er hatte eine schöne Farbe und Albin würde darin süß wie eine Zuckerstange aussehen. Und trotzdem – sie hatte gerade im Ausgang gestanden, da hatte sie es sich wieder anders überlegt. Wille würde vermutlich protestieren und sich weigern, seinem Sohn Mädchenkleider anzuziehen, und bei dem Gedanken an seine Reaktion drehte sie wieder um. Sie fand stattdessen einen grauen Schlafanzug und stellte sich noch einmal in die Schlange, um ihr Geschenk umzutauschen. Sie versuchte sich damit zu trösten, dass er immerhin gelbe Bündchen an Ärmeln und Beinen hatte, aber im Nachhinein ärgerte sie sich über sich selbst.

Und ihr Mann war auch der Einzige gewesen, für den sie kein Geschenk gefunden hatte. Eigentlich hatte sie viele Ideen gehabt. Lambswoolpullover, Hemden, Bücher. Aber jedes Mal hatte sie etwas davon abgehalten. Auf dem Weg ins Hotel konnte sie ja auch noch fündig werden. Ansonsten müsste sie das in Sävesta erledigen. Da war die Auswahl zwar nicht so groß, aber sie würde schon etwas finden.

Ellinor warf einen Blick auf die Uhr, während sie die Straße hinunter hastete. Gleich fünf Uhr und das Wichtigste hatte sie noch gar nicht erledigt. Sie wollte sich doch ein Kleid kaufen, etwas für diesen speziellen Abend. In ihrem Kleiderschrank zu Hause hatte sie beim besten Willen nichts finden können, alles war langweilig und aus der Mode gekommen. Heute Abend wollte sie richtig gut aussehen.

Jetzt musste sie einen Zahn zulegen, wenn sie das noch schaffen wollte. Fünf vor fünf schlüpfte sie durch den Eingang eines H&M-Geschäfts. Das Gedränge und die Hitze darinnen setzten ihr so zu, dass sie schon glaubte, ohnmächtig zu werden. Sie hätte auch tagsüber etwas essen sollen. Das Wiener Würstchen hielt nicht lange vor und neben dem Schwindel spürte sie nun auch einen Kopfschmerz, der vom Hunger herrührte. Der Gedanke, jetzt Klamotten anzuprobieren, in den Schlangen vor den Umkleidekabinen und an der Kasse zu stehen, war erschlagend.

Sie sah sich um. Da hinten hingen rote Kleider, die im Scheinwerferlicht richtig glänzten. Am Oberteil waren Goldpailletten auf den seidenartigen Stoff genäht und die Ärmel waren aus dünnem Chiffon. Ellinor fühlte am Stoff. Das könnte sie sogar am Heiligen Abend tragen, dann hätte sie dieses Problem auch gleich gelöst. Sie sah die Größen der Kleider auf der Stange durch. Eine 38 war dabei. Sie hielt sich das Kleid an den Körper. Das könnte passen. Sollte passen. Ellinor nahm es und ging hinüber in die Abteilung mit dem Modeschmuck. Nach einer Weile konnte sie sich für ein Paar Ohrringe in Gold und Rot entscheiden. Perfekt für das Kleid, aber vermutlich nur dafür. Nun ja, für neununddreißig Kronen konnte sie sich auch mal Eintagsschmuck leisten.

Die Schlange an der Kasse war lang und es war bereits zwanzig vor sechs, als sie aus dem Laden kam. Ihr lief der Schweiß den Rücken hinunter, die Einkaufstüten schnitten ihr in die Handflächen und in ihrem Kopf dröhnte es so sehr, dass ihr schon bald schwarz vor Augen wurde. Sie kaufte sich einen Apfel und eine Dose Cola, die sie in eine ihrer Tüten stopfte.

Jetzt hatte sie es eilig. Richtig eilig. Es blieb ihr nur noch eine halbe Stunde Zeit, um zu duschen und sich umzuziehen. So hatte sie sich das nicht vorgestellt. Sie wollte eigentlich in Ruhe ein Bad nehmen, entspannen und sich ganz gemütlich fertig machen. Den ruhigen Spätnachmittag im Hotel genießen. Sich vielleicht einen Drink aus der Minibar gönnen. Stattdessen flitzte sie nun im Laufschritt die Straße hinunter, während ihre Tüten in der Hand baumelten und der Kopf wie ein Schlagbohrer donnerte. Müde war sie auch, ein ganzer Tag in der Stadt kostete Kraft. Einen

Moment lang spielte sie mit dem Gedanken, auf ihrem Zimmer zu bleiben. Den Fernseher einzuschalten und früh schlafen zu gehen. Nina und Miriam zu sagen, das sie sich nicht wohl fühlte.

Nein, das konnte sie nicht. Sie musste sich zusammenreißen. Immerhin hatten sie beschlossen, sich einen schönen Abend zu machen!

Nina stand auf dem Flur und suchte in ihren Jackentaschen nach dem Zimmerschlüssel, als plötzlich der Fahrstuhl hielt und eine Frau in einem braunen Mantel ausstieg. Sie brauchte ein paar Sekunden, ehe sie reagierte.

»Miriam! Aber ...« Ihr fehlten die Worte. Sie starrte Miriam an, als sie im Flur stand. »Was hast du denn gemacht?«

»Ich war beim Friseur.« Ihre Stimme war kläglich. »Und habe mir die Haare färben lassen.«

»Nicht zu übersehen.« Nina stellte die große Tüte ab, die sie in der Hand hielt und ging zu Miriam hinüber. »Das ... das sieht hübsch aus.« Sie verstummte wieder und die beiden Frauen sahen sich an.

»Ich sehe verboten aus. Oder?« Miriam versuchte zu lächeln, als sie das sagte.

»Nein, es ist wirklich schön geworden. Vielleicht ein bisschen zu ... aufgedonnert. Oder was meinst du?«

Miriam seufzte. »Ich habe ihm freie Hand gelassen.«

»Wem?«

»Dem Friseur. Bei Carsten & Alexander.«

Nina pfiff. »Da warst du! Dann ist das kein Wunder. Lass mal sehen, dreh dich um.« Miriam drehte sich einmal um sich selbst und Nina fingerte an ihrer Frisur herum, die ordentlich mit Haarspray fixiert war. »Ich finde, die Farbe steht dir wahnsinnig gut. Sie ist zwar ein bisschen dramatisch, aber sehr hübsch. Ich habe mich selbst nie getraut, so viel zu blondieren, aber zu dir passen die blonden und silbernen Strähnen enorm gut. Das wirkt so lebendig. Und auch ein bisschen glamourös.«

»Ich sehe aus wie eine abgetakelte Hollywood-Diva.«

»Hollywood-Star, ja das stimmt. Aber absolut nicht abgetakelt!«

»So kann ich jedenfalls nicht unter die Leute gehen.« Miriam machte ein trauriges Gesicht. »Das bin ich nicht.« Sie seufzte. »Ich wollte mich doch nur ein bisschen hübsch machen lassen und nicht als Zsa Zsa Gabor herumlaufen.«

»Komm mit in mein Zimmer, das kriegen wir hin.« Nina schloss die Tür auf und trug die Tüte hinein.

»Was hast du denn gekauft?«, fragte Miriam, während sie zaghaft ein paar Schritte ins Zimmer tat.

»Nur Kleinigkeiten. Ein Weihnachtsgeschenk für mich selbst, könnte man sagen.« Nina lächelte. »Leg deinen Mantel ab und dann spül deine Haare mal im Badezimmer durch.«

»Aber ich möchte nicht, dass du dir meinetwegen Umstände machst.«

»Keine Widerworte, natürlich helfe ich dir!«

Miriam knöpfte ihren Mantel auf und hängte ihn auf einen Bügel. Dann ging sie ins Badezimmer. Nina hörte dann den Wasserstrahl von der Dusche und ein paar Minuten später stand Miriam mit einem Handtuch um die Schultern vor ihr. Nina setzte sie auf den Stuhl vor dem Schreibtisch, wo sie in den Spiegel sehen konnte. Mit geübten Handgriffen kämmte sie das Haar durch und summte ein wenig vor sich hin.

»Wenn ich ehrlich sein soll, dann glaube ich, dass du Schwierigkeiten haben wirst, diese Frisur allein hinzubekommen. Der Schnitt ist sehr kompliziert und wenn du keine Übung im Stylen hast, wird das Ergebnis nicht besonders gut ausfallen.« Sie zog ein wenig an den nassen Strähnen. »Was meinst du? Sollen wir sie abschneiden?«

»Du meinst: richtig kurz?«

»Ja, aber keinen ältere Damen-Schnitt, sondern eine sanfte Frisur, weiblicher. Ich glaube, das wird dir wahnsinnig gut stehen. Und wie gesagt, die Farbe ist ja schon toll.«

Miriam saß einen Moment da und wusste nicht recht. Dann zuckte sie mit den Schultern. »Mach's, wie du denkst.«

Nina holte die Schere aus ihrem Kulturbeutel aus dem Badezimmer. Sie hatte sie immer dabei, wenn sie verreiste, das hatte sie sich nach all den Fortbildungen, auf die sie fuhr, so angewöhnt. Und dann begann sie zu schneiden. Nach einer halben Stunde konzentrierter Arbeit war sie fertig und holte den Fön und eine Dose Haarwachs aus dem Badezimmer. Als sie fertig gefönt hatte, verteilte sie etwas Wachs zwischen den Handflächen und zog sie über die Spitzen. Dann betrachtete sie Miriam im Spiegel und machte ein zufriedenes Gesicht.

»Also, wenn ich es selbst sagen darf, ich finde, es ist ganz schön gut geworden!« Gespannt wartete sie auf Miriams Reaktion. Die Frau auf dem Stuhl vor ihr drehte den Kopf bedächtig von rechts nach links und wieder zurück. Die Nackenhaare waren gekürzt und ihr Gesicht umrahmten weiche Strähnchen in Silberblond.

»Ganz anders«, staunte sie und fuhr sich mit den Fingern durchs Haar. »Ich habe immer gedacht, kurze Haare kleiden mich nicht.«

»Das steht dir enorm gut. Schau mal, wie deine wunderschöne Wangenpartie jetzt zur Geltung kommt!« Nina wuschelte leicht mit den Fingern durch Miriams Haar. »Das musst du jetzt einfach nur fönen und dann ein kleines bisschen Wachs in die Spitzen tun.« Sie hielt ihr die Dose hin. »Hier, die kannst du haben! Die schenke ich dir.« Bevor Miriam widersprechen konnte, fuhr sie fort. »Es soll nicht so gerade und brav aussehen. Hast du gesehen, wie gut jetzt die kleinen Wirbel rauskommen, weil wir die Haare um einiges gekürzt haben?«

»Ich wusste gar nicht, dass ich Wirbel habe.«

»Dann hast du jetzt etwas Neues an dir entdeckt.«

Miriam saß noch schweigend auf dem Stuhl und hielt die Dose Haarwachs fest, während Nina begann, die Haare, die auf den Boden gefallen waren, mit Miriams Handtuch zusammenzukehren. »Ich wünschte, ich hätte das alles nicht entdecken müssen.« Ihre Stimme klang so zerbrechlich, dass Nina innehielt, um ihr zuzuhören.

»Was denn?«

»So viel Neues an mir.«

»Dass du Wirbel hast?«

Miriam lächelte, aber ihr Blick war noch ernst. »Vielleicht nicht gerade das. Ich musste an all das denken, was ich von mir selbst erfahren habe, seit Frank gegangen ist. Wie hilflos ich ohne ihn bin. Wie wenig ich selbst kann. Wie bedeutungslos mein Leben ohne ihn ist.«

Nina erhob sich und setzte sich aufs Bett. »Aber Miriam …« Sie schüttelte den Kopf. »Das darfst du nicht sagen!«

»Aber es ist die Wahrheit.«

»Nein, das ist sie nicht. Du hast nur das Gefühl, dass es so ist, weil du im Moment nur das, was fehlt, spürst. Die Leere. Du siehst nicht all das, was du kannst, was du gut machst, wie viel du anderen Menschen bedeutest.«

»Aber Frank hat sich um alles gekümmert.«

»So ein Quatsch! Wer hat sich um die Kinder gekümmert? Wer hat gekocht? Und geputzt? Und den Garten gepflegt? Und sich um die Enkelchen gekümmert? Frank vielleicht?«

Miriam gab keine Antwort und nach ein paar Sekunden fuhr Nina fort. »Du bist das, Miriam. Kannst du darauf nicht stolz sein?«

»Doch, sicher. Entschuldige, dass ich lamentiere. Wir sind doch hierher gefahren, um uns zu amüsieren und nicht, damit ich hier sitze und heule.« Miriam versuchte zu lächeln. »Und ich habe mich noch nicht einmal für deine phantastische Arbeit bedankt!« Sie fuhr noch einmal mit der Hand durch ihr frisch geschnittenes Haar. »Dafür sollst du aber auch bezahlt werden.«

»Nein, kommt nicht in Frage! Das schenke ich dir. Ich weiß genau, wie tief du bei Carsten & Alexander in die Tasche greifen musstest. Für heute hast du genug Geld beim Friseur gelassen!« Nina warf einen Blick auf die Uhr. Sie holte tief Luft. »Aber weißt du was, wir müssen uns ein bisschen beeilen. In einer halben Stunde sind wir mit Ellinor verabredet.«

Ellinor trocknete sich schnell ab. Nicht mehr viel Zeit übrig, aber das Duschen musste sein. Von der Einkaufsrunde durch die Stadt und dem Heimweg im Stechschritt war sie klebrig und durchgeschwitzt. Sie beugte den Kopf vornüber und hielt ihre Haare unter den Fön, der im Badezimmer installiert war. Es dauerte eine Ewigkeit und Ellinor fluchte. Noch bevor die Haare trocken waren, schaltete sie aus. Dann blieben sie eben ein kleines bisschen feucht, auf dem Weg würden sie schon trocknen.

Auf dem Bett lag die Tüte von H&M. Sie holte das rote Kleid heraus und riss das Preisschild ab. Dann zog sie es über den Kopf und ging zum Flurspiegel, um sich anzuschauen. Es passte wie angegossen. Der Ausschnitt, der bis übers Schüsselbein reichte, stand ihr gut und die Farbe nahm ihrem Gesicht die Blässe. Auf die Pailletten hätte sie sicherlich verzichten können, die wirkten eher billig. Aber was konnte man für hundertneunundneunzig Kronen schon erwarten? Wohl kaum von Hand aufgestickte Swarovski-Kristalle.

Eigentlich gab es an dem Kleid nur eines auszusetzen. Und das war die Länge. Ellinor versuchte, den Saum nach unten zu ziehen. Der Stretchstoff gab zwar etwas nach und weitete sich ein paar Zentimeter, doch sobald sie sich wieder bewegte, rutschte er dorthin, wo er gewesen war. Der Rock reichte nur bis zur Mitte der Oberschenkel. Wieso war ihr das im Laden nicht aufgefallen? Sie sah noch einmal in den Spiegel. Mama in Weihnachtsstimmung auf der Piste, dachte sie ironisch. Wenn das Gesicht oberhalb des Ausschnittes nicht eine dünne und blasse Kleinkindmutter entlarvt hätte, die seit Monaten unter Schlafdefizit litt, dann hätte das Kleid richtig sexy aussehen können.

Sie ging hinüber ins Badezimmer und holte ihr Schminktäschchen heraus. Ein bisschen Mascara auf die blonden Wimpern, Rouge und dann noch etwas Lippenstift. Den klebrig himbeerroten, den sie nie unter der Woche auflegte. Ein Blick auf die Uhr. Sie hatte keine Zeit mehr, das musste genügen. Das Resultat war zwar nicht gerade sensationell, aber sie sah immerhin einigermaßen feierlich aus. Eilig legte sie die neununddreißig-Kronen-Ohrringe an und schlüpfte in die schwarzen Slingback-Schuhe, die sie extra für diesen Abend eingepackt hatte. Ein letzter Blick in den Spiegel. Kurzes rotes Kleid, baumelnde Ohrringe, dünne hautfarbene Strumpfhose und hohe Absätze. War das zu viel des Guten? Sie sah wirklich nicht aus, als arbeitete sie in einer Anwaltskanzlei. Aber das tat sie ja auch noch nicht. Egal, nun war keine Zeit mehr, sich ein anderes Outfit zu überlegen. Vermutlich standen die beiden anderen schon da und warteten auf sie.

Ellinor beugte sich hinunter, um nach ihrer Handtasche zu greifen. Durch den kleinen Schlitz fiel ihr Blick auf das Handy. Für einen Moment meldete sich ihr schlechtes Gewissen zurück. Sie hatte vor ein paar Stunden eine SMS geschickt, geschrieben, dass alles in Ordnung sei und hoffte, zu Hause sei es ebenso. Wille hatte nicht geantwortet. Er war nicht der Typ, der oft SMS schrieb. Ob sie anrufen sollte? Nachfragen, wie es ihnen ging? Nein, sie wollte eigentlich nicht mit Wille sprechen. Nicht jetzt. Wenn sie an sein beleidigtes Schweigen am Morgen im Auto dachte, ärgerte sie sich noch immer. Doch dieses

Gefühl wollte sie jetzt wieder abschütteln. Heute war es ihr Abend und sie war fest entschlossen, sich ordentlich zu amüsieren.

Miriam öffnete die Reisetasche, auf der die gelbe Kaffeetasse abgebildet war. Sie versuchte, über das Logo hinweg-
zusehen, aber einfach war es nicht, die Leuchtfarbe zu
ignorieren. Nur ein paar Handgriffe, dann hatte sie die
Sachen, die sie brauchte, und sie stellte die Tasche zurück
an ihren Platz. Dann zog sie den puderrosafarbenen Slip an
und strich mit der Handfläche über den glatten Stoff, der
ein Stück über die Hüften reichte. Er kaschierte gut, fast
wie ein Korsett. Auch der BH zeigte Wirkung. Als Miriam
ihren Busen in den festen Cups zurechtgerückt hatte, war
ein schönes Dekolleté zu sehen. Sie stellte sich seitlich hin,
betrachtete ihr Profil und ließ die Schultern hängen. Dann
richtete sie sich auf, zog die Schultern nach hinten und
schob die Brust nach vorn.

Zeit für ihr Kleid. Sie holte es vom Bügel aus dem
Kleiderschrank und stellte fest, dass die meisten kleinen
Knitterfalten verschwunden waren. Der Schnitt war ganz
einfach, eigentlich nur Bluse und Rock und ein Gürtel in
der Mitte, aber ihr gefiel die Farbe so gut. Der glatte Stoff
schimmerte hellblau, tiefblau und türkis, fast wie bei einem
Aquarell, in dem die Farben ineinander verliefen, ohne klare Grenzen. Meist erntete sie Komplimente, wenn sie dieses Kleid trug. Sogar Frank hatte einmal gemeint, dass sie
darin sehr schön aussähe. Und mit der neuen Frisur musste
sie feststellen, war es noch einmal um Längen besser. Nina
hatte recht gehabt, die Farbe stand ihr ausgesprochen gut,

und die kurzen blonden Locken, die nun ihr Gesicht umspielten, machten ihren Gesichtsausdruck viel weicher. Zumindest war das ihr Gefühl.

Obwohl sie es eilig hatte, stand sie noch einen Moment ruhig vor dem Spiegel. Sie erkannte sich selbst kaum wieder. Konnte eine Frisur wirklich solch einen Unterschied machen? Sie fragte sich, was Frank dazu sagen würde. Vielleicht, dass sie ganz anders aussah. Oder dass es ihm vorher besser gefallen hatte. Doch das spielte jetzt keine Rolle mehr und immerhin war es tröstlich zu wissen, dass sie sich keine dummen Kommentare anhören musste.

Ein Teil des Make-ups aus dem Kaufhaus war noch nicht verwischt und Miriam besserte mit den Produkten, die sie gekauft hatte, nach. Den Lippenstift verstaute sie in ihrer Handtasche. Dann schlüpfte sie in die blauen Pumps, schlang ihre türkisfarbene Kette zweimal um den Hals und sprühte ein bisschen von ihrem Kenzo-Parfüm hinter die Ohren.

Nur noch ein paar winzige Details, dann konnte es losgehen.

Miriam griff ganz unten in ihre Reisetasche und zog das in Seidenpapier gehüllte Päckchen heraus. Sie wickelte es aus und hielt das Nachthemd in die Höhe. Die champagnerfarbene Seide glänzte und sie legte das dünne Kleidungsstück vorsichtig auf das Bett. Sie wollte, dass es schon da lag. Als hätte jemand an sie gedacht.

Dann ging sie ein letztes Mal ins Badezimmer. Aus ihrer Kulturtasche nahm sie die braune Glasdose, die sie am Vorabend eingepackt hatte. Einen Augenblick lang hielt sie sie still in ihrer Hand. Wieder und wieder las sie ihren Namen auf dem Etikett. Dann fiel ihr Blick auf die Zeile darunter. *Haltbar bis zum 14. 11. 1997.* Miriam erstarrte. Der Gedanke war ihr gar nicht gekommen, dass das Haltbarkeitsdatum abgelaufen sein könnte. Die Dose hatte sicher gut zehn Jahre im Badezimmer gestanden. Damals, als die Kinder ausgezogen waren, hatte sie sie verschrieben bekommen. Ihr Arzt hatte sie davon überzeugen können, dass die Tabletten wirklich nicht gefährlich waren, wenn man sich an die vorgegebene Dosis halte. Trotzdem war ihr dabei nicht wohl gewesen, sie hatte Tabletten noch nie gemocht und sie auch nur an ein paar wenigen Abenden eingenommen. Danach hatte sie zwar schlafen können, sich am Morgen aber gerädert und wenig erholt gefühlt. Seitdem stand die Dose dort im Badezimmerschrank.

Sie wusste, dass einem von abgelaufener Arznei schlecht werden konnte. Aber dieses Mal spielte es eigentlich keine Rolle. So stellte sie die Dose mit fast unmerklich zitternder Hand neben ihr Zahnputzglas.

Sie war bereit.

Nina war die Erste. Sie machte es sich in einem der beiden Sessel in der Lobby bequem. Von einem dunkelbraunen Mahagonytisch holte sie sich eine Zeitschrift über die Schwedische Industrie und begann, kreuz und quer zu blättern. Doch die Überschriften von Unternehmensfusionen, Aktienausschüttungen und dem Personenkarussell in den Geschäftsführungsetagen konnten ihr Interesse nicht wecken, so las sie nicht einen Artikel. Das war eine Welt, die mit ihrer nicht das Geringste zu tun hatte.

Sie legte die Zeitschrift wieder aus der Hand und saß eine Weile einfach da und schaute auf die Straße hinaus. Es war dunkel, aber der helle Schein der Weihnachtsdekoration fiel sogar in diesen sonst eher grauen Teil der Drottninggata. Nina stand auf und ging ans Fenster. Sie beugte sich so weit vor, wie es ging, und konnte ein gutes Stück in die Innenstadt schauen. Die Geschäftsleute hatten ihre Schaufenster mit Kerzen, Sternen, Glitzerketten und Weihnachtsmännern dekoriert und überall zwischen den Häusern hingen Lichterketten. Auch wenn es ein bisschen protzig wirkte, schön war es trotzdem. Da wo sie stand, sah sie, wie Lichter und Geglitzer ineinander übergingen. Wie eine Märchenstraße in einer Märchenstadt. Sie setzte sich wieder auf ein Sofa und kurz darauf tauchte Ellinor auf. Nina betrachtete sie von oben bis unten.

»Wie schön du aussiehst!«, staunte sie und konnte ihre Verwunderung kaum verbergen. Das hatte sie wirklich nicht erwartet. Die Pailletten des roten Kleides glitzerten in der gedämpften Beleuchtung der Lobby, dazu die schwarzen Schuhe mit richtig hohen Absätzen. Ellinor sah hervorragend aus.

»Danke, allerdings war es nicht direkt meine Absicht, dass das Kleid so kurz werden sollte.« Ellinor versuchte noch einmal erfolglos, den Rock hinunterzuziehen.

»Ach warum denn, du hast doch hübsche Beine! Und heute Abend feiern wir, oder?«

»Ja.« Ellinors Anspannung legte sich und sie machte es sich bequem. »Das stimmt.«

»Hattest du einen schönen Tag?«

»Ja. Aber er war schweißtreibend. Ich habe eine Menge Weihnachtsgeschenke eingekauft.«

»Braves Mädchen. Ich selbst muss wohl wieder wie immer am dreiundzwanzigsten in Panik losrennen.« Nina drehte sich um, als der Fahrstuhlgong neben der Lobby ertönte und die Türen aufgingen. Einen Moment lang standen sie nur sprachlos da, da hob Nina die Hände und klatschte vor Begeisterung. »Miriam, du siehst phantastisch aus!«

Ellinor machte einen Schritt auf sie zu. »Mein Gott, Miriam, bist du es wirklich? Aber deine Haare … Wann …?« Sie hob die Hand vor den Mund und verstummte für einen Moment. »Wie hübsch du bist!«, sagte sie dann und atmete aus. »Die siehst völlig anders aus. Richtig jung. Ich hätte dich auf der Straße nie wiedererkannt.« Sie drehte sich zu Nina um. »Hast du das gewusst?«

»Ja.«

»Hast du den Haarschnitt gemacht?«

»Nur zum Teil. Und die Farbe stammt überhaupt nicht von mir.«

Miriam war die viele Aufmerksamkeit ein bisschen unangenehm. »Aber es ist Ninas Verdienst, dass es dir gefällt«, sagte sie. »Ich war so unglücklich, als ich heute Nachmittag vom Friseur ins Hotel kam, das kannst du dir nicht vorstellen. Ich sah aus wie diese Nachrichtensprecherin, die mit den Wahnsinnshaaren.« Miriam schüttelte den Kopf, während Ellinor immer noch staunte.

»Ja, so siehst du jetzt auf jeden Fall nicht aus. Die Farbe ist grandios. Was für ein Unterschied! Ich, ich meine …« Ellinor stockte und machte ein besorgtes Gesicht. »Nicht dass du mich falsch verstehst? Ich fand dich vorher auch schon hübsch …«

»Du musst dich nicht entschuldigen. Und recht hast du auch. Ich hätte schon lange etwas für mein Äußeres tun sollen.« Miriam lächelte noch immer, aber der Glanz in ihren Augen verriet Traurigkeit. Dann zuckte sie mit den Schultern. »Und ihr beiden! Wie schön ihr seid! Was für ein herrliches Kleid, Ellinor. Das steht dir ausgezeichnet. Und du Nina, unglaublich hübsch.«

Nina blickte unzufrieden auf ihr Outfit. »Jeans und Stiefel … Ich hätte mir auch ein Kleid einpacken sollen.«

»Keineswegs«, Miriam winkte ab. »Du schillerst wie ein Sternenhimmel in deinem schwarzen Top. Unheimlich hübsch!«

»Wie ein Sternenhimmel …« Nina zog die Augenbrauen hoch. »Ja, ja. Wollen wir losgehen?«

»Ist es weit?«

»Nicht besonders.« Nina warf einen schnellen Blick auf die Schuhe der beiden anderen. »Na, wie man's nimmt … möglicherweise. Wir müssen runter in die Kungsgata. Vielleicht eine Viertelstunde Fußweg. Schafft ihr das oder wollen wir uns ein Taxi rufen?«

»Ich kann auch gut laufen, aber was meinst du, Ellinor?«

»Tja …« Ellinor sah hinunter auf ihre offenen schwarzen

Schuhe, es war ihr peinlich. »Wenn ich ganz ehrlich sein soll, so tun mir schon jetzt die Füße weh. Ich bin den ganzen Tag durch die Stadt gelaufen. Wenn ihr nichts dagegen habt, dann wäre ich sehr für das Taxi. Natürlich auf meine Rechnung.«

»Ach was, das teilen wir. Ich gehe zur Rezeption und bitte sie, das zu erledigen.« Nina nahm ihre Jacke und ging hinüber zum Tresen. Währenddessen zog Miriam ihren Mantel an, den sie über dem Arm getragen hatte. Als Nina zurückkam, waren sie fertig zum Aufbruch.

Draußen war es kälter, als sie gedacht hatten. Nina schauerte. »Es muss kälter geworden sein, fühlt sich an wie Minusgrade.«

»Ja, und sternenklar ist es auch.« Ellinor sah hinauf zum Himmel. Zwischen den Häusern konnten sie mit Mühe ein paar Sterne erkennen. »Überleg mal, hier in der Stadt sehen die Menschen nie so wunderbare Sternenhimmel, wie wir sie draußen auf dem Land beobachten können.«

»Warum nicht?«

»Weil es hier nicht richtig dunkel wird. All die Lichter ringsum.«

Nina unterbrach sie. »Kommt, das Taxi ist da. Das ging aber schnell!«

Sie hielt Miriam die Beifahrertür auf und stieg selbst mit Ellinor hinten ein. »Wir möchten zu Strandbergs Atelier in der Kungsgata.« Der Taxifahrer wusste Bescheid und bog vom Fußweg auf die Straße. Schweigend fuhren sie eine Weile. Sie schauten alle aus dem Fenster. Die Stadt war ohne Zweifel beeindruckend.

»Strandbergs Atelier?« Miriam drehte sich zu Nina um. »Ein ungewöhnlicher Name. Was für ein Restaurant ist denn das?«

»Ich bin selbst noch nie dort gewesen, aber ich habe darüber gelesen. Das Lokal ist in den fünfziger Jahren offenbar eine Schneiderei gewesen. Und die gehörte einem Strandberg, soweit ich weiß. Jetzt ist es eine Art Vergnügungslokal. Es muss ziemlich groß sein, denn da gibt es ein Restaurant, eine Bar und eine Discothek. Meine Freundin Camilla ist einmal dort gewesen und sie war begeistert. Hoffen wir, dass sie recht hatte.« Nina fuhr etwas unsicher fort. »Es gab übrigens auch ein Weihnachtsbüfett, aber das habe ich nicht bestellt. Ich fand es nicht so feierlich, jetzt, da wir schon einmal unterwegs sind, Hering und Weihnachtsschinken zu essen, oder was meint ihr?« Die anderen nickten zustimmend und Ellinor stöhnte. »Ich darf gar nicht an Essen denken«, erklärte sie und strich sich über den Bauch. »O Gott, bin ich hungrig! Ich habe den ganzen Tag nichts gegessen.«

»Was?! Bist du wahnsinnig?«

»Ich bin einfach nicht dazu gekommen.«

»Einen Hamburger kann man wohl immer verdrücken. Du hast doch so abgenommen, das Essen darfst du nun wirklich nicht vergessen.« Nina machte ein überzogen ernstes Gesicht.

»Nein, Mama.« Sie fielen alle in lautes Lachen ein und gerade in dem Moment hielt der Taxifahrer am Straßenrand. Ellinor zog geschwind einen Fünfhundert-Kronen-Schein aus der Tasche. Die beiden anderen protestierten, aber sie fand eine gute Erklärung, während sie auf das Wechselgeld wartete. »Ich habe doch heute schon hundert Kronen am Essen gespart …«

Es war unschwer zu sehen, in welche Richtung sie gehen mussten. Ein Neonschild mit einem verschnörkelt altmodischen Namen *Strandbergs Atelier* leuchtete über einem modernen gläsernen Eingang. Als sie davor standen, öffnete ihnen ein Mann in einer mit Pelz gefütterten Lederjacke, begrüßte sie freundlich und zeigte ihnen den Weg zur Garderobe. Zum Lokal gehe es einen Stock höher, erklärte er.

Nina hatte ihre Jacke als Erste abgegeben und nutzte die Gelegenheit, noch schnell auf die Damentoilette zu huschen. Ein schneller Blick in den Spiegel, die eine dunkle Strähne noch zurechtgestrichen und noch einmal Gloss auf die Lippen. Eigentlich war es nicht nötig, es war eher eine Art Ritual. Dann ging sie wieder zu den anderen.

Miriam und Ellinor waren nun auch fertig und so gingen sie alle drei hinauf ins Restaurant. An der Wand hingen Schwarz-Weiß-Fotografien, Bilder von der alten Schneiderei. Frauen an Nähmaschinen, ein Mann in weißem Hemd und Weste, wie er sich über einen Arbeitstisch beugte, auf dem ein Stoff ausgebreitet lag. Ein Bild war eine Außenansicht. Es schien gerade Herbst zu sein, denn die Herren auf dem Bürgersteig vor dem Atelier waren warm angezogen, trugen Überrock und Hut, die Damen Kleid und Mantel. Nur vereinzelt waren Autos zu sehen.

Im Restaurant war von der ehemaligen Schneiderei nicht mehr viel zu merken. Die Wände waren pflaumenrot gestrichen und die übrige Einrichtung changierte zwischen weinrot und altrosa. Es war angenehm, aber elegant konnte man es wohl kaum nennen und wenn man ehrlich war, musste man zugeben, dass Wände und Boden ganz schön mitgenommen aussahen, obwohl es das Lokal noch gar nicht so lange gab. Der Geräuschpegel war ziemlich hoch, dabei waren gerade mehr als die Hälfte der Tische belegt. Einige waren zu langen Tafeln zusammengerückt, sodass Nina schlussfolgerte, dass sie den Abend vermutlich mit einer Reihe von Geschäftsleuten, die hier ihre Weihnachtsfeier abhielten, verbringen mussten.

Eine Empfangsdame begrüßte sie und führte sie zu ihrem Tisch. Dann gab sie den dreien die Karte und fragte nach einem Aperitif. »Vielleicht ein Glas Champagner?«, schlug sie vor.

Nina sah die beiden anderen an. Miriam und Ellinor nickten zaghaft. »Dann bitte drei Gläser Champagner«, bestellte sie für alle. Die Empfangschefin lächelte freundlich und verließ den Tisch wieder, während die drei begannen, die Speisekarte zu lesen. Als sie den Champagner bekamen, bestellten sie. Die fremde Umgebung schien sie alle in Feststimmung versetzt zu haben, und die Konversation, die anfangs noch sehr zurückhaltend gewesen war, kam nun richtig in Gang. Als Nina ihr Champagnerglas erhob, strahlte sie übers ganze Gesicht.

»Überlegt mal, ist es nicht unglaublich«, sagte sie und sah von der einen zur anderen. »Vor ein paar Monaten kannten wir uns noch gar nicht. Oder zumindest nicht so gut. Vielleicht kennen wir uns jetzt noch gar nicht so viel besser, aber ich habe das Gefühl, dass wir auf dem Weg sind, richtig gute Freundinnen zu werden. Oder was sagt ihr dazu?« Nina sah sie fragend an. »Und bei einer Person müssen wir uns tatsächlich dafür bedanken …«, fuhr sie fort und legte eine kleine rhetorische Pause ein. »Janina«, ergänzte sie schließlich. »Wir haben es unserer neuen Nachbarin zu verdanken, dass wir drei heute hier sitzen. Ohne sie hätte es keine Reise gegeben. Also, was meint ihr, sollen wir auf sie anstoßen?«

»Ja, keine Frage.« Ellinor erhob ihr Glas. »Auf Janina.« Miriam folgte nach. »Und auf das Glücksrad.«

Sie nippten an ihrem Champagner und sahen sich in die Augen. Dann stellten sie die Gläser wieder ab. Einen kurzen Moment kehrte Stille ein. Als versinke jede von ihnen in ihren eigenen Gedanken. Ellinor war die Erste, die wieder das Wort ergriff. Sie trank noch einen Schluck, dann sagte sie:

»Wisst ihr, seit Wille und ich nach Sävesta gezogen sind, bin ich nicht ein einziges Mal aus gewesen. Ja, sogar seit Albin auf der Welt ist. Oder sogar, seit er gezeugt worden ist.« Sie lachte gequält. »Es ist Ewigkeiten her, dass ich mit Freunden abends weg war. Deswegen will ich heute Abend meinen Spaß haben, nur dass ihr es wisst!« Dieses Mal lachte sie unbeschwert und die anderen auch. Ellinor nippte noch einmal. »Und was ist mit dir, Nina?«

»Wie meinst du das?«

»Ja, wie stellst du dir den Abend vor?«

Nina überlegte kurz. »Gar nicht so einfach«, sagte sie schließlich. »Ich glaube, dass diese Reise für mich sehr wichtig war. Ich meine … Tja, ist wirklich nicht so einfach zu erklären.« Sie kniff den Mund zusammen.

»Versuch's doch.«

Nina seufzte. »Ich habe ein schönes Leben«, begann sie vorsichtig. »Aber zwischendurch ist es, als würde ich einfach alles laufenlassen. Ohne mir darüber Gedanken zu machen, was ich eigentlich will.«

»Und was ist das, was du eigentlich willst?«, fragte Miriam interessiert.

»Das weiß ich noch nicht so genau. Aber ich ahne es.«

»Na, dann erzähl mal!« Ellinor schüttelte den Kopf, denn sie wollte noch mehr von Nina hören.

»Ich weiß nicht, ob ich das kann.« Sie zögerte. »Ich hatte mir gedacht, ich fahre nach Stockholm, um einen Traum zu verwirklichen.«

»Das klingt wundervoll!« Ellinor war begeistert.

»Ja, aber es stellte sich heraus, dass es ein alter Traum gewesen war. So, als hätte man eine Flasche Champagner zu lange im Keller liegengelassen …« Sie hob ihr Glas und nippte an ihrem Getränk, »… und sie ist über die Jahre schlecht geworden. Versteht ihr, was ich meine?«

»Ich glaube schon.« Miriam sah sie an und nickte.

Nina schluckte und setzte neu an. »Ich habe diesen Traum von meinem großen Talent so lange mit mir herumgetragen. Das Bild, dass ich im Grunde eine *begnadete Künstlerin* bin … aber nie eine Chance bekam.« In ihren Worten lag eine deutlich spürbare Ironie, um den beiden zu zeigen, wie lächerlich sie den Gedanken jetzt fand, doch keine von ihnen lachte und nach kurzer Pause fuhr sie fort. »Aber als ich bei Janina war … forderte sie mich auf, ich solle aufhören, mir etwas vorzumachen. Mich nicht mehr hinter tausend Entschuldigungen verstecken. Na ja, nicht ganz so direkt, ihr kennt sie ja … Aber ich habe wirklich viel darüber nachgedacht.« Nina trank einen Schluck, dann sprach sie weiter. »Und dann kam die Idee mit der Reise auf den Tisch«, sagte sie. »Ich habe das als Zeichen verstanden. Dass es nun wirklich an der Zeit sei, aus meinem Talent etwas zu machen. Und die große Künstlerin zu werden, die ich tief innen schon immer war. Also … beschloss ich, an die Kunstschule zu gehen. Mich dort zu bewerben. Das war mein Vorhaben hier in Stockholm.«

»Hattest du deshalb die Mappe dabei? Da sind deine Bilder drin, nicht wahr?« Ellinor sah sie an. »Und was ist daraus geworden?«

Nina schüttelte den Kopf. »Nichts«, sagte sie und schmunzelte. »Das ist ja gerade das Lächerliche. Ich hatte mir irgendwie vorgestellt, dass alle Engel für mich Spalier stehen und die Trompeten ertönen, wenn ich komme …« Nina kicherte. »Und dann wurde … nichts daraus. Die Schule war geschlossen, als ich mit meinen Arbeitsproben vor der Tür stand.«

»Ach Nina …« Miriam machte ein unglückliches Gesicht. »Das tut mir aber leid.«

»Ja, das dachte ich auch erst. Ich tat mir unendlich leid.

Dass die große Künstlerin nun unentdeckt bleiben würde. Aber dann begann ich, das Ganze von einer anderen Perspektive aus zu betrachten. Die ganzen hochgestochenen Erwartungen, dieser Größenwahn ...«

Ellinor protestierte. »Aber Nina, du kannst dich doch zu einem anderen Zeitpunkt an der Schule bewerben. Du bist doch wirklich sehr, sehr gut!«

»Ja. Und dabei können wir es doch auch belassen?« Nina sah sich um. »Ich bin achtunddreißig Jahre alt und ich liebe mein Leben. Als ich heute Abend deine Haare geschnitten habe, Miriam, wurde mir mit einem Mal klar, wie schön es ist, wenn man etwas wirklich gut kann.« Schnell winkte sie ab. »Entschuldigt, ich wollte nicht angeben, aber ...«

»Liebe Nina, du gibst doch nicht an! Du bist eine hervorragende Friseurin. Heute hast du mich so glücklich gemacht. Ich glaube nicht, dass man seinen Job besser machen kann als du.«

Nina war es unangenehm. »Doch, das kann man bestimmt. Aber ihr versteht vielleicht trotzdem, wie ich es meine?«

»Dass der Traum im Grunde einfach nur ein Traum war?«

»Ja. Und dass ich das auch so annehmen kann.« Nina machte eine ratlose Geste und lächelte verunsichert. »Jetzt stehe ich also da und weiß nicht recht, wohin. In mein altes Leben, aber es ist nicht mehr dasselbe.« Sie sah die anderen schüchtern an, sie hatte seit Jahren, vielleicht sogar noch nie so viel von sich selbst preisgegeben.

Miriam erhob ihr Glas. »Nina«, sagte sie bedächtig. »Du bist wirklich eine mutige Frau. Und hast eine Menge Talente. Auf dich!«

Nina und Ellinor hoben auch ihre Gläser und prosteten sich zu. Dann trat Stille ein und alle schienen sich zu freuen, mit dem Essen beginnen zu können. Die Vorspeisen, die vor kurzem serviert worden waren, waren schnell aufgegessen.

»Ja, das war nun meine Geschichte«, sagte Nina am Ende. »Und du, Miriam, was hast du in Stockholm gemacht? Außer dir eine neue Frisur zuzulegen?«

Miriam lächelte. »Ja …«

Ellinor beugte sich zu ihr und legte Miriam eine Hand auf den Arm. »Bevor du irgendetwas von dir gibst, will ich nur schnell sagen dürfen, du bist phantastisch.«

»Ach wirklich?«

»Als Frank einfach so verschwand … Das muss doch furchtbar gewesen sein. Ich meine, wir haben es dir ja angesehen, wie es dich mitgenommen hat. Und jetzt sitzt du hier.«

»Nicht dass ich sagen will, dass es das Gleiche ist …« Nina sah Miriam an. »Aber ich bin ja auch geschieden. Und es hat bei mir Jahre gedauert, bis ich darüber hinweg war. Wenn überhaupt. Und trotzdem war es eine glimpfliche Trennung, sofern es so etwas gibt. Wir waren uns in vielen Punkten einig. Also, ganz ehrlich, ich kann nicht verstehen, wie du es geschafft hast, so schnell wieder auf die Füße zu kommen!«

»Und so … würdevoll«, ergänzte Ellinor.

Miriam rutschte etwas geniert hin und her. »Das Leben verändert sich«, antwortete sie schließlich. »Es nützt nichts, an dem festzuhalten, was vergangen ist. Ich hatte mit Frank und den Kindern ein wunderbares Leben. Von außen machte es sicherlich keinen besonders aufregenden Eindruck, aber ich bin wirklich glücklich gewesen.« Sie senkte den Blick.

»Und jetzt?« Nina konnte sich die Frage nicht verkneifen. Etwas in Miriams Formulierung beunruhigte sie.

»Ich nehme an, dass jeder von uns die Wahl hat, wenn einem so etwas passiert. Und davon handelt auch diese Karte, das Glücksrad. Sich mit den Kräften des Schicksals zu vereinen ...«

Wieder wurde es still an ihrem Tisch. Die Hauptgerichte wurden serviert und dazu für jeden ein Glas Rotwein. Nina schnitt ein Stück vom Schweinefilet ab und tunkte es in das Ananassalsa, das in einer kleinen Porzellanschale am Rand des Tellers platziert war. Die Kombination war ungewöhnlich, aber lecker. Sie kaute eine Weile.

»Ich finde, du hast das schön ausgedrückt«, sagte sie, nachdem sie einen Schluck Rotwein hinterher genommen hatte. »Genau darum geht es. Um das Leben selbst. Oder?«

»Aber was ist dann genau das Schicksal?« Ellinor legte ihr Besteck beiseite.

»Tja ...« Nina überlegte eine Weile. »Das ist wohl all das, was wir nicht selbst steuern können. Zum Beispiel andere Menschen.«

»Dann ist Frank Miriams Schicksal?«

»Ja, warum nicht? Oder wie siehst du das, Miriam?«

Miriam zuckte mit den Schultern. »Ich denke, man kann das so sagen.«

»Aber was heißt es dann genau, sich mit den Kräften des Schicksals zu vereinen?« Ellinor ließ nicht locker. »Sich an die anderen anzupassen? Ist es das, was wir tun sollen?« Ihre Worte klangen ein bisschen provokativ.

Nina fand diese Auslegung verwirrend. »Nein ...«, sagte sie zögerlich, als Miriam ihr zu Hilfe kam.

»Ich glaube nicht, dass man es so verstehen soll. Ich glaube eher, es meint die Freiheit, so auf die Kräfte des Schicksals zu reagieren, wie wir es wollen. In einer Situation, die wir uns nicht aussuchen konnten.«

»Dann meinst du auch, die Verantwortung liegt immer bei uns?«

»Ich denke schon. Das ist keine einfache Frage.«

Ellinor sah Miriam einen Moment lang forschend an, dann begann sie weiterzuessen. Nach ein paar Sekunden hielt sie noch einmal inne. »Dann geht es im Leben darum, zu versuchen, zwischen den Wünschen der anderen hindurch zu navigieren«, sagte sie leise. »Seinen Weg zu gehen, aber immer bereit zu sein, die Richtung zu ändern.« Ellinor machte ein so ernstes Gesicht, dass Nina lachen musste.

»Jetzt wird es mir langsam zu kompliziert. Können wir nicht einfach auf uns alle anstoßen? Weil wir alle richtig cool sind und uns dieses Frauenwochenende gönnen.« Sie hob ihr Glas. »Übrigens ist die Flasche bald leer, wollen wir noch eine bestellen?« Sie wartete die Antwort gar nicht ab, sondern winkte schon die Bedienung heran. Als sie bestellt hatte, wandte sie sich wieder den beiden anderen zu. »Wo waren wir noch gleich?«

»Coole Frauen.« Ellinor schien ihre philosophischen Gedankengänge ad acta gelegt zu haben. Zumindest für den Moment. »Bin ich eigentlich die Einzige, die langsam beschwipst wird?«, fragte sie, als die Kellnerin auftauchte und die Gläser von neuem füllte. »Ich habe das Gefühl, der Champagner ging direkt in den Kopf.«

»Das ist ja auch kein Wunder, wenn du vorher nichts gegessen hast. Wir erfahrenen Frauen haben vorher selbstverständlich mit einem vernünftigen Mittagessen die Grundlage gelegt, nicht wahr Miriam?« Nina zwinkerte ihr zu. »Ich bin jetzt dafür auch pappsatt. War euer Essen gut?« Die anderen beiden nickten. »Aber einen Nachtisch möchte ich trotzdem«, fuhr Nina fort. »Ich meine, es gab warmen Schokoladenkuchen mit selbstgemachtem Vanilleeis … Noch jemand interessiert?«

Miriam blätterte die Speisekarte durch, die die Bedienung noch einmal gebracht hatte. »Moltebeeren-Käsekuchen, klingt das nicht lecker«, schwärmte sie.

»Ich nehme auch einen Schokoladenkuchen.« Ellinor schlug die Karte zu. »Und danach gehen wir tanzen?« Sie kicherte ein bisschen unkontrolliert.

»Ja, wer möchte.«

»Ich! Ich habe seit zwei Jahren nicht mehr getanzt.«

»Dann sollten wir vielleicht unser Essen bald beenden.« Nina schielte zu Ellinor hinüber. So gelöst kannte sie ihre zurückhaltende Nachbarin gar nicht. Sie strahlte aus allen Knopflöchern in diesem glitzernden Kleid und die sonst so blassen Wangen leuchteten rot vor Hitze und Alkohol. Sie war noch so jung. Noch nicht einmal dreißig Jahre alt. Als Nina in ihrem Alter gewesen war, war sie von einer Party zur nächsten getanzt. Sie war so früh Mutter geworden und hatte so viel nachzuholen. Jens gefiel es überhaupt nicht, wenn sie ausging, aber er konnte sie nicht davon abhalten. Immerhin hatte nicht er mit dem dicken Bauch daheim gesessen, war zu Hause geblieben und hatte gestillt und war zu jeder Tag- und Nachtzeit für den Sohn da gewesen. Sie fragte sich, ob es Ellinor jetzt genauso ging. Das war ihr zu gönnen. Sie machte immer einen so kontrollierten Eindruck, nahm sich selbst immer zurück. Einen kleinen Flirt auf der Tanzfläche konnte sie sicherlich gut vertragen.

Ellinor sah sich um. Sie war fertig mit dem Essen und nun nicht mehr zu halten. Aus dem unteren Stockwerk dröhnten die Bässe und lauten Rhythmen der Discomusik. Es war ein schönes Abendessen gewesen. Nicht nur Smalltalk. Miriam und Nina hatten beide Dinge von sich preisgegeben, die sie sehr verwundert hatten. So viel Ehrlichkeit hatte sie nicht erwartet. Sie selbst hatte sich bedeckt gehalten und war sich deshalb feige vorgekommen. Aber im Moment wollte sie ihre Probleme nicht diskutieren. Nicht über Wille, Albin, Leif Brink oder die Kanzlei nachdenken. Trotz ihres Alkoholpegels, der sich stärker bemerkbar machte, als sie gedacht hatte, lag die Zukunft doch über ihr wie ein drohendes Gewitter. Sie seufzte und versuchte nun sicher schon zum hundersten Mal an diesem Tag, den Gedanken beiseitezuschieben und wandte sich an die anderen beiden.

»Wollen wir uns ein bisschen bewegen? Wenn ich noch länger still sitze, schlafe ich ein. Ich habe so viel gegessen.«

»Ja, was meinst du?«, fragte Nina Miriam. »Wollen wir uns nach unten begeben?« Sie machte der Bedienung ein Zeichen, dass sie bezahlten wollten, und nach einigem Hin- und Herrechnen hatte jede von ihnen ihren Teil in das kleine Lederetui auf dem Tisch gelegt.

Ellinors Kopf brummte, als sie aufstand, und auf der Treppe nach unten stolperte sie und wäre beinahe gefallen, hätte sie nicht in letzter Sekunde noch das Geländer zu fassen bekommen.

»Das liegt an den hohen Absätzen«, sagte sie, als die anderen sie anschauten, und es war ihr wirklich unangenehm.

»Wenn du meinst ...« Nina konnte sich ein Grinsen nicht verkneifen. »Es ist schon merkwürdig, dass die nach nur einer Flasche Wein so störrisch werden.«

Die Discothek war gut besucht. Vereinzelt tanzten ein paar Leute, aber noch drängelten sich die meisten um die Bar. Ellinor bemerkte, dass Miriam erstarrte, als sie eintraten. Plötzlich tat sie ihr leid. Sie sah so bezaubernd aus in ihrem türkisen Kleid und den blonden Haaren, die ihr ins Gesicht fielen. Doch hier war sie völlig fehl am Platze. Die meisten Besucher waren in Ellinors Alter oder jünger. Einige um die Dreißig, ein paar auch um die Vierzig. Niemand um die Sechzig. Wenn man Miriam zwischen all den anderen Leute betrachtete, kam sie einem vor wie eine Oma, die sich verirrt hatte. Durchtrainierte und spärlich bekleidete Körper drängten sich vorbei und Miriams unglücklicher Gesichtsausdruck war wirklich nicht zu übersehen. Ellinor bekam ein schlechtes Gewissen. Sie sollten sich alle amüsieren, doch das war hier sicher nicht der Fall. Gleichzeitig bemerkte sie, dass sie jetzt einen alten Hit spielten und begeistert erkannte sie *Everything but the girl*, was sie an die Feten im Studentenwohnheim vor vielen Jahren erinnerte. Sie schloss kurz die Augen, jemand rempelte sie an und sie war wieder nahe daran, die Balance zu verlieren.

»Da draußen ist auf der linken Seite auch eine Cocktail-Bar«, rief Nina ihr zu. »Da scheint es etwas leiser zu sein. Ich gehe dort mit Miriam hin. Du kannst gern hierbleiben.«

»Nein, natürlich komme ich mit!« Ellinor war es unangenehm. Sie wollte nicht aus der Reihe tanzen, das war nicht ihre Art. Sie steuerte auch den Ausgang an, da legte Miriam ihr die Hand auf die Schulter.

»Bleib, Ellinor. Das ist auch dein Abend. Ich kann verstehen, dass du dich darauf gefreut hast. Ich weiß doch noch, wie es bei mir früher war. Nie hat man Urlaub, nie wirklich Zeit für sich selbst. Genieße es. Wir sehen uns später.« Miriam lächelte und bevor Ellinor widersprechen konnte, waren die zwei anderen Frauen verschwunden.

Ellinor blieb allein zurück. Mit einem Mal bemerkte sie die vielen Leute um sich herum, das Gedränge, die Körper, die Gerüche. Sie fühlte sich nicht mehr so beschwipst, hatte aber auch gerade keine Lust zu tanzen. Das Lied, das sie spielten, hatte sie im letzten Jahr ständig im Radio gehört, doch den Namen der Gruppe hatte sie sich nicht merken können. Mit den Ellenbogen verschaffte sie sich einen kleinen Weg zur Bar und winkte dem Barmann zu. Ein paar Minuten später hatte er sie bemerkt.

»Einen Mojito«, rief sie, doch biss sich gleich auf die Lippe. Wie peinlich, das klang, als bestelle sie einen Mo*ski*to. Doch niemand um sie herum schien es gehört zu haben. Sie bezahlte, sobald das Glas vor ihr stand. Dann nahm sie einen ordentlichen Schluck und überlegte, ob sie lieber Nina und Miriam suchen sollte. Doch dann erkannte sie eine Zeile aus einem Hit und begann unwillkürlich mitzusingen, *Girls just wanna have fun*. Cindy Laupers kindliche Stimme hob die Stimmung sofort, und als ein pickeliger Typ in weinrotem Samtjackett an ihr vorbeiging und ihr flirtend zuzwinkerte, lachte sie ihn an.

Ihr Glas war schnell leer und sie hatte gerade beschlossen, noch einen Drink zu bestellen, da spürte sie, dass jemand sie um die Taille fasste. Sie drehte sich reflexartig um, erwartete eigentlich ein bekanntes Gesicht, doch den

Mann, der ihr gegenüberstand, hatte sie noch nie gesehen.

»Hallo«, sagte er. »Du siehst ja ganz einsam aus.« Als er lächelte, entblößte er einen etwas schiefen Schneidezahn. Er hatte schmale Lippen, aber einen großen Mund.

»Meine Freundinnen sind drüben an der Bar.« Ellinor bemerkte, dass es wie eine Entschuldigung klang. Als sei es verboten, allein in einer Discothek zu stehen. Sie richtete sich auf, es gab keinen Grund für Erklärungen.

»Möchtest du tanzen?« Er lächelte immer noch, aber nicht mehr ganz so breit. Sie schätzte ihn auf Mitte dreißig. Ordentlich gekleidet, schwarzes Hemd, dunkle Jeans. Sein Kinn war glattrasiert und die Haare trug er kurz. Eigentlich nicht ganz ihr Typ. Was sie auch immer damit meinte. Es war so lange her, dass sie sich für Männer interessiert hatte, dass sie sich kaum erinnern konnte, was sie früher angezogen hatte. Ihr Typ? Das musste wohl Wille sein.

»Gern«, antwortete sie und klang dabei ganz bestimmt, was sie selbst überraschte. Der Mann ergriff ihre Hand und sie gingen hinüber zur Tanzfläche. Jetzt waren dort wesentlich mehr Leute und sie mussten sich durch die Masse drängeln, bis sie Platz fanden. Irgendwie gefiel es ihr auch. Mal wurde sie von rechts, mal von links angerempelt und die Sorge, keine Tanzschritte mehr zu wissen, legte sie schnell ab. Sie begann, den Platz um sich herum auszunutzen, machte Drehungen und lachte über ihren Kavalier, der das Gleiche mit weniger gelungenem Ergebnis versuchte. Nach Cindy Lauper kam noch ein alter Riesenhit, *Hooked on a feeling*. Die Leute flippten richtig aus, begannen zu kreischen und zu hüpfen, sodass sie fast unter die Decke gingen. Ellinor ließ sich mitreißen und lachte voller Vergnügen den Typ im schwarzen Hemd an.

Ein Hit nach dem anderen wurde gespielt, bis Ellinor

sich schweißnass getanzt hatte. Als sie eine Pause machten, fragte er sie, was sie gern zu trinken hätte. Einen Wodka Lime. Das war zwar fürchterlich altmodisch, aber ihr fiel wirklich nichts anderes ein. Es war Jahre her, dass sie zuletzt einen Drink bestellt hatte. Er war bald mit ihrem Glas wieder da und hatte für sich selbst ein Bier dabei.

»Ich heiße Andreas«, sagte er und schob ihr das Glas hin. Ellinor holte ihr Portemonnaie heraus, um den Wodka zu bezahlen. Als Andreas das bemerkte, schob er ihre Hand zurück. »Ich lade dich ein.«

»Danke.« Es war ihr peinlich, sodass sie die Handtasche schnell wieder schloss.

»Und du?«

»Was?«

»Wie heißt du?«

»Ellinor.«

»Hübscher Name.«

»Danke.«

Die ungezwungene Begegnung auf der Tanzfläche hatte sich verändert. Keiner von beiden wusste so recht, was er sagen sollte, und durch das Schweigen waren beide Gläser schnell geleert.

»Danke für den Drink.« Ellinor versuchte zu lächeln. Sie wusste keinen Ausweg aus der etwas unangenehmen Situation.

»Ich danke. Für den Tanz.« Andreas rutschte näher an sie heran. Sein eines Bein schob er dabei fast zwischen ihre Knie und sie spürte seinen Atem in ihrem Gesicht. Er hatte eine Bierfahne. Sie stand wie angewurzelt, als könnte jede Bewegung ihres Körpers sie diesem Mann noch näherbringen. Ihr Herz schlug wie wild und sie hob ihren Kopf ein wenig und sah ihm ins Gesicht. Seine Augen erschienen ihr etwas verschwommen, doch es konnte ebenso an ihrem

Blick liegen, der sie nicht klar fixierte. Seine schmalen Lippen öffneten sich leicht und sie konnte seine Zähne dahinter aufblitzen sehen. Er sagte etwas, aber sie verstand es nicht und gerade, als sie nachfragen wollte, hörte sie hinter sich eine vertraute Stimme.

»Ich glaube, ich gehe jetzt.« Es war Nina. Ellinor drehte sich hastig um. Dabei stieß sie mit ihrem Knie Andreas an.

»Hallo!«, sagte sie mit übertrieben aufgekratzter Stimme. Als ob sie mit einem Kind sprach. »Willst du nach Hause? Wo ist Miriam?«

»Sie ist schon gegangen. Sie wollte gern noch allein einen kleinen Spaziergang machen, bevor sie ins Hotel zurückging.«

»Aber …« Ellinor warf schnell einen Blick auf die Uhr, die sie am Handgelenk trug. Eine Certina. Die hatte sie von Wille geschenkt bekommen, als Albin auf die Welt kam. »Oje, ist es schon so spät!«

»Das ist kein Problem, aber ich bin langsam müde und dieses Lokal ist auch nicht so ganz mein Ding.«

»Wir können auch einfach woanders hingehen.« Ellinor hatte Andreas den Rücken zugewandt, aber sie spürte ihn durch den dünnen Stoff ihres Kleides. Sie hatte Mühe, Nina anzuschauen, ohne zu schwanken.

»Nein, bleib doch einfach. Ich sehe doch, dass du dich amüsierst.« Nina lächelte zu dem Mann hinter ihr. »Du musst dir um mich keine Gedanken machen, ich habe nur einfach keine Lust zum Tanzen.«

»Sicher?«

»Absolut.«

»Und Miriam, war sie in Ordnung?«

»Ja, ich glaube schon. Sie wirkte nur ein bisschen müde, aber das ist ja auch kein Wunder.«

»Nein …« Ellinor holte tief Luft. Andreas hatte seine

Hand an ihre Taille gelegt und ließ sie nun gemächlich immer tiefer gleiten. Sie wollte ihn am liebsten auffordern, das zu lassen, doch sie schwieg und stand still. Nina schien nichts zu bemerken.

»Ich denke jedenfalls, dass Miriam einen schönen Abend hatte. Und ich im übrigen auch.« Sie lachte und sah noch einmal zu dem Mann hinter ihr. »Und um dich muss ich mir ja wohl auch kaum Sorgen machen ...« Sie drehte sich um und ging, doch Ellinor kam hinter ihr her und fasste sie am Arm.

»Nina, ich hab mich noch gar nicht bei dir bedankt«, sagte sie.

»Wofür?«

»Na ja, dass wir hier sind.«

»Ach.« Nina zuckte mit den Schultern. »Wenn ich das Lokal hier gekannt hätte, dann hätte ich sicher etwas anderes ausgesucht.«

»Ich meine nicht dieses Lokal. Ich meine die ganze Reise. Stockholm. Alles einfach. Danke, dass du das für uns arrangiert hast.«

»*Anytime, Baby!* Wir sehen uns beim Frühstück.«

Kaum war Nina außer Sichtweite, zog Andreas Ellinor wieder an sich heran.

»Geh jetzt nicht«, flüsterte er in ihr Ohr.

»Wollen wir tanzen?« Ellinor versuchte, sich aus seinem Arm zu winden. Durch die Begegnung mit Nina war sie wieder etwas klarer geworden. Zumindest für den Moment.

»Gern.« Andreas machte zwar ein enttäuschtes Gesicht, folgte ihr aber auf die Tanzfläche. Ellinor bemühte sich, wieder ihren Rhythmus zu finden, aber ihr Körper war jetzt schwerfälliger. Als der Discjockey schließlich eine ruhige Ballade von einer Boygroup auflegte, war sie fast erleichtert, gehen zu können. Als sie schon am Rand der Tanzfläche angekommen war, hielt Andreas sie am Arm fest.

»Wollen wir jetzt aufhören, wo es gerade interessant wird?« Er breitete die Arme aus. Sie zögerte einen Moment, aber er war geistesgegenwärtig und umarmte sie, ohne dass sie richtig begriff, was vor sich ging.

Anfangs fasste er sie ganz leicht am Rücken, doch dann zog er sie immer dichter an sich. Er war fast einen Kopf größer als sie und sie spürte, wie sein rubbeliges Kinn in ihren Haaren festhakte. Sie versuchte, sich auf das Lied zu konzentrieren. Einfach war es nicht, auch wenn sie es schon oft gehört hatte, aber nach dem einfachen Refrain *How will I know? If I let you go* ... verlor sie den Faden.

Sie hatte wirklich zu viel getrunken, das war ihr nun klar. Zeit, nach Hause zu gehen. Allein der Gedanke an zu Hause genügte und sie sehnte sich plötzlich so heftig nach Wille, dass sie sich aus Andreas' Umarmung löste, sobald das Lied vorüber war.

»Danke für den Tanz und den Drink ...«, sagte sie. »Aber jetzt muss ich heim.«

»Heim?«

»Ja, ins Hotel.«

»Du wohnst im Hotel?« Das interessierte ihn. »Warum das denn?«

»Ich mache nur Urlaub in Stockholm. Ich fahre morgen heim.«

»Wohin?«

»Nach Sävesta.« Sie hatte keine Lust mehr auf diese Unterhaltung. »Danke für einen netten Abend«, verabschiedete sie sich betont freundlich. Mit dem Typ im schwarzen Hemd war sie fertig. Es war schön gewesen, mit jemandem zu tanzen, aber das war auch genug.

»In welchem Hotel wohnst du denn?«

»Im Queen's Hotel, Drottninggata.« Sie wollte jetzt wirklich gehen.

»Dann komme ich mit.«

»Nicht nötig.« Ellinor versuchte zu lächeln. »Ich gehe allein.«

»Doch«, antwortete er knapp. »Ich gehe nur erst noch zur Toilette. Warte auf mich!« Er verschwand und Ellinor blieb allein an der Bar zurück. Sie hatte nicht die geringste Lust, auf einen fremden Mann zu warten, der sie ins Hotel begleiten wollte. Für sie war der Abend zu Ende. Kurzerhand fasste sie einen Entschluss und kaum eine Minute später stand sie an der Garderobe und hatte ihren Mantel in der Hand. Dann verließ sie das Lokal.

Wie befreiend, an die frische Luft zu kommen! Ihr war überhaupt nicht gut und ihr Kopf brummte ohne Ende. Einen Moment lang wusste sie gar nicht, in welche Richtung sie gehen musste, aber nachdem sie ein paar Jugendliche nach dem Weg gefragt hatte, lief sie die Kungsgata hinauf. Sie schwankte immer wieder und ihre schmalen Absätze klackerten laut auf dem Asphalt.

Sie war fast am Sveaväg angekommen, den sie nach Auskunft der Jugendlichen zu überqueren hatte, als Andreas mit ihr auf einer Höhe war. Atemlos griff er ihr an die Schulter.

»Du wolltest dich wohl aus dem Staub machen?«, fragte er mit aufgesetztem Lächeln. Sie zuckte zusammen.

»Ich …«

Andreas hörte gar nicht zu, sondern legte den Arm um ihre Schulter und zog sie über die Straße.

»Ich möchte allein gehen«, sagte sie und schob seinen Arm herunter. Sie waren nun auf der anderen Straßenseite, kurz vor dem Hötorget.

»Okay«, meinte er und zuckte mit den Schultern. »Hast

du nicht gesagt: Drottninggata? Dann können wir auch hier abbiegen.« Er zog sie in die nächste Seitenstraße, ohne eine Antwort abzuwarten. Die Großstadtgeräusche der Menschen, die den Samstagabend in der Stadt verbrachten, waren schnell verklungen. Die Straße vor ihnen war öde. Sie wollte ihm sagen, dass er gehen solle, dass sie allein zum Hotel laufen wollte, aber nun wusste sie nicht mehr, wo sie war.

»Hier ist der Adolf-Fredrik-Friedhof«, erklärte er plötzlich und zeigte ein Stück nach vorn. »Da liegt Palme begraben. Willst du das sehen?«

»Nein, danke, jetzt nicht. Mir geht es nicht so gut. Ich will ins Hotel.«

»Aber das geht ganz schnell.« Er zog sie am Arm und verschwand mit ihr durch das Tor. Die Bäume auf dem Friedhof warfen lange dunkle Schatten auf die Wege und unter ihnen knirschte der Kies, als Andreas sie an ein paar Grabsteinreihen vorbei zog. Andreas drückte ihre Schulter nun immer fester.

»Ich will nach Hause«, sagte sie.

Andreas antwortete nicht. Stattdessen schob er sie immer weiter ins Dunkel hinein. Mit einem Mal drehte er sich um und drückte sie gegen die raue Mauer der Kapelle. Er kam näher und versuchte, sie zu küssen. Sie drehte den Kopf zur Seite und fühlte nun seine feuchten Lippen auf ihrer Wange. »Hör auf.« Das sollte viel lauter klingen, aber in der Dunkelheit verlor sich ihre Stimme und im Nachhinein konnte sie nicht einmal mit Sicherheit sagen, dass diese Worte über ihre Lippen gekommen waren. »Du tust mir weh!« Dieses Mal war klar, dass er sie gehört hatte, denn er zuckte, ließ sie aber nicht los, sondern griff noch viel härter zu. Ein Bein hatte er jetzt fest zwischen ihre Oberschenkel gepresst, und als er seinen Unterleib an sie drückte, konnte sie seine Erektion durch die Jeans spüren. Was gerade geschah, das war ein Albtraum, das passierte doch nicht in Wirklichkeit! Sie nahm all ihre Kräfte zusammen und stieß ihn zur Seite.

»Du sollst aufhören, habe ich gesagt!«, schrie sie so laut sie konnte.

Andreas stand wie angewurzelt vor ihr. Sein Gesicht lag im Schatten, aber das Blitzen seiner Augen konnte sie sehen. Einen Moment lang befürchtete sie, dass er sich erneut auf sie stürzen würde, doch dann sank die Gestalt vor ihr in sich zusammen.

»Ja, ist schon gut, du musst doch nicht gleich so schreien«, sagte er verkniffen und machte wieder einen Schritt auf sie zu.

»Fass mich nicht an!« Dieses Mal war ihre Stimme noch schärfer. Sie ging einen Schritt zurück. Da stand sie jetzt im Schein einer Friedhofslaterne. Andreas war noch immer im Dunkeln.

»Du bist ja nicht normal!«

»Du fasst mich nicht an, dass das klar ist!« Sie schrie nicht mehr, aber ihre Stimme war voller Anspannung. Als könnte sie jederzeit kippen.

»Beruhige dich doch!« Er sah sich ängstlich um. »Ich fasse dich nicht mehr an. Du bist ja völlig durchgedreht. Gott, du kannst ja echt jeden impotent machen.«

»Klasse! Ich hoffe, bei dir hält es an bis zum Rest deines Lebens.« Ellinor ging ein paar Schritte rückwärts zum Ausgang. »Du bewegst dich nicht von der Stelle, bis du mich nicht mehr sehen kannst, ist das klar! Sonst schreie ich.«

Andreas antwortete nicht, er lehnte sich an die Wand der dunklen Kapelle, und Ellinor ging weiter, bis sie den Ausgang erreicht hatte. Erst als sie das Tor geschlossen hatte, wagte sie es, ihm den Rücken zuzukehren. Wenn er ihr jetzt noch folgte, würde sie es auf jeden Fall hören. Sie lief die Straße zurück und bog in die erste Seitenstraße ein, die zur Drottninggata führen musste. Das Geräusch ihrer Absätze auf dem Asphalt hallte zwischen den Häusern.

Nur ein paar Minuten später stand sie vor dem Eingang ihres Hotels. Mein Gott, so nah war es gewesen! So nah, so … Sie musste ein paar Mal schlucken, um die Übelkeit zu unterdrücken. Tränen schossen ihr in die Augen, sie konnte nichts dagegen tun. Als sie an der Rezeption vorbeilief, waren ihre Wangen schon tränenüberströmt.

Und oben im Korridor gaben ihre Beine fast nach. Sie versuchte aufzuschließen. Ihr Blick war verschwommen und ihre Nase lief. Sie fühlte sich so mickrig klein. Sie wollte jetzt nicht allein sein, sie brauchte jemanden, der sie trösten konnte. Der ihr sagte, dass das Schlimmste jetzt vorbei war, dass sie in Sicherheit war und nichts Unheimliches mehr passieren konnte.

Sie gab auf. Es klappte einfach nicht mit dem Schlüssel. Ob sie wohl bei Nina klopfen konnte? Wahrscheinlich schlief sie schon, aber wenn Ellinor ihr erzählte, was passiert war, dann würde sie es sicherlich verstehen.

Sie hatten drei Zimmer nebeneinander, ihres lag ganz rechts, aber Ellinor konnte sich nicht mehr erinnern, wer von den beiden das Zimmer neben ihr bewohnte. Schwankend taumelte sie zur Tür des Zimmers ganz links. Sie legte das Ohr an die Tür und zwang sich selbst, ganz still zu sein und nicht mehr zu schniefen. Was sie hörte, erstaunte sie. War das eine Männerstimme gewesen? Es klang wie ein leises Gespräch, aber sie verstand kein einziges Wort. Vielleicht war der Fernseher an. Aber wer von beiden wohnte nun da? Sie überlegte eine Zeitlang und wollte schon aufgeben, da fiel ihr plötzlich ein, dass sie am frühen Abend gehört hatte, wie Nina im Badezimmer gesungen hatte. Das

Geräusch hatte sie durch die Lüftung ihres eigenen Bade-
zimmers gehört.

Also das mittlere Zimmer. Erst zögerte sie. Doch dann
hob sie die Hand und klopfte leise gegen die Holztür.

Unschlüssig stand Miriam da und sah sich um. Sie war einfach losgegangen. Einfach der Nase nach, so wie die Beine sie trugen, aber jetzt spürte sie, dass ihr die Kraft ausging. Am Stureplan war sie schon vorbei, das wusste sie. Dann hatte sie einen größeren Platz passiert und die beleuchtete Fassade des Theaters erkannt. Und ein paar Meter weiter war man schon am Wasser. War das der Mälarsee oder das Meer? Ein paar Boote lagen noch dort und ihre Silhouetten spiegelten sich im ölschwarzen Wasser. Durch den warmen Winter hatte sich noch kein Eis darübergelegt.

Sie war den Kaj entlanggegangen. Hatte den Vollmond bestaunt und sich gewundert, dass sie nicht fror, obwohl die Abendluft schon sehr kühl war. Aber jetzt war der Spaziergang zu Ende. Hier hörte der Weg auf und mündete in einen Parkplatz, wo sich einige Lagerhallen befanden. Das Wasser floss linker Hand noch weiter, und ganz vorn erkannte sie eine Brücke mit einem Eisengeländer, das mit Goldkronen verziert war. Auf der anderen Seite der Brücke glitzerten viele Lichter, und den Häusern und ihrer altertümlichen Architektur nach zu urteilen, musste das Gamla Stan sein, dachte sich Miriam.

Sie hatte gar nicht so viel gegrübelt. Vielleicht war das sonderbar, aber irgendwie hatte sie das Gefühl, dass kein Gedankengang mehr neu war. Jetzt war es Zeit, ins Hotel zurückzugehen. Das hübsche Seidennachthemd anzuziehen, den Inhalt des braunen Glases mit einem Glas Wasser hinunterzuspülen und dann abzuwarten. Darauf, dass dieser ganze Albtraum endlich ein Ende nähme.

Obwohl diese Entscheidung Ruhe und sogar hin und wieder Freude in ihr auslöste, zögerte sie, den Rückweg anzutreten. Langsam bewegte sie sich vorwärts. Vorn an der Brücke bog sie rechts ab und lief weiter am Kaj entlang. Auf der anderen Straßenseite lag nun das Nationalmuseum. Die nächsten Gebäude, die sie sah, waren sehr pompös. Nach ein paar Minuten hielt sie inne. Sie stand vor dem Grand Hotel. Aus den großen Fenstern fiel Licht auf die Straße und drinnen sah man festlich gekleidete Menschen an wunderschön gedeckten Tischen sitzen. Sie unterhielten sich, lachten, waren in Gesellschaft. Da schwenkten die Glastüren des Eingangs auf und ein Paar kam heraus. Unmittelbar fuhr ein Taxi vor und der Mann hielt der Frau die hintere Tür auf. Sie stieg ein. Er selbst ging einmal um den Wagen herum, um neben ihr Platz zu nehmen. In der nächsten Sekunde setzte sich der Wagen in Gang, das Schild auf dem Taxi wurde dunkel und sie verschwanden.

Miriam stand noch lange dort und sah dem Taxi hinterher. Dann fiel ihr Blick wieder auf den beleuchteten Eingang des Hotels und mit einem Gefühl von Unwirklichkeit überquerte sie mit bedächtigen Schritten die Straße.

Das Foyer war überwältigend schön. Gold und Kristall glitzerten im gelblichen Schein der unzähligen Lampen. Ein junger Mann in blauer Hoteluniform tauchte an ihrer Seite auf.

»Kann ich Ihnen behilflich sein?«, fragte er zuvorkommend. Miriam zögerte. »Falls Sie die Cadierbar suchen, die finden Sie dort.« Und er wies auf eine seitliche Tür.

»Danke.« Miriam machte ein paar Schritte in diese Richtung. Als sie in der Tür stand, hielt sie wieder inne. Auch die Bar war beeindruckend, hatte aber einen ganz anderen Stil. Nüchterner. Die Farben waren gedämpfter und die großen Sessel standen einladend in kleinen Grüppchen beieinander. Es waren relativ viele Leute dort, trotzdem war es nicht laut, sondern angenehm. Vorsichtig machte sie ein paar Schritte vorwärts. Ein Glas Champagner in dieser exklusiven Bar. So würde sie den Abend beenden. Das war das Finale, nach dem sie Ausschau gehalten hatte.

Als der Barmann, der sehr akkurat in Schwarz gekleidet war, gerade Miriams Bestellung aufgenommen hatte, legte plötzlich jemand seine Hand auf ihre Schulter.

»Entschuldigung, kennen wir uns nicht?« In der Stimme klang schon ein Lächeln mit. Miriam drehte sich reflexartig um. Der Mann, der vor ihr stand, kam ihr bekannt vor. Dunkles Sakko, weißes Hemd und die grauen Haare schon sehr licht.

»Ich weiß nicht …«, Miriam versuchte sich zu erinnern.

»Doch, ich hab's!«, sagte er und lächelte. »Wir haben zusammen Mittag gegessen. Im Nordiska Kompaniet.«

»Ach ja …« Jetzt wusste sie es wieder. Der Mann, der gegenüber gesessen hatte. Der mit der jungen Frau. Sie lächelte zurück.

»Aber …« Er betrachtete sie eingehend. »Sie haben eine ganz andere Frisur.«

»Ja.« Miriam fuhr automatisch mit einer Hand durch ihr frisch geschnittenes Haar. Gerade wollte sie etwas zu ihrer Entschuldigung sagen, als der Mann ihr zuvorkam.

»Sehr elegant, muss ich sagen. Steht Ihnen sehr sehr gut.« Und sein Blick unterstrich seine Worte, sodass Miriam zur Seite schauen musste, um nicht rot zu werden. »Wollten Sie gerade gehen?« Er sah fragend auf ihren Mantel.

»Nein. Ich bin eben erst gekommen. Ich hatte nur vor …« In dem Moment stellte ihr der Barmann das Glas auf die

Theke. Miriam schluckte, als sie den Preis hörte, bezahlte aber schnell. Der Mann neben ihr stand noch immer dort.

»Sie haben eine gute Wahl getroffen. Um diese Zeit am Abend kann man eigentlich nur Champagner oder Wasser trinken. Das hier sollte man lieber lassen.« Er hob das Glas, das er in der Hand hielt, sodass sie die bräunliche Pfütze auf dem Boden sah. »Single Malt Whisky«, sagte er zur Erläuterung. »Eine schlechte Angewohnheit. Aber er ist gut.« Er lächelte. »Wo ist denn Ihre Begleitung?« Er sah sich um.

»Ich bin alleine hier.«

»Ach ja? Wohnen Sie denn hier im Hotel?«

Miriam lachte, was für eine Vorstellung! »Nein. Aber ich wohne in einem anderen Hotel. Nicht ganz so schön wie dieses.«

»Dann sind Sie nicht von hier?«

»Nein. Ich komme aus Sävesta.«

»Ah ja, mir war so, als hätte ich an Ihrem Dialekt so etwas gehört.« Er lächelte wieder. »Auf Ihr Wohl.« Er wollte gerade sein Glas heben, da unterbrach er sich selbst. »Übrigens, ich heiße Charles Kronlund.« Er hielt ihr die Hand hin.

»Miriam Larsson.«

»Wie schön, Sie kennenzulernen. Auf Ihr Wohl, Miriam.« Er hob sein Glas noch einmal. Sie nahmen beide einen Schluck und standen danach einen Moment lang still da. Wollte er nicht demnächst gehen? Seine Begleitung wartete sicherlich schon. Er sollte sich um Himmels willen nicht gezwungen fühlen, ihr Gesellschaft zu leisten. Sie hätte gar nicht sagen sollen, dass sie allein hier war, jetzt tat sie ihm womöglich leid. »Darf ich Ihnen vielleicht aus dem Mantel helfen?«, fragte er mit einem Mal. »Das ist doch bestimmt viel zu warm. Wenn Sie ihn ablegen möchten, dann bringe ich ihn zur Garderobe.«

»Danke, aber das ist wirklich nicht nötig.«

»Doch, doch, der einzige Abend, an dem man Champagner im Mantel trinkt, ist der Silvesterabend. Und der steht noch vor der Tür, nicht wahr?« Er streckte seine Hand aus, um ihr zu zeigen, dass er auf ihren Mantel wartete. So zog sie ihn aus und reichte ihn Charles. Er verschwand für kurze Zeit und sie blieb allein zurück. Miriam nippte an ihrem Champagner. Das Glas war von außen beschlagen, sodass ihre Finger einen Abdruck hinterließen. Eine Minute später war Charles wieder zurück. Als er ihr den Zettel mit der Garderobennummer gegeben hatte, begann er, sich mit ihr plaudernd zu unterhalten. Miriam antwortete so gut es ging, doch gleichzeitig sah sie sich unruhig um. Ihr Blick wanderte durch den Raum und blieb an einem der Fenstertische mit Sicht aufs Wasser hängen. Dort saß die Frau, die Charles im Café begleitet hatte. Sie trug ihr blondes Haar hochgesteckt und war sehr elegant in ihrem schwarzen ärmellosen Kleid. Mit dem einen Ellenbogen stützte sie sich auf den Tisch und unterhielt sich angeregt mit jemandem auf ihrem Handy. Charles bemerkte, wohin Miriam schaute.

»Man könnte meinen, sie wäre mit dem Gerät am Ohr zur Welt gekommen«, kommentierte er die Szene und schüttelte dabei den Kopf. »Ich habe mich ehrlich gesagt etwas überflüssig gefühlt … ja, ich hoffe sehr, dass Sie nicht das Gefühl haben, ich dränge mich auf …«

»Nein, selbstverständlich nicht.« Ihre Antwort kam blitzschnell. Obwohl sie sich gar nicht so sicher war. Was sollte sie diesem Mann antworten? Er wollte sich unterhalten, ein bisschen den Kavalier spielen. Und sie? Sie wollte keine Umstände machen. Sie sah erst ihn kurz an und dann wieder hinüber zu dem Tisch am Fenster. Warum war eine so junge Frau mit Charles zusammen? Warum hatte sie sich einen Mann ausgesucht, der sicher doppelt so alt war wie sie? Geld, keine Frage. Er schien nicht gerade arm zu sein. Vielleicht war es auch die Sicherheit, die ein älterer Partner vermittelte.

»Haben Sie auch Kinder?« Charles sah sie fragend an.

»Entschuldigung?«

»Kinder.« Er nickte zu der Frau mit dem Handy. »Haben Sie auch Kinder?«

»Ist das Ihre Tochter?«

»Ja.« Er zog die Augenbrauen hoch. »Was dachten Sie denn?«

»Ich …« Miriam fiel keine Antwort ein, mit der sie die peinliche Stille hätte überbrücken können.

»Ach, Sie haben gedacht, ich bin mit meiner Geliebten unterwegs«, erwiderte er und lächelte amüsiert. »Tja, ich habe Arztkollegen, deren Frauen gerade halb so alt sind wie sie selbst. Das ist keine Seltenheit, aber nichts für mich. Fünfundzwanzigjährige sind zwar hübsch anzusehen, aber ich würde keinen ganzen Tag mit ihnen durchhalten.« Er schüttelte den Kopf und sah hinüber zu seiner Tochter. »Sie leben in einer ganz anderen Welt, verstehen Sie, und ich denke, genauso soll es sein.« Er zuckte mit den Schultern und sah sich im Lokal um. »Mein Sohn und seine Freundin sind auch hier irgendwo. Zumindest waren sie das eben noch. Wir haben zusammen Weihnachtsbüfett gegessen, aber jetzt scheint es ihnen mit mir zu langweilig zu werden. Isabelle will sich noch in der Stadt mit Freunden treffen und Erik und Magdalena haben noch eine Einladung zu einem Fest.« Er seufzte und Miriam hatte den Eindruck, dass er einen Moment lang fast traurig aussah. Dann lächelte er wieder. »Und wie ist das jetzt mit Ihnen, haben Sie auch Kinder?«

Miriam zögerte, bevor sie antwortete. »Zwei. Christer ist

Fahrschullehrer. Er wohnt auch in Sävesta, mit Frau und zwei Töchtern, Jenny und Matilda. Und meine Tochter Susanne, die Ältere, lebt in den USA und hat einen Forschungsauftrag an der Universität von North Carolina.«

»Klingt interessant.« Charles machte ein neugieriges Gesicht. »Und in welchem Bereich forscht sie?«

Miriam antwortete nicht. Ein plötzlicher Druck auf der Brust nahm ihr die Luft. Sie hatte versucht, den Gedanken an die Kinder und die Enkel zu verdrängen. Das war nicht der rechte Zeitpunkt dafür. Die ganze Reise über hatte sie gegen den Instinkt angekämpft, sich von dem Gedanken trösten zu lassen, dass sie ja immer noch ihre Familie hatte. Die ihrem Leben noch einen Sinn gab. Aber das war ja nicht wahr. Die Kinder führten ihr eigenes Leben, ihres war vorbei. Ihr wurde schwarz vor Augen und sie spürte, wie sie schwankte. Wie sollte sie ihr Vorhaben in die Tat umsetzen, wenn plötzlich die Bilder von den Kindern präsent waren?

Charles griff sie vorsichtig am Arm. »Was ist los?« Er winkte dem Barmann zu. »Kann ich bitte schnell ein Glas Wasser bekommen?«

»Nichts, nichts.« Miriam richtete sich auf, spürte aber noch immer den Schwindel im Kopf. »Nur ein bisschen niedriger Blutdruck.« Charles hielt ihr das Wasserglas hin und sie trank einen kleinen Schluck. Damit er zufrieden war. »Ich sollte jetzt heimgehen«, sagte sie und wandte ihren Blick ab.

»Soll ich Ihnen ein Taxi rufen?«

»Ja … Das wäre nett.« In dem Moment kam der Schwindel wieder und sie ging in die Knie. Charles fing sie auf.

»Ich helfe Ihnen«, sagte er und legte den Arm um ihre Schultern. »Wir gehen jetzt hier raus, es ist doch sehr warm hier drinnen.« Sie widersprach nicht, sondern ließ sich von ihm führen, und als er sie zu einem Sofa im Hotelfoyer geleitet hatte, ließ sie sich dankbar nieder. »Wie geht es Ihnen?« In seinem Blick lag Sorge.

»Ein wenig wirr im Kopf.«

Er setzte sich neben sie auf die Bank und nahm ihr Handgelenk. So saßen sie eine Weile da. »Ihr Puls ist normal«, sagte er dann. »Ich werde Ihnen behilflich sein, Sie ins Hotel zu bringen.«

»Nein.« Miriam schüttelte abwehrend den Kopf. »Das ist wirklich nicht nötig.«

»Das kann schon sein. Aber dann habe ich ein besseres Gefühl.«

»Ich glaube nicht, dass ich Sie noch brauche ...« Doch dann fehlte Miriam die Kraft, zu widersprechen. Sie musste nach Hause. Bevor sie ihre Entscheidung revidierte.

»Sagen Sie das nicht.« Charles lächelte. »Eine Chance werde ich doch wohl bekommen. Warten Sie, ich will nur kurz den Kindern Bescheid sagen und unsere Mäntel holen.«

Miriam blieb auf dem Sofa sitzen. Sie war so müde, dass sie einfach nur die Augen schließen und schlafen wollte, aber Charles war schnell zurück. Er half ihr in den Mantel und kurz darauf saßen sie beide auf dem Rücksitz eines Taxis auf dem Weg zum Queens Hotel. Im Augenwinkel sah sie, wie er sie anschaute. Sie suchte nach Worten, um den fremden Mann zu beruhigen, ihn dazu zu bringen, sie allein zu lassen, aber ihr fiel nichts ein. Sie saß einfach still da und blickte aus dem Fenster. Das war die gleiche Stadt, so voller Lichter, die sie vor ein paar Stunden schon durch ein anderes Taxifenster betrachtet hatte.

Das Zimmer war dunkel, als Charles aufschloss, und ein leichter Geruch von Putzmittel lag in der Luft. Er ging voran und trat einen kleinen Schritt zur Seite, um Miriam Platz zu machen. Er half ihr aus dem Mantel, ging ins Zimmer und knipste das Licht an. Ihr Seidennachthemd lag schimmernd auf dem Bettüberwurf ausgebreitet. Als Charles es ohne ein Wort zusammenfaltete und zur Seite legte, war es ihr nicht einmal unangenehm, ihr war alles egal.

»Bitte, legen Sie sich hin.« Er wies auf das Bett und sie tat, was er sagte und ließ sich schwerfällig nieder. Charles schüttelte die Kissen in ihrem Nacken auf und lehnte sich wieder langsam zurück. »Haben Sie es bequem?« Sie nickte. Dann nahm er noch einmal ihre Hand und legte zwei Finger über ihr Gelenk. »Das ist nicht der Blutdruck, habe ich recht?«, meinte er nach einer Weile und legte ihre Hand wieder ab.

»Nein.« Ihre Antwort war kaum zu hören und sie wandte den Kopf ab, als die ersten Tränen liefen.

Er saß an ihrer Bettkante und schwieg, strich ihr aber von Zeit zu Zeit über den Arm. Als ihr Weinen langsam weniger wurde, begann sie leise zu erzählen. Von Frank. Von Yvonne. Von Kopenhagen, der Tasche mit dem Logo, vom Sonnenhut, den sie nicht rechtzeitig zusammengebunden hatte. Von Bibi, die einfach nach Hudiksvall fortgezogen war. Die alles wusste. Von den Sorgen, die sie sich um Susanne machte. Von Veronika, die ihr immer wieder das Gefühl gab, völlig überflüssig zu sein. Von den Wohnzeitschriften, in denen sogar die Weihnachtsbäume weiß geschmückt waren. Von Janina, ihren Verdächtigungen, dem Kartenspiel und der Reise nach Stockholm.

Sie erzählte einfach alles.

Fast alles.

Am Ende wurde ihre Stimme immer matter und sie konnte ihre Augenlider nicht mehr kontrollieren. Sie wusste nicht, wie lange sie geredet hatte. Vielleicht Stunden. Charles hatte die ganze Zeit bei ihr gesessen. Manchmal hatte sie ihn seufzen gehört, manchmal hatte er sie über das kurze blonde Haar gestreichelt, wo die Wirbel waren, die sie gar nicht gekannt hatte. Als ihr die Worte ausgingen, half er ihr aus dem Kleid. Die rosafarbene Unterwäsche ließ er an, schlug aber die Decke zur Seite und nahm eines der zwei Kissen fort, die er ihr zuvor unter den Nacken geschoben hatte.

Sie hatte keine Erinnerung mehr daran, wann sie eingeschlafen war, nur an die Dunkelheit und die Ruhe. Und dass jemand ihre Hand hielt.

Nina *war gerade eingeschlafen,* als sie von dem vorsichtigen Klopfen an der Tür erwachte. Erst dachte sie, sie hätte geträumt, aber als sie es ein zweites Mal hörte, knipste sie schnell das Licht an. Sie hatte keinen Morgenmantel dabei, den sie überziehen konnte, befand aber auf die Schnelle, dass der weiße Pyjama auch taugte.

»Wer ist da?«, fragte sie durch die Tür.

»Ich bin's, Ellinor.«

Nina öffnete sofort. Vor ihr stand ihre Nachbarin, das Gesicht von Tränen und Mascara verschmiert. Ihre schmalen Schultern bebten bei jedem Schluchzer. »Darf ich einen Moment reinkommen?«

»Du Arme, natürlich. Komm rein. Was ist denn passiert?«

Ellinor kam herein und sank auf der Bettkante nieder. Sie wimmerte noch eine Weile, bis sie sich so weit beruhigt hatte, dass sie erzählen konnte. »Da war dieser Typ …«

»Welcher?«

»Der an der Bar, mit dem ich getanzt habe.«

»Was hat er gemacht?« Nina erstarrte vor Schreck.

»Ich wollte einfach nach Hause, aber er hat mich verfolgt.«

»Und was ist passiert?«

Ellinor sah auf und strich ein bisschen Schnodder von der Wange. »Er hat mich auf einen Friedhof gezerrt und versucht, mich zu küssen. Als ich nein gesagt habe, wollte er mich zwingen …« Ihre Stimme brach, das Weinen überkam sie von Neuem.

Nina setzte sich zu ihr aufs Bett und legte ihr den Arm um die Schultern. »Ellinor, ist etwas passiert? Soll ich die Polizei rufen?«

Ellinor saß still da und schluchzte leise vor sich hin. Sie schien die Frage gar nicht gehört zu haben. »Es war schrecklich«, sagte sie und blickte auf. »Ich konnte mich nicht mehr bewegen. Es war wie in diesen Albträumen, wenn man rennt und rennt, aber nicht von der Stelle kommt. Ich habe sogar versucht zu schreien, aber es kam kein einziger Laut.« Die zarte kleine Gestalt verstummte. Dann richtete sie sich wieder auf. Machte ein verkniffenes Gesicht. »Plötzlich ließ es nach. Ich schrie. Unheimlich laut. Ich wurde so fuchsteufelswild, dass er einen Schritt zurückmachte. Wahrscheinlich hatte er gar nicht mit Widerstand gerechnet. Und dann … Dann bin ich hierher gerannt.« Wieder liefen ihr die Tränen über das Gesicht.

Nina saß schweigend da. Sie hatte Ellinor allein gelassen und was sie nun zu hören bekam, machte ihr richtig Angst. »Ruhig, ruhig«, sagte sie mit sanfter Stimme und streichelte Ellinor über den Rücken. »Jetzt bist du hier, dir kann nichts mehr passieren. Du bist in Sicherheit.« Leere Phrasen, doch sie schienen zu helfen. Das Weinen nahm ab. »Brauchst du ein Taschentuch?«

Ellinor nickte und Nina hielt ihr ein Papiertaschentuch hin, das sie aus ihrer Handtasche genommen hatte. Ellinor schnäuzte sich laut. »Ich komme mir so blöd vor«, sagte sie leise.

»Aber Ellinor, das lag doch nicht an dir! Er hat dich doch verfolgt. Nicht wahr?«

»Schon, aber ich habe ja den ganzen Abend lang mit ihm getanzt…«

»Und wenn schon. Er machte ja auch einen ganz normalen Eindruck. Ellinor, ich hätte dich niemals mit ihm allein gelassen, wenn er mir sonderbar vorgekommen wäre. Es besteht überhaupt kein Grund, dass du dir Vorwürfe machst, hörst du?«

»Ja, aber es ist ja nicht nur das. Da ist noch viel mehr.« Sie sah Nina mit verheulten Augen an. »Wille und Sävesta und der Job und ... Ich wollte es ihm heimzahlen, und das ist dabei herausgekommen.«

»Heimzahlen? Wovon sprichst du?«

»Ach Gott, das ist so kindisch, das kann man gar nicht erzählen ...«

»Ist Wille fremdgegangen?

»Nein, nein ...! Absolut nicht. Er liebt mich, ich liebe ihn, aber ...«

»Aber ...?«

»Ich war so wütend auf ihn. Ich wollte einfach nur raus.«

»Warum denn?«

Ellinor seufzte und senkte ihren Blick. »Erinnerst du dich an die Stelle, von der ich gesprochen habe? Auf die ich mich beworben habe?«

»Ja.«

»Ich habe eine Zusage. Die Nachricht habe ich kurz vor unserer Abreise erhalten, aber ich habe es Wille noch gar nicht erzählt. Er weiß nicht einmal, dass ich mich da beworben habe.«

»Aber wo ist das Problem? Das ist doch eine tolle Neuigkeit?«

»Ja, so könnte man das auch sehen ...« Ellinor war schon wieder nahe daran, in Tränen auszubrechen, biss aber die Zähne zusammen. »Albin hat noch keinen Krippenplatz und einer muss bei ihm zu Hause bleiben.«

»Kann das nicht Wille machen?«

Ellinor sah nach unten und zupfte an der Nagelhaut eines Fingers.

»Was hast du vor?«, fragte Nina schließlich.

Ellinor seufzte. »Keine Ahnung. Ich hatte gehofft, dass ich hier in Stockholm eine Lösung dafür finde. Tapetenwechsel und frische Luft um die Nase. Und stattdessen werde ich auf einem Friedhof überfallen. Was hat das wohl alles zu bedeuten?« Sie versuchte zu lächeln, aber ihre Mundwinkel sanken schnell wieder nach unten.

»Aber er hat dich nicht vergewaltigt.« Nina sah sie mit ernstem Gesicht an. »Du bist ihm entkommen.«

»Mein Gott, jetzt klingst du wie Dr. Phil.« Ellinor kicherte. »Fehlt nur noch der Schnurrbart.«

Nina fuhr sich über das Kinn und versuchte, ein ernstes Gesicht zu machen. »Du solltest mal sehen, wie ich ausschaue, wenn ich mich nicht rasiere.«

Ellinor brach in Lachen aus und ab da schien sie etwas befreiter zu reden. »Aber ganz im Ernst«, seufzte sie. »Manchmal komme ich mir zu Hause vor wie eine Tapete an der Wand. Es ist völlig selbstverständlich, dass ich da bin.«

»Meinst du, dass Wille das so sieht?«

»Sicher nicht bewusst. Aber manchmal habe ich das Gefühl, er hat völlig vergessen, wer ich bin. Wer ich *war*.« Ellinor schüttelte den Kopf. »Wir wollten alles gemeinsam bewältigen, mein Job war genauso wichtig wie seiner. Ich bin davon ausgegangen, dass das selbstverständlich ist, aber jetzt scheinen alle Diskussionen, die wir vor Albins Geburt geführt hatten, völlig vergessen. Es macht mir riesige Angst, wenn ich überlege, was daraus wird, wenn es so weitergeht. Kannst du das verstehen?« Sie sah Nina mit einem hilfesuchenden Blick an. »Dass ich in ein paar Jahren dastehe wie Miriam. Mit einem pedantisch gepflegten Garten und einem Aushilfsjob in einem Geschenkestübchen als einzigem beruflichen Erfolg.«

»Ich glaube kaum, dass die Gefahr besteht.« Nina lächelte. »Miriam ist ein völlig anderer Typ als du.«

»Ja, das ist mir schon klar. Aber dann denke ich wieder, dass der Schritt dahin vielleicht gar nicht so groß ist. Vielleicht hatte Miriam damals auch Ambitionen. Sie kann doch wohl nicht ihr Leben als Hausfrau geplant haben? Ist es nicht wahrscheinlicher, dass die Jahre einfach vergingen und es irgendwann zu spät war, um noch etwas anderes zu tun?«

»Vielleicht. Die Frage ist, ob sie damit unglücklich war.«

»Das spielt keine Rolle. *Ich* wäre damit unglücklich. Das wäre das Schlimmste!« Ellinor machte eine verzweifelte Handbewegung.

»Kannst du dir die Betreuung von Albin nicht mit Wille teilen?«

»Das ist ja der Punkt, über den ich mit ihm reden wollte. Ich habe ihm gesagt, dass ich eine Stelle in Sävesta finden muss, aber er nimmt mich gar nicht für voll. Er meint einfach, dass sich das schon regeln wird, wenn Albin seinen Krippenplatz hat. Als wäre das für alles die Lösung. Aber wer bringt ihn hin, wer holt ihn ab? Es können doch nicht beide voll arbeiten, wenn man ein so kleines Kind hat.«

»Dann musst du vielleicht Teilzeit arbeiten?«

»Aber warum steht das fest?!« Ellinor wurde laut. »Warum eigentlich ich? Und was für ein Job soll das sein, vielleicht an der Kasse bei Edeka?« Wieder liefen ihr die Tränen über die Wangen, aber jetzt eher vor Wut.

»Was passiert denn, wenn du die Stelle annimmst?«

»Wille wird ausrasten. Er wird behaupten, dass ich unsere Vereinbarung gebrochen habe.«

»Und hast du das?«

»Im Grunde schon.« Ellinor biss sich auf die Unterlippe und atmete schwer. »Aber mir waren die Konsequenzen des Umzugs nicht so bewusst. Und Wille auch nicht.«

»Wird er denn seinen Job verlieren, wenn er jetzt Elternzeit nimmt?«

»Nein, das steht ihm ja gesetzlich zu. Wenn Forsvik überhaupt etwas dazu sagt, denn sie machen mit ihrer familienfreundlichen Personalpolitik ja sogar Werbung.«

»Und was ist, wenn du das Angebot ablehnst?«

»Keine Ahnung. Erst mal wird alles so weitergehen wie bisher, und dann …« Sie seufzte. »Natürlich *kann* ein Teilzeitjob in Sävesta genau dann vakant sein, wenn Albin in die Krippe kommt …«

»Mmh. Und es könnte auch sein, dass es den Weihnachtsmann wirklich gibt … Das denkst du doch, oder?«

»Ja.«

»Na dann.«

»Was?«

»Dann ist Wille jetzt im Zugzwang. Du musst den Konflikt riskieren. Hör auf Dr. Phil.«

Das Erste, was sie von ihm wahrnahm, war sein Atmen. Dann spürte sie seinen Arm und seine Hand. Und dann seinen Brustkorb, der sich langsam und regelmäßig gegen ihren Rücken hob und senkte. Es war so ruhig, dass Miriam nicht gleich wusste, dass sie wach war. Langsam öffnete sie die Augen. Es war deutlich zu spüren, dass sie aufgequollen waren und die kleinen Salzkristalle, die wie feiner Staub an Wimpern und der Haut hingen, pieksten sie. Von der Nachttischlampe auf der anderen Seite schien ein gelbliches Licht, das sich mit dem eher grauen Tageslicht, das durch das Fenster fiel, mischte. Es war Morgen, aber die Uhrzeit zu schätzen, fiel ihr schwer.

Der Mann, der dicht an ihr lag, hatte seinen Arm um ihren Bauch geschlungen. Er schlief noch immer, tief atmend, ohne zu schnarchen. Sie wollte ihn nicht wecken, auch am liebsten selbst gar nicht wach sein, aber ihre Schulter tat weh und sie hätte sich gern auf die andere Seite gedreht. Doch das war unmöglich. Dann würde er aufwachen. Ihr bleiches Gesicht sehen, ihre verschwollenen Augen. Sich an all das erinnern, was sie erzählt hatte. Der Gedanke flößte ihr Angst ein. Sie konnte nicht liegen bleiben, es ging nicht. Sie musste raus aus diesem Zimmer, weg von diesem Mann. Ihm die Gelegenheit geben, das Hotel zu verlassen, sie zu verlassen, ohne Peinlichkeiten.

Vorsichtig streckte sie die Beine unter der Decke hervor und schob sie über die Bettkante. Seine Hand, die auf ihrem Bauch lag, behinderte sie. Sie versuchte, seinen Hemdsärmel anzuheben, doch der Stoff rutschte ihr aus den Fingern und der Arm fiel wieder nach unten. Er brummte und zog seinen Arm noch enger um sie. Ein paar Sekunden lag sie mucksmäuschenstill. Ihr Herz pochte so laut, dass sie glaubte, er würde von dem Geräusch erwachen. Gerade als sie einen neuen Versuch unternehmen wollte, hörte sie seine Stimme.

»Bist du wach?«, fragte er, ohne sich zu rühren. Als hätte er im Schlaf gesprochen.

»Ja.« Ihre Stimme war leise. »Und du?«

»Mmh.« Er hielt inne. »Ich habe sonderbar geträumt.«

»Ja?« Auf diese unerwartete Bemerkung wusste sie keine andere Antwort. Hatte er gedacht, es sei alles ein Traum gewesen?

»Ich habe geträumt, dass ich mit einem Hund durch die Heide gelaufen bin, mit einem Border Collie. Da flog weiter vorn eine Schar Vögel in die Luft und der Hund fing an zu bellen und rannte hinter ihnen her, immer weiter weg. Am Ende war er nur noch ein kleiner Punkt.«

Seine Stimme klang ein bisschen rau und Miriam konnte seinen Atem wie warme Wölkchen an ihrem Rücken spüren, als er sprach.

»Und was ist dann passiert?«

»Das war alles.«

Miriam überlegte einen Moment lang. »Klingt ein bisschen traurig«, sagte sie dann. Jetzt lag sie auch ganz still, so wie er.

»Ich bin mir gar nicht sicher, ob es wirklich so traurig war. Der Hund schien fröhlich zu sein.«

»Ja, aber du?«

»Na ja, das ist klar, ich bin ja zurückgeblieben …«

Stille im Zimmer. Miriam versuchte, alle Gedanken zu

verdrängen. Vielleicht konnte die Zeit einfach vorüberziehen, sich in Nichts auflösen? Es gelang ihr nicht. Sie musste an Frank denken. Ob Yvonne in seinen Armen lag, so wie sie gerade in Charles'? Seine Träume teilte, seine Gedanken? Sie selbst hatte keine Erinnerung mehr daran, wann sie zuletzt so eingeschlafen oder aufgewacht war – mit Franks Armen um ihren Körper geschlungen. Und einen anderen hatte es nie gegeben. Dass sie jetzt in einem Bett so eng an einen fremden Mann geschmiegt lag, war kaum zu fassen. Auch wenn noch die Decke zwischen ihnen war, spürte sie doch deutliches Unwohlsein, je mehr es ihr klar wurde. Die Bilder von Frank waren so überwältigend, dass sie ihn fast vor sich sah, wie er ins Zimmer trat. Sie ansah. Schockiert, enttäuscht.

Sie holte tief Luft. »Ich …« Ihre Stimme versagte.

»Wir müssen nicht darüber sprechen.« Charles stemmte sich auf den Ellenbogen und sah ihr ins Gesicht. »Ich verstehe schon.« Sie spürte seinen Blick, konnte ihn aber nicht erwidern. Stattdessen schloss sie die Augen und zuckte, als sie spürte, wie er ihr eine Haarsträhne mit der Hand aus dem Gesicht strich. Im nächsten Moment hatte er sich aufgerichtet und war aufgestanden. Still ging er ins Badezimmer und schloss sachte die Tür hinter sich. Sie rollte sich auf den Rücken und massierte leicht ihre schmerzende Schulter. Vom Bad hörte sie die Geräusche, wie er urinierte, spülte und den Wasserhahn aufdrehte. Vertraute Geräusche in einer fremden Umgebung.

Als er herauskam, lag sie noch da, die Decke weit hochgezogen und die Hände über dem Bauch gefaltet. Sie hätte vielleicht die Gelegenheit nutzen, aufstehen und sich anziehen sollen, aber ihr war gerade alles zu viel. Dieses Mal sah sie ihn an. Seine Augen waren blau, vielleicht auch graublau. Sein Hemd war zerknittert, seine Hose auch. Das dünne Haar mit Wasser nach hinten gekämmt, und durch die Feuchtigkeit wirkte es dunkler als am Abend zuvor. Er lächelte sie an. Dann ging er zum Bett und hob sein Jackett auf, das auf dem Boden lag. Er legte es sich über den Arm und kramte eine Weile in den Taschen, bis er gefunden hatte, was er suchte.

»Ich will jetzt nicht förmlich sein, aber … hier ist meine Karte.« Er fingerte wieder in den Taschen. Ein paar Sekunden später hielt er einen Stift in der Hand. Ich schreibe dir auch meine Handynummer auf. Und die von zu Hause.« Er ging zum Schreibtisch hinüber und beugte sich hinunter, während er die Zahlen auf der Karte ergänzte. Dann richtete er sich wieder auf und wirkte einen Moment lang etwas verloren. Bedächtig ging er zurück zum Bett und setzte sich nach kurzem Zögern auf die Kante. Lange sah er sie nur an. Jetzt konnte sie seine Augen besser sehen. Sie waren grau, dunkelgrau. Vielleicht hatte es an dem anderen Licht gelegen, dass sie sie für blau gehalten hatte. Ein paar Mal wich sie seinem Blick aus, doch er fing ihn immer wieder ein. Sie sagte kein Wort, er auch nicht. Nach den Bekenntnissen dieser Nacht blieb nichts mehr zu sagen. Sie konnte es nicht zurücknehmen. Die Worte standen zwischen ihnen. Als sie wieder einmal ihren Blick senkte, nahm er ihre Hand in seine. Er hielt sie so eine Weile ganz ruhig, ohne sie zu streicheln oder zu drücken. Ließ einfach seine Wärme in ihren Körper fließen.

»Ich wäre froh, wenn du mich anriefst«, sagte er schließlich. »Mir ist klar, dass es in deinem Leben gerade drunter und drüber geht, aber … Na ja, vielleicht gerade deshalb. Ich kann gut zuhören.«

»Ja … Ich weiß nicht, ob reden so gut ist.«

»Da bin ich anderer Meinung. Du hattest heute Nacht viel zu sagen.« Er suchte wieder Blickkontakt, doch sie starrte nach wie vor nach unten. »Auf der Karte ist auch eine Adresse«, fuhr er fort. »Schreib mir, wenn dir das lieber ist. Es würde mich traurig machen, wenn ich nichts mehr von dir höre.«

Miriam nahm die Karte, die Charles ihr hinhielt. »Danke.«

Er streichelte ihre Hand. Und drückte sie fest, fast zu fest. »Miriam«, begann er, zögerte noch einen Moment, doch sprach dann weiter. »Ich kann nicht sagen, dass ich weiß, was du durchmachst. So wie du bin ich noch nie verlassen worden, wegen eines anderen. Aber ich weiß wohl, was es heißt, den Lebenswillen zu verlieren. Als vor acht Jahren meine Frau starb, glaubte ich, mein Leben sei vorbei. Nichts hatte mehr Sinn. Über ein Jahr lang stand ich morgens auf, wusch mich, aß Frühstück, machte meine Arbeit …« Langsam schüttelte er den Kopf und sah aus dem Fenster. Dann drehte er sich wieder zu Miriam um. »Ich habe nur zu Hause gesessen und die Wände angestarrt. In mir war es völlig leer. Kein bisschen Lebenslust.« Er machte wieder eine Pause, als fiele ihm die Erinnerung schwer. »Schließlich wurden es die Menschen um mich herum leid, die Kinder, meine Freunde, die Kollegen … Und am Ende sogar ich selbst. Ich habe diese Leere einfach nicht mehr ausgehalten. Ich zwang mich, wieder zu leben. Nicht so wie zuvor. Nichts konnte die Sehnsucht nach Birgitta stillen, aber ich begann, neue Dinge für mich zu entdecken. Und Schritt für Schritt habe ich mir ein neues Leben geschaffen.« Er stand auf und begann, sich durch den Raum zu bewegen. Miriam folgte ihm mit ihrem Blick, ohne ein Wort zu sagen.

»Für vieles von dem, was mir heute am wichtigsten ist«, fuhr er fort, »habe ich mir vorher viel zu wenig Zeit genommen. Zum Beispiel die Kinder. Ich habe es fertig gebracht, vor lauter Sitzungen und Überstunden ihre Kindheit zu verpassen. Aber als Birgitta starb, habe ich verstanden, wie wichtig sie für mich waren. Es war nicht ganz einfach, mich ihnen wieder anzunähern, als sie bereits erwachsene Menschen waren, aber heute habe ich das Gefühl, dass wir uns wirklich kennen. Ich bin gern mit ihnen zusammen und ich denke, sie sind es auch.« Er ging wieder zu ihrem Bett und setzte sich noch einmal.

»Miriam, das Leben hält noch so viel bereit. Auch wenn du es jetzt nicht sehen kannst. Aber es wird wieder gut werden, glaub es mir.« Er betrachtete sie, als wolle er sicherstellen, dass sie auch verstanden hatte, was er gesagt hatte. Dann stand er wieder auf. »Melde dich«, sagte er kurz und nahm wieder sein Jackett. Ein paar Schritte, dann stand er in der Tür.

»Übrigens«, sagte er und drehte sich um. Er steckte die Hand in die Hosentasche und holte etwas heraus. »Das hier habe ich im Badezimmer gefunden.« Er hielt ein kleines braunes Glas in die Höhe. »Das ist abgelaufen, deshalb dachte ich mir, ich nehme es mit, um es zurückzugeben. Zum Entsorgen.« Er sah ihr ins Gesicht. Dann lächelte er wieder, öffnete die Tür und ging.

Nina war früh aufgewacht. Lange bevor es hell war. Sie hatte noch im Bett gedöst und es einfach genossen, nicht aufstehen zu müssen. Ellinor war erst kurz nach drei gegangen. Sie hatten noch eine Weile über Wille und die Arbeitsstelle gesprochen. Vielleicht war es nur Einbildung, aber Nina hatte den Eindruck, dass ihr Gespräch etwas bewirkt hatte, als Ellinor ging. Sie war entschlossener.

Wie froh sie war, dass sie keine kleinen Kinder mehr hatte. So schön die Zeit auch gewesen war, es waren doch harte Jahre. Entweder war man zu Hause und machte sich deswegen Sorgen um die Karriere, oder man blieb im Beruf und machte sich dann Gedanken, dass das Kind zu viel in der Krippe war. Gab es eigentlich diese Ehe mit gleicher Rollenverteilung? In der jeder gleichviel arbeitete und gleichviel Verantwortung für die Kinder übernahm?

Als es langsam hell zu werden begann, stand sie gemächlich auf. Sie duschte ausgiebig und trocknete ihre Haare vor dem Spiegel, nur in ein Handtuch gehüllt. Und was war mit ihr? Sie war so gut darin, anderen Ratschläge zu geben, aber wie sah denn ihr eigenes Leben aus?

Sie legte den Fön aus der Hand und griff nach der großen Plastiktüte, die auf dem Boden stand. Sie trug sie hinüber zum Bett und begann nach und nach, den Inhalt auszupacken. Der große Block war das Erste, was zum Vorschein kam. Sie öffnete den Einband und strich mit den Fingerspitzen über die Papieroberfläche. Hundert Prozent

Baumwolle, auf so kostbares Papier hatte sie noch nie gemalt. Dieses matte Material fühlte sich unter ihren Fingern wie Wildseide an. Wenn man genau hinsah, konnte man die Struktur des Papiers erkennen, wie die Fasern kreuz und quer liefen.

Der nächste Gegenstand, den sie herauszog, war ein kleines schwarzes blechernes Etui. Darin lagen die zwölf Aquarellfarben, wie kleine Zuckerstücke eingepackt in farbigem Papier. Konzentrierte Pigmente, die darauf warteten, dass man sie mit Wasser zu dem Farbton mischte, den man haben wollte. Einen echten Marderpinsel hatte sie sich auch geleistet. Zehn Kronen. Sie hob den Pinselschutz ab und ließ die weichen Borsten über die Finger gleiten, strich damit auch sanft über ihre Lippen. Dann legte sie ihn beiseite und drehte die Tüte einfach um, sodass der restliche Inhalt herausfiel. Acht kleine Tuben mit unterschiedlichen Etiketten. Monastralblau, Smaragdgrün, Krapplack, Lichtocker, Umbra … Das Geld hatte nur für Ölfarben in Studioqualität gereicht. Und trotzdem waren die Tuben, die jetzt vor ihr ausgebreitet lagen, noch um Längen besser als die Acrylfarben, die sie früher benutzt hatte. Die zu Hause so eingetrocknet gewesen waren.

Sie hatte auch Leintuch gekauft. Das würde sie selbst auf eine Leinwand spannen. Zwar waren die fertig gespannten Rahmen auch nicht teurer, aber sie erinnerte sich an ihren Lehrer, der immer sagte, man müsse seine eigene Spannung finden. Die einem am besten entsprach. Mancher wollte die Leinwand sehr fest gespannt haben, dass sie wie eine harte Unterlage war, andere mochten das Gefühl, wenn der Stoff nachgab, wenn sie den Pinsel darauf drückten. Was ihr selbst mehr lag, wusste sie gar nicht. Sie hatte sich nie die Zeit genommen, darauf zu achten.

Sie betrachtete all die Gegenstände, die sie um sich ausgebreitet hatte. Als hätte jemand eine Schatzkiste vor ihr ausgekippt. Mit dem einzigen Unterschied, dass Gold, Perlen und Edelsteine in ihr niemals dieses Gefühl von Vorfreude hätten auslösen können. Sie konnte es kaum abwarten, nach Hause zu kommen und die Dinge an ihren Platz zu legen. Den Marderhaarpinsel ins Wasser zu tauchen, ihn in Farbe zu tunken und die Borsten das weiche, reine Weiß des Papiers berühren zu lassen.

Ganz langsam packte sie alles wieder ein. Mittlerweile war es an der Zeit fürs Frühstück. Obwohl sie vom Abendessen eigentlich noch immer gesättigt war, hatte sie Appetit auf Kaffee und frisch gebackenes Brot und Marmelade. Vielleicht noch ein Glas Orangensaft und ein weichgekochtes Ei. Wenn sie es noch schaffte.

Sie sollte ihr Handy mitnehmen, es könnte ja sein, dass Miriam oder Ellinor sie erreichen wollten. Nachdem sie es erst suchen musste, fand sie es in der Jackentasche, als sie auf dem Weg nach draußen war. Sie hielt inne. Zwei SMS-Nachrichten und ein entgangener Anruf.

Die eine SMS war von Matthias, gesendet 20.04 Uhr am Abend zuvor. Er fragte nach, ob sie die Pralinenschachtel, die im Kühlschrank stand, öffnen durften. Sie hatte sie bei der Arbeit geschenkt bekommen, ein dankbarer Kunde hatte sie ihr als Weihnachtsgeschenk mitgebracht. Vermutlich hatte Matthias ihr Schweigen als »ja« gewertet und die Chance, dass noch etwas übrig sein würde, wenn sie nach Hause kam, war verschwindend gering. Aber das hatte sie sich selbst zuzuschreiben, warum hatte sie auch nicht gestern Abend noch einen Blick auf ihr Handy geworfen.

Die andere SMS war von derselben Nummer, von der auch der Anruf gekommen war. Sie las den kurzen Text zweimal.

Nina, ich wollte dir nur sagen, dass ich immer noch an dich

denken muss. Es gibt einiges, was ich dir erzählen will. Kannst
du mich nicht zurückrufen? Du Liebe. Kuss, Thomas

Die Hand, in der sie das Handy hielt, zitterte. Sie wollte cool sein, spürte aber, wie ihr Puls raste. Verdammter Thomas Linge. Warum konnte sie sich nicht einfach von ihm verabschieden? Wie konnte eine SMS sie so aus der Ruhe bringen? Sie atmete tief durch und holte noch einmal Luft. Dann verließ sie das Zimmer und schloss die Tür hinter sich.

Im Frühstücksraum war es ganz leer. Weder Miriam noch Ellinor waren dort. Sie hatten keine Zeit verabredet, sondern nur beschlossen, dass sie sich beim Frühstück wiedersähen. Noch eine Stunde lang gab es Frühstück, also hatten die beiden anderen noch genügend Zeit.

Nina legte das Telefon und den Zimmerschlüssel auf einen Tisch am Fenster ab und drehte eine Runde ums Büfett, um festzustellen, was es zu essen gab. Die Brötchen schienen frisch gebacken zu sein und es gab vier Sorten Marmelade zur Auswahl. Neben der Kaffeemaschine stand eine Thermoskanne mit warmer Milch. Sie nahm sich einen Teller und bediente sich. Neben dem, was sie schon vorher überlegt hatte, landeten auf ihrem Teller auch noch ein Stück Brie, eine Scheibe Salami und ein kleines, sehr kleines Stückchen Plunder.

Gerade als sie sich setzte, erschien Ellinor im Frühstücksraum. Sie trug Jeans und einen zartrosafarbenen Schurwollpullover, die Haare hatte sie nach hinten zu einem Pferdeschwanz zusammengekämmt. Sie ging zu Nina und setzte sich.

»Danke noch einmal«, sagte sie, es war ihr offensichtlich unangenehm.

»Ich danke selbst. Und wie fühlst du dich heute Morgen?«

»Ich nehme an, so wie ich es verdiene. Ich habe gerade eine Kopfschmerztablette genommen.«

»Essen ist auch nicht verkehrt. Wie wär's mit Bacon und Eiern?«

»Na ja … Ich weiß nicht recht …« Ellinor ging zum Büfett und nahm sich etwas auf ihren Teller. Ein paar Minuten später saß sie wieder am Tisch. Vor ihr stand ein Glas Saft, eine Tasse Tee und auf einem Teller lagen ein Toast und eine Scheibe Käse.

Nina sah sie an.

»Hast du denn noch ein bisschen schlafen können? Keine Albträume mehr?«

»Nein. Ich habe sogar noch ganz gut geschlafen. Obwohl ich ganz früh aufgewacht bin. Typisch, wenn ich einmal die Gelegenheit habe, auszuschlafen.« Sie seufzte. »Obwohl es ganz in Ordnung war. Ich habe noch im Bett gelegen und gelesen. Richtiger Luxus. Ich kann mich nicht einmal mehr erinnern, wann ich zuletzt morgens im Bett liegen und lesen konnte.«

»Und wie siehst du heute das … was gestern geschehen ist?«

Ellinor zögerte. Als hätte sie das Thema am liebsten vermieden. »Ja …«, begann sie zaghaft. »Ich glaube, es ist in Ordnung. Es war so gut, mit jemandem reden zu können. Das hat mir sehr geholfen.«

»Gut. Und hast du dir schon überlegt, wie du es mit der Stelle regeln willst?«

»Nein …« Ellinor kaute langsam auf ihrem Toast herum. »Aber ich muss wohl als Erstes mit Wille reden.« Sie machte kein glückliches Gesicht und Nina streichelte ihr über den Arm.

»Das wird schon gutgehen. Da bin ich mir sicher. Ihr werdet diese Krise überstehen. Aber ich glaube, dass deine

Gedankengänge völlig richtig sind. Wenn du die Chance jetzt nicht nutzt, wird es sicher nur noch schlimmer.«

Ellinor setzte sich auf. »Du, ich mag jetzt nicht mehr darüber reden. Ein paar Stunden habe ich ja noch, oder?«

Nina musste über Ellinors unschuldigen Blick lachen. »Ja, das stimmt. Jetzt sieh mal zu, dass du dieses Toast hinunterbringst, damit du beim Bacon zuschlagen kannst. Den brauchst du jetzt!«

»Aye, aye, Sir.« Ellinor schob sich den Rest ihres Toasts in den Mund und stand auf. Nina füllte noch einmal Kaffee nach. Dann unterhielten sie sich ein wenig über den vergangenen Abend, übers Essen, das Restaurant und die Geschäftsleute, die ihre Weihnachtsfeier dort abhielten. Außer einem älteren Paar waren sie allein im Frühstücksraum und das Personal begann langsam, das Büfett abzuräumen. Da tauchte Miriam auf. Sie wünschte einen guten Morgen und entschuldigte sich, dass sie so spät dran war.

»Kein Problem.« Nina lächelte sie an. »Aber sieh zu, dass du noch etwas zu essen bekommst, bevor alles abgeräumt wird. Ich kann die Plunderstückchen sehr empfehlen.«

So ging Miriam also erst einmal zum Büfett. Als sie ihnen den Rücken zuwandte, warf Nina Ellinor einen fragenden Blick zu, die nur mit den Schultern zuckend antwortete. Beide hatten Miriams rotgeränderte Augen bemerkt, aber als sie wieder an den Tisch zurückkehrte, mit einem Teller Joghurt und Cornflakes, taten sie so, als sei alles normal.

»War dein Spaziergang gestern Abend noch schön?«, fragte Nina.

»Danke, ja.« Miriam lächelte, fügte aber nichts hinzu.

»Du warst noch ganz schön lange unterwegs, oder? Ich glaube, ich habe dich gehört, als du ins Hotel kamst.«

»Ich habe gar nicht auf die Uhr gesehen.« Miriam schob

sich einen Löffel Cornflakes in den Mund und begann, genüsslich zu kauen.

»Ich bin wohl die Erste von uns gewesen.« Nina schüttelte den Kopf. »Unglaublich, wie das Alter uns lahmlegt!«

»Und hast du dich amüsiert, Ellinor?«, fragte Miriam. Ellinor hatte sich gerade am Tee ein bisschen verschluckt.

»Ja, schon …« Sie warf Nina schnell einen Blick zu. »Doch, es war nett, danke. Aber am Tag danach wünschte ich, ich wäre eine langweilige Vierzigerin …« Sie lächelte. »Wann geht denn eigentlich unser Zug?«

»Viertel nach eins.« Nina warf einen Blick auf die Uhr. »Wir können noch eine Runde durch die Stadt drehen. Ich denke, die Geschäfte haben auch heute am Sonntag geöffnet.«

»Prima.« Ellinor freute sich. »Dann schaffe ich es vielleicht auch noch, ein Weihnachtsgeschenk für Wille zu kaufen.«

»Und was meinst du?« Nina fragte nun Miriam. »Magst du mit mir in der Zeit spazierengehen?« Für ein paar Sekunden wurde es still am Tisch. »Das heißt, eigentlich müsste ich auch noch etwas besorgen.« Nina lächelte und Miriam schien erleichtert. »Ich habe Matthias versprochen zu schauen, ob ich gebrauchte Videospiele finde. Wir können uns im Hotel um halb eins treffen. Ist das in Ordnung?« Sie sah die anderen fragend an, beide nickten. »Gut, abgemacht …« Nina stand auf. »Dann halb eins.«

Der Zug rollte ebenso gemächlich wie er gekommen war aus dem Stockholmer Hauptbahnhof wieder hinaus. Miriam hatte den Platz schräg hinter den beiden anderen. Ellinor musste laut gähnen und hielt sich sofort die Hand vor den Mund. »Entschuldigung. Ich habe heute Nacht wohl nicht besonders viel Schlaf bekommen«, sagte sie zu Nina.

»Das war für Stockholm vielleicht auch nicht gerade geplant?«

»Nein, heute Abend gehe ich dafür früher ins Bett.«

»Mmh.« Nina wollte nicht nachhaken. Es war nicht ihre Art, sich einzumischen. Aber nach dem, was sie wusste, konnte sie sich kaum vorstellen, dass Familie Hauge heute früh ins Bett kam. Sie wechselte das Thema. »Und, hast du noch ein Weihnachtsgeschenk für Wille gefunden?«

»Ja.« Ellinor strahlte. »Einen Angelhaken.«

»Wie bitte?«

»Ja, er angelt so gern. Im Sommer sind wir immer ein paar Wochen in der alten Hütte seines Großvaters in Öregrund. Das ist sicher das kleinste Dorf auf der ganzen Erde, aber es liegt direkt am Meer und hat einen eigenen Steg und ein Ruderboot. Es ist sehr schön dort, wenn auch alles sehr einfach ist. Wille hat da jeden Sommer verbracht, seit seiner Kindheit.« Ellinor lächelte, es war ihr anzusehen, dass auch ihr dieser Ort viel bedeutete.

»Dann kann also Wille in Zukunft friedlich auf seinem

Steg sitzen und der Familie das Mittagessen angeln.« Nina grinste.

»Ja, so in der Art. Er muss aber den Fisch auch ausnehmen. Das kann ich nicht. Igitt, wenn die noch zappeln und hin und her springen ...« Sie schüttelte sich. »Und was ist mit dir, hast du noch ein Spiel gefunden?«

»Ja. Tony Hawk. Wenn auch nicht die aktuelle Version, Matthias wird sicher meckern. Zwischen den Jungs ist so viel Wettbewerb, wer welche Sachen hat. Es ist völlig wahnsinnig, wie viel Statusdenken die Jugendlichen heute schon an den Tag legen.«

»Wieso? Denkst du, du warst anders?«

»Ja, ich glaube schon, soweit ich mich erinnern kann. Obwohl, klar ... Was Klamotten anging, sicher nicht. Es war ja wichtig, dass man die richtige Jeans trug und so. Und die richtige Marke auf der Daunenjacke. Und die Turnschuhe. Und ...« Sie zog eine Grimasse. »Okay, dann war es vielleicht doch nicht so viel anders. Obwohl wir keine Videospiele hatten.«

»Nein, als du jung warst, war das Zeug noch nicht erfunden.«

Nina sah sie erstaunt an, dann musste sie lachen. »Vorsicht! Du musst jetzt keine dicke Lippe riskieren!« Und tat so, als würde sie mit dem Zeigefinger drohen. Ellinor überraschte sie. Mehrere Male während ihrer Reise hatte sie das Bild von ihrer Nachbarin nun revidieren müssen. Oberflächlich betrachtet war sie ein stilles und fleißiges Mädchen, sehr darauf bedacht, sich anzupassen und nicht anzuecken, doch dahinter war noch sehr viel mehr. Dass sie intelligent war, hatte Nina bald bemerkt, aber dass sie auch Witz hatte und durchaus eine spitze Zunge, war ihr neu gewesen. Ob in diesem langweiligen Jackett in Wirklichkeit eine Rebellin steckte? Das würde sie freuen. Mädchen sollten nicht lieb und brav sein, sie mussten sich auch durchboxen und ihre Meinung vertreten können.

»Und wie geht's dir da hinten?« Nina drehte sich zwischen den Sitzen um und sah zu Miriam. »Hattest du ein schönes Wochenende? War es so, wie du es dir vorgestellt hast?«

Miriam lächelte still. »Nein, das kann man wohl kaum behaupten.«

»Hat es dir nicht gefallen?«

»Doch, es war schön. Aber nicht so, wie ich es mir vorgestellt habe.«

»Das muss ja nicht schlecht sein. Ich meine, manchmal passt das, was man sich vorgestellt hat, dann doch nicht, stimmt's?«

»Ja, da hast du recht.«

Dann wurde es eine Weile still.

»Wie wirst du denn dieses Jahr Weihnachten feiern?« Nina hätte sich die Frage gern verkniffen, als sie Miriams trauriges Gesicht sah.

»Mal sehn. Vielleicht mit Christer und Veronika. Und den Mädchen natürlich.« Ein Lächeln ging über ihr Gesicht. »Weihnachten ohne Kinder ist irgendwie kein Weihnachten.«

»Nein.« Nina war froh über ihr Strahlen. »In den Jahren, in denen Matthias Weihnachten bei Jens verbrachte, wollte ich auch am liebsten die Decke über den Kopf ziehen und erst am Neujahrstag wieder aufwachen. Selbst wenn ich bei meinen Eltern und Geschwistern war, Weihnachten ist so völlig sinnlos, wenn Matthias nicht da ist.«

»Ich verstehe, was du meinst.«

»Ja, jetzt wird er ja groß und versucht, sich wie alle anderen armen Scheidungskinder auch zweizuteilen, um Mama und Papa nicht zu enttäuschen. Und flitzt zwischen den bunten Tellern hin und her. Dieses Jahr verbringt er den Heiligen Abend mit mir bei meinen Eltern, den ersten Weihnachtstag bei seinem Papa und den zweiten dann bei den anderen Großeltern.« Sie legte ein kleine Pause ein. »Und was ist mit Susanne? Kommt sie nicht nach Hause?«

»Nein.« Miriam zögerte. »Ich fand es dieses Jahr nicht sehr angebracht. Mit Frank und so …« Sie sah aus dem Fenster.

»Nein …« Nina wusste auch nicht, was sie dazu sagen sollte. »Du wirst sehen, Weihnachten wird trotzdem schön«, schob sie hinterher, da ihr nichts Besseres einfiel. Was wusste sie schon davon.

»Danke, das hast du nett gesagt.«

Nina lehnte sich zurück in ihren Sitz. Ellinor hatte Kopfhörer aufgesetzt und die Augen geschlossen. Durch die Fensterscheibe sah sie, dass sie gerade durch Södertälje fuhren. Unmengen Autos und Lastwagen standen auf riesigen Parkflächen außerhalb der Stadt. Sie sah keine Menschen und in diesem grauen, fahlen Licht wirkte die Landschaft traurig und öde. Wie ein Industriegebiet irgendwo im alten Osteuropa. Zumindest stellte sie es sich so vor, sie war ja nie dort gewesen.

Der Zug rollte weiter und jenseits der Schienen kamen immer mehr bewaldete Hügel zum Vorschein. Dann wurde das Grau von Hundert verschiedenen Grüntönen und Braun, Umbra und gebranntem Sienna abgelöst. Von sanft hügeligen Bergen wechselte die Landschaft zu kargen und schroffen Klippen. Nina verfolgte die Konturen. Langsam wurde sie schläfrig. Auch sie hatte nicht viel Schlaf bekommen, obwohl sie nicht so lange aus gewesen war wie Ellinor. Zudem war sie früh wach gewesen, also gab sie bereitwillig nach, als sie spürte, dass ihr die Augen zufielen.

Sie dachte an ihre Arbeit, an Maggan und Robert, an Matthias, an Jens, an einen roten Mantel mit großen schwarzen Knöpfen, an den Inhalt ihrer Tüte, die sie ganz vorsichtig auf der Ablage über dem Sitz verstaut hatte. Und an Thomas. Thomas Linge.

Miriam fröstelte. Es war eigentlich nicht kalt im Zug, dennoch war sie verfroren und zog ihre Strickjacke noch dichter an ihren Körper. Ellinor und Nina schienen eingenickt zu sein, sie hatte schon eine Weile kein Wort mehr von ihnen gehört. Sie streckte ihre Beine aus, sodass die Füße bis unter den Sitz vor ihr reichten und lehnte den Kopf an ihren Mantel, der an einem Haken neben dem Fenster hing. Der Platz neben ihr war frei und sie hatte ihre Handtasche dort abgestellt. Sie warf einen Blick darauf. Der braune Stoff war an den Ecken schon abgewetzt und die Schnalle war nicht eingerastet. Durch einen schmalen Spalt konnte sie den Inhalt sehen. Viel war es nicht. Ihr Portemonnaie natürlich, doch das war nicht gerade reich bestückt. Und ihr Adressbuch. Wenn sie unterwegs war, schrieb sie immer Postkarten. An Jenny und Matilda. Und an Susanne in die USA. Aber nicht dieses Mal.

In der Tasche lag auch ein Kamm und der neue Lippenstift, Farbe *Happiness.* Jetzt hatte sie ihn nicht aufgelegt, sie war nicht in der Stimmung. Die neue Frisur war schon genug. Jedes Mal, wenn sie sich selbst im Spiegel oder im Fenster sah, wunderte sie sich wieder, und ihre Finger waren noch immer die schulterlangen Haare gewohnt. Aber die Farbe war wirklich schön, auch wenn es nicht ihre natürliche Haarfarbe war.

Sie griff in die Tasche und zog eine kleine weiße Karte hervor. Sie nahm sie und las die kurzen Informationen, als würde sie noch etwas Neues darauf entdecken. Wer war er eigentlich, dieser Mann, der an ihrer Bettkante gesessen hatte? Der seinen Arm um ihren Bauch gelegt hatte?

Dr. med Charles Kronlund,
Kardiologe
Sibyllegata 24, 2. Stock

Und dann die Telefonnummern. Drei Stück. Sie musste lächeln. Kardiologie, Herzkrankheiten. Wie passend. Miriam schloss die Augen und ließ die Hände in den Schoß sinken.

Sie würde wieder nach Hause kommen. Morgens aufstehen, die Zähne putzen, Essen kochen, Rechnungen bezahlen. Sich ein neues Leben einrichten. Sie hatte noch keine Ahnung, wie sie das bewerkstelligen würde und die vor ihr liegende Aufgabe kam ihr vor wie ein riesiger Berg. Aber sie hatte sich entschieden und irgendwie würde es schon gehen. Sie seufzte tief. Sie war unendlich müde, ihre Gedanken sanken nieder, betäubten ihre Gefühle und machten ihre Glieder bleischwer. Und trotzdem war es jetzt ganz anders.

Sie war müde. Aber nicht mehr lebensmüde.

Als Ellinor aus dem Bahnhofsgebäude kam, stand Wille schon mit Albin auf dem Arm da. Sie lief den beiden entgegen.

»Willkommen zu Hause«, begrüßte er sie und ließ Albin los, der seiner Mama wimmernd die Arme entgegenstreckte. Ellinor nahm ihn und streichelte mit ihrem Gesicht den kleinen Hals. Eine nicht hörbare Liebeserklärung zwischen Mutter und Sohn folgte und Albin lachte vor Glück.

»Danke.« Ellinor sah auf zu Wille.

»War es denn schön?«

»Ja. Und bei euch?«

»Doch. Es war ein bisschen anstrengend, gestern wollte er überhaupt nicht einschlafen, aber am Ende hat es geklappt.« Er sah hinüber zum Auto. »Wollen wir los?«

In dem Moment kamen auch Miriam und Nina durch die Bahnhofstür. Ellinor drehte sich um. »Sollen wir euch mitnehmen?«

»Nein danke, ist nicht nötig.« Nina antwortete schnell. »Miriam und ich nehmen den Bus. Um diese Tageszeit fährt er oft.«

»Seid ihr sicher? Wir müssten zwar ein bisschen zusammenrutschen, aber dann hätten wir hinten einen dritten Platz.«

»Ja, danke Ellinor. Danke für das Angebot. »Miriam lächelte.

»Okay.« Ellinor konnte sich nicht gleich wieder von Albin trennen, gab ihn dann aber doch wieder Wille. »Geht ihr beiden schon einmal zum Auto, ich komme gleich.«

Als Wille in Richtung Parkplatz unterwegs war, wandte sie sich an die beiden Frauen. »Danke für ein schönes Wochenende«, sagte sie nachdenklich. »Oder eigentlich für viel mehr als das. Es ist sonderbar … Wir sind nicht einmal zwei Tage fort gewesen. Ich habe das Gefühl, als ob …« Sie hielt inne. »Ja, keine Ahnung, aber ich frage mich ernsthaft, ob ich die gleiche Ellinor bin, die gestern morgen aus Sävesta abgefahren ist?«

»Ich weiß, was du meinst. Mir geht es genauso.« Nina lächelte und da standen sie alle miteinander, ohne ein Wort zu sprechen, als warteten sie auf etwas. Da kam Wille mit dem Auto vorgefahren.

»Ich finde es jetzt richtig traurig, mich von euch zu trennen«, sagte Ellinor. »Aber wir sehen uns ja. Immerhin sind wir Nachbarinnen.« Sie nahm beide in den Arm, dann stieg sie ins Auto und nahm auf dem hinteren Sitz des metallicgrünen Fords Platz.

Wille hatte zu Hause den Esstisch schon gedeckt. Er entschuldigte sich, als er eine Packung aus dem Tiefkühlschrank herausholte. »Ich habe es leider nicht geschafft, selbst etwas zu kochen. Aber ich habe ein bisschen Roastbeef gekauft und da dachte ich mir, wir könnten ein Kartoffelgratin im Ofen dazu machen.«

»Klingt sehr lecker.« Ellinor saß auf dem Boden und spielte mit Albin. Er hatte schon eines der Päckchen auspacken dürfen, und zwar das mit dem Puzzle, und nun versuchte er unentwegt, eine Kuh in eine Lücke zu drücken, die dafür ganz offensichtlich nicht vorgesehen war. Ellinor hielt ihm ein Schwein hin. »Probier das doch mal.« Er war sehr skeptisch, nahm es aber und strahlte auch gleich vor Freude, als das Schwein nach ein paar Drehungen in die

Lücke passte. Ellinor klatschte in die Hände. »Bravo! Das hast du gut gemacht!«

Wille schenkte den Wein ein und setzte sich dann zu seiner Familie auf den Boden. Er hielt Ellinor ein Glas hin, die sich nicht verkneifen konnte, daran zu riechen und eine Grimasse zu ziehen. »Ach, heute keine Lust auf Wein …?«, bemerkte er. »Dann war es gestern wohl recht spät?«

»Ja. Könnte man sagen.«

»Und was habt ihr gemacht?«

»Wir haben in einem Restaurant gegessen, das *Strandbergs Atelier* heißt und in der Kungsgata liegt. Eigentlich nichts Besonderes, einige Firmen hielten dort lautstark ihre Weihnachtsfeiern ab, doch wir hatten viel Spaß und das Essen war auch nicht schlecht. Aber hinterher habe ich in der Bar ein bisschen zu lange gestanden …« Ellinor zögerte. Sie war sich noch nicht sicher, was sie von dem Abend erzählen wollte.

»*Ich*? Warst du da alleine?«

»Ja … Da war eher jüngeres Publikum, laute Musik und so … Für Miriam war das nichts und Nina verschwand auch recht bald.«

Wille warf ihr einen fragenden Blick zu. Ellinor sah ihn nicht an, sondern suchte stattdessen sehr konzentriert nach den Puzzleteilen. Albin hatte nun die Lücke für die Kuh gefunden und war jetzt mit dem Huhn beschäftigt, das einfach nicht passen wollte.

»Und wann bist du ins Hotel gekommen?«, fragte er schließlich.

»Keine Ahnung. Spät …«

»Sollte ich mir Sorgen machen?« Er fragte im Spaß, doch in seinem Lachen lag durchaus ein Fünkchen Ernst.

»Nein, natürlich nicht, aber …«

»Aber?«

Ellinor holte tief Luft. »Auf dem Heimweg ist mir tatsächlich etwas Unheimliches passiert. Ein Typ hat mich verfolgt, als ich ins Hotel wollte.«

»Ja?«

»Das war ziemlich gruselig. Er hat mich auf einen Friedhof gedrängt …«

»Auf einen Friedhof?« Willes Stimme wurde scharf. »Und was ist dann passiert?«

Albin sah zu seinem Papa und Ellinor strich ihm zur Beruhigung sanft über den Kopf, bis er sich wieder seinem Puzzle zuwandte.

»Er stürzte sich auf mich.« Sie erzählte schnell weiter, als sie sah, wie bleich Willes Gesicht mit einem Mal wurde. »Aber ich habe so laut geschrien und da ließ er von mir ab.« Sie betrachtete Wille. Sie hatte versucht so zu erzählen, dass er sich nicht ängstigte, doch er wirkte völlig verschreckt.

»Du Arme, das ist ja furchtbar«, sagte er und zog sie an sich. »Das ist ja schrecklich. Wenn ich da gewesen wäre …«

»Dann hätte er es nie versucht«, ergänzte Ellinor. Sie wollte der Situation den Ernst nehmen.

»Ich meinte vielmehr, ich hätte ihn zusammengeschlagen.«

»Dann hoffen wir mal, dass du das nicht getan hättest. Mord ist eine ernsthafte Angelegenheit.«

Wille sah sie an und grinste. »Spricht jetzt die Rechtsanwältin? Und was sagt das Gesetz?«

»Dass ich Hunger habe. Ist das Essen nicht bald fertig?«

»Doch. Aber bist du sicher, dass es dir gut geht?«

»Ganz sicher. Die Situation war nicht schön, aber letzten Endes ist ja nichts passiert.«

Wille sah sie ein paar Sekunden lang an, dann nickte er. Dann stand er auf und reckte und streckte sich. »O Gott, bin ich steif geworden«, sagte er.

Sie war dankbar, dass er das Thema wechselte. Jetzt hatte sie alles erzählt. Das war genug. Sicherlich würde es noch einmal auf den Tisch kommen. Aber nicht jetzt.

Eine halbe Stunde später war das Essen beendet und Albin schlief still im Gitterbettchen in ihrem Schlafzimmer. Er war ein bisschen anhänglicher als sonst gewesen und so hatte es länger gedauert, ihn ins Bett zu bringen, aber ansonsten schien er ihre Abwesenheit gut verkraftet zu haben.

Sie hatte geduscht und ihr Nachthemd angezogen. Im Schlafzimmer war es kühl, denn Wille bestand darauf, dass sie bei offenem Fenster schliefen, obwohl sich die Temperatur nun schon abends dem Nullpunkt näherte. Er lag bereits im Bett und beobachtete sie, wie sie Albin gute Nacht sagte und zitternd unter die kalte Decke gekrochen kam. Er legte sich zu ihr und schob seinen Arm unter ihren Nacken.

»Ich bin froh, dass du wieder zu Hause bist. Es war hier so leer gestern Abend.«

»Aber Albin war doch da.«

»Ja. Aber nach einem ganzen Tag mit ihm war ich so müde, dass ich dann, als er einschlief, auch eigentlich genug von seiner Gesellschaft hatte.« Er verstummte und sah Ellinor besorgt an. »Oje, das klang jetzt nicht sehr nett, oder?«

Ellinor musste lachen. »Nein, ich weiß genau, was du meinst.«

»Ehrlich gesagt, ich kann mir gar nicht vorstellen, wie du es die ganzen Tage zu Hause aushältst.«

»Wer sagt denn, dass ich es aushalte?«

»Tja …« Wille rutschte ein bisschen hin und her. »Ich wollte nur sagen, ich bewundere das, was du tust. Du sollst wissen, dass ich dir sehr dankbar bin und ich verstehen kann, dass du dich darauf freust, im Herbst wieder arbeiten zu gehen.«

»Mmh.« Ellinor biss die Zähne so fest zusammen, dass ihr Kiefergelenk knackte. Sie wollte eigentlich noch gar nichts erzählen. Noch nicht heute. Aber auf einmal war alles wieder präsent. Ihr Ärger, ihre Wut, ihr ganzer Frust. »Das wird wahrscheinlich schon früher als Herbst der Fall sein«, sagte sie verkniffen. Wille sah sie mit großen Augen an, dann fuhr sie fort. »Sie haben mir eine Stelle angeboten. Brink & Partners, wo ich das Gespräch hatte.«

»Ach.« Sein erstaunter Blick fror ein und verzog sich zu einer starren Grimasse.

»Es ist kein Spitzenjob, hauptsächlich Familienrecht und Nachlassregelungen. Auch das Gehalt ist nicht so hoch wie bei Björklund & Schultz.« Sie zögerte, versuchte nicht aggressiv zu klingen. Ein Streit würde jetzt gar nichts bringen. »Aber es ist ein Job«, schob sie hinterher. »Ein richtiger Job, hier in Sävesta, und ich bekomme ihn.«

»Und wann solltest du da anfangen?« Der säuerliche Unterton in Willes Stimme war nicht zu überhören.

»Am ersten Februar.«

Wille schnaubte. »Erster Februar? Soll das ein Witz sein? Das ist in einem Monat.«

»Eineinhalb.«

»Das spielt doch keine Rolle. Das ist völlig unmöglich.« Seine Stimme klang kalt, als er sprach. »Dann musst du mit ihnen reden und sagen, du willst zum ersten August anfangen. Sonst musst du die Stelle ablehnen.« Er zog den Arm, der noch unter ihrem Kopf lag, weg und rutschte zurück in seine eigene Betthälfte.

»Und wenn ich mich weigere?«

»Dann hast du ein Problem.«

»Ach, du nicht?«

»Ellinor, hör auf! Wir hatten eine Abmachung, du kannst sie nicht einfach brechen, weil du keine Lust mehr hast.«

»Es geht hier nicht um Lust.« Ihr Stimme stockte, als sie weitersprechen wollte. »Es geht um mein Leben, um meine Zukunft. Es war vielleicht naiv von mir zu denken, die Sache mit meinem Job würde sich schon regeln, wenn wir erst einmal hierhergezogen sind, aber von dir war es ebenso naiv. Bei dem ganzen Umzug ging es nur um dich. Um deinen Job und um deine Karriere.« Vor ihren Augen sah sie nur noch verschwommen, so liefen ihr die Tränen übers Gesicht. »Aber jetzt geht es mal um mich«, sagte sie schluchzend.

Wille saß still da und betrachtete sie. »Ich kann nicht glauben, dass du das hinter meinem Rücken getan hast«, erwiderte er schließlich.

»Ich habe versucht, mit dir zu reden. Mehrmals. Aber du hast dich geweigert, überhaupt darüber zu diskutieren. Was sollte ich denn tun?!«

Wille wollte widersprechen, doch Ellinor fuhr ihm sofort über den Mund. »Komm Wille, du weißt genau, dass ich recht habe! Du hast sogar davon gesprochen, jetzt noch ein Kind zu bekommen. Jetzt!«

»Das gehört wohl kaum hierher«, schimpfte Wille.

»Nein, vielleicht nicht aus deiner Sicht, aber was meinst du denn, wie ein weiteres Kind meine Chancen auf einen Job beeinflussen würde? Verstehst du denn nicht, dann wäre ich hier zu Hause noch länger angebunden.«

»Wir wollten uns die Elternzeit doch teilen.«

»Wollten wir das? Und wenn dann wieder eine Beförderung dazwischenkommt? Oder das zufällig in eine Zeit fällt, in der ein großes Projekt anliegt?«

»Ach, hör auf! Ich habe doch immer gesagt, dass Forsvik ein guter Arbeitgeber ist. Sie unterstützen Familien.«

»Dann sollen sie das jetzt mal beweisen!«

Wille stöhnte. »Wie soll ich das denn machen? Ich bin doch ganz neu. Ich wäre sofort abgemeldet, wenn ich jetzt Elternzeit beantrage.«

»Aber du hättest auf jeden Fall eine Stelle, auf die du zurückgehen kannst. Oder etwa nicht? Etwa nicht?!«

»Schrei nicht so!«

»Aber begreifst du denn nicht, wie egoistisch du argumentierst? Okay, sagen wir, Forsvik erweist sich als richtig fieser Laden. Und sie rächen sich für deine Elternzeit. Und du wirst nicht so schnell befördert wie geplant. Ja, das ist sicherlich sehr schade … aber du hast deinen Job trotzdem noch. Ich habe nichts, Wille! Wir können sagen, ich habe Elternzeit, genauso gut könnte man mich arbeitslos nennen. Ich habe jetzt eine Chance bekommen, eine Chance, die ich wahrnehmen will. Sei so gut und hilf mir dabei!« Es war zwar eine Bitte, die sie aussprach, doch ihre Stimme klang energisch und sie ließ Wille nicht aus den Augen. Der saß schweigend da. Sie versuchte, eine Hand zu ihm auszustrecken, aber er tat so, als sähe er sie nicht.

»Wille …«, sagte sie schließlich. Ihre Stimme eine Spur sanfter. »Können wir die Sache nicht gemeinsam lösen? Ich will nicht mit dir streiten, aber ich kann auch nicht einfach so weiterleben. Wir haben ein gemeinsames Kind. Es werden immer Dinge dazwischen kommen. Vorsorgetermine, die erste Zeit in der Krippe, Elternabende, pädagogische Tage, Zahnarzttermine … Wir müssen lernen, uns diese Tage zu teilen. Und meine Zeit als genauso wertvoll wie deine zu betrachten.«

Noch immer keine Antwort. Sie saßen stumm nebeneinander im Bett, bis Wille sich seufzend hinlegte und ihr den Rücken zudrehte.

Sie waren noch nie im Streit eingeschlafen und als Ellinor am Ende das Licht ausknipste, spürte sie ihre Anspannung wie einen großen schwarzen Klumpen in der Magengegend. Es war ein hartes Gespräch gewesen. Schlimmer hätte es nicht sein können. Aber jetzt lagen immerhin die Karten auf dem Tisch.

Miriam und Nina stiegen an der Björnbärsgata aus und liefen nun langsam und gemächlich nach Hause. Sie hatten länger als gedacht auf den Bus warten müssen und mittlerweile war es draußen schon dunkel geworden. Miriam hatte die Zeit genutzt und in der Stadt noch etwas eingekauft. Milch, Butter, Brot, ein Stück Käse. Der Kühlschrank zu Hause war leer. Ausgeräumt.

Der Anblick der vertrauten Straßen, Häuser und Gärten am Weg schnürte ihr den Hals zu. Das Gefühl, das sie bei diesem Anblick überkam, war stärker, als sie gedacht hatte. Ihre Augen brannten und als sie in den Lingonstig einbogen, wandte sie diskret den Kopf ab, um eine Träne wegzuwischen, die ihr über die Wange gelaufen war. Miriam versuchte, sich auf Nina zu konzentrieren, die neben ihr lief und fröhlich drauflos plapperte, aber nach der kurzen Verabschiedung von ihr stand sie dann allein auf der Straße. Miriam sah zu ihrem Haus, in dem die Adventslichterbögen so heimelig im Fenster leuchteten. Sie zögerte, bis sie dann wirklich zur Haustür ging und den Schlüssel ins Schloss steckte.

In ihrem sauber aufgeräumten Flur standen ihre paar Schuhe ordentlich vor der Wand und ihre Gartenjacke hing über einem Bügel an der Garderobe. Miriam zog ihren Mantel und ihre Schuhe aus und ging gemächlich in die Küche. Dann drückte sie den Lichtschalter an der Tür und die Küchenlampe ging an. Sie holte ein paar Mal kurz Luft.

Noch einmal spürte sie, wie sich in ihrem Kopf alles drehte, aber ehe sie das Gleichgewicht ganz verlor, hielt sie sich am Türgriff fest. Nach ein paar Sekunden ging es wieder.

Auf dem Küchentisch lagen die beiden Päckchen für Jenny und Matilda. Schön verpackt in Glanzpapier und mit großen Büscheln gekringelter Goldbänder obendrauf. Miriam sah einen Moment lang weg. Versuchte, die Fassung zu bewahren. Dann sah sie wieder hin. Mitten auf dem Tisch stand der Umschlag, an einem Weihnachtsstern in einem weißen Übertopf. *An meine Familie* hatte sie in Druckbuchstaben mit blauem Kugelschreiber darauf geschrieben. Langsam trat Miriam an den Tisch und nahm das Kuvert in die Hand. Dieser Brief würde nie gelesen werden. Von niemandem. Niemals.

Sie schämte sich. So wäre Christer also in ihre Küche gekommen. Hätte den Umschlag entdeckt, ihn geöffnet, den Brief gelesen. Vielleicht hätten sogar die Mädchen daneben gestanden. Vielleicht hätten sie die Geschenke gesehen und auf ihren Papa eingeredet, dass sie sie öffnen durften. Der Raum voller Stimmen. Und mitten drin ihre Worte. Und alles wäre endgültig gewesen.

Sie schloss die Augen. Lange Zeit stand sie so da und spürte nur ihr Atmen. Ganz langsam öffnete sie die Augen wieder. Obwohl sie sich innerlich sträubte, riss Miriam den Umschlag auf und nahm den Brief heraus. Mit zitternden Händen begann sie, ihn zu zerreißen. Ein Streifen, zwei, drei ... Dann lag das weiße Papier in kleinen Fetzen vor ihr auf dem Tisch. Sie sammelte sie ein und warf sie in den leeren Mülleimer. Dann ging sie in den Flur und nahm ihre Tasche.

Zeit, alles auszupacken. Sie war wieder zu Hause.

Nina öffnete die Pralinenschachtel. Gerade zwei Pralinen waren übrig geblieben, beide mit Kirsche und Likör. Sie seufzte und schloss die Schachtel wieder. Dann ließ sie sich mit ihrer Teetasse am Küchentisch nieder und sah aus dem Fenster. Sie sah, wie auf der anderen Straßenseite das Licht in Miriams Haus ausging. Es war gerade erst zehn Uhr, doch Miriam war sicher erschöpft von der Reise. Sie selbst hatte sich zu Matthias vor den Fernseher gesetzt, aber die vielen Werbepausen waren ihr zu anstrengend gewesen. Eine halbe Stunde später war ihr die Lust auf den Film vergangen. Und die Müdigkeit von der Reise spürte sie auch.

Nina stand auf und stellte ihre leere Teetasse in die Spüle. Ihre Gedanken kreisten noch immer um Miriam. Es war nicht ganz leicht, sie zu verstehen. Sie war liebenswert, aber irgendwie eine graue Maus, die sich gern hinter der perfekt geschnittenen Hecke ihres Gartens versteckte. Und dann, als Frank sie verlassen hatte, hatte sie etwas Gespenstisches. Der unselige Geist einer Hausfrau. Fast durchsichtig hatte sie in ihrer Küche gesessen und ihren Mann noch verteidigt. Ein Wort merkwürdiger als das andere. Kein Kampfesgeist, keine Wut, keine Rachegelüste. Nur tiefe schwarze Trauer. Wie konnte sie das jetzt so schnell hinter sich lassen? Frank und sie hatten ein ganzes Leben zusammen verbracht, dann verließ er sie, nachdem er mehrere Jahre untreu gewesen war. Und trotzdem hatte Miriam eines Tages wieder draußen im Garten gestanden und Laub zusammengeharkt, als sei nichts geschehen.

Nina hatte versucht, während der Reise aus ihr schlau zu werden. Versucht zu verstehen, was hinter der seltsamen Fassade vor sich ging. Aber wie nett und freundlich Miriam auch war, immer hielt sie eine gewisse Distanz, nie gab sie sich eine Blöße.

Nina ging ins Badezimmer und drehte den Wasserhahn in der Dusche auf. Als es vom heißen Wasser dampfte, stieg sie ein. Sie wehrte sich gegen den Impuls, mehr kaltes Wasser dazuzumischen. Wenn sie sich einen Moment daran gewöhnte, waren die brennend heißen Strahlen wieder richtig angenehm.

Noch ein paar Tage im Salon, dann erwartete sie eine gute Woche Urlaub. Sie hatten zwischen den Feiertagen geschlossen und sie sehnte sich so danach, auszuschlafen und viel Ruhe und Zeit zu haben. Nach dem Heiligen Abend würde Matthias bei Jens bleiben und sie müsste sich nur um sich selbst kümmern. Keine Termine, kein Essen kochen, keine Pflichten. Und trotzdem würde sie sich nicht langweilen, das stand fest.

Nina drehte den Wasserhahn zu und griff nach einem Handtuch. Mit kraftvollen Bewegungen begann sie, sich abzurubbeln, sodass ihre Haut von der Hitze und der Reibung gerötet war. Aus ihrem Badezimmerschrank holte sie Gesichtswasser und Körperlotion. Als sie mit dem Wattepad, das mit der kühlen Flüssigkeit getränkt war, über ihr Gesicht fuhr, sah sie in den Spiegel.

Da entdeckte sie es mit einem Mal. Etwas Neues. Oder bildete sie sich das nur ein? Ein ebenso verwirrender Gedanke wie der, als sie plötzlich gesehen hatte, dass die blattlosen Zweige ein Muster an den Himmel zeichneten, als sie auf dem Heimweg waren. Oder wie ihr die gelbe Farbe an der Wand im Flur neu gestrichen vorkam, als sie die Haustür öffnete.

Vielleicht war es bloße Einbildung, doch ihr war, als ob die Wirklichkeit, in der sie sich befand, plötzlich eine neue Dimension bekommen hatte. Nina wandte ihren Blick ab und warf sich den Morgenmantel über.

Sie war in Stockholm gewesen. Es stand nur noch die Frage im Raum, wo sie sich eigentlich vorher befunden hatte.

Endlich war es kalt geworden. Richtig kalt. In der Nacht war das Thermometer auf minus zehn Grad gefallen und die dünne Schneedecke vom Vorabend lag noch da und funkelte in der Sonne. Eigentlich liebte Ellinor den Winter nicht besonders, doch dieses Wetter fand sie schön. Der Schnee war nicht geschmolzen, aber in den vergangenen Tagen hatte sich die Kaltfront nach Süden bewegt und nun war ganz Schweden bis hinunter nach Småland weiß verschneit. Die Prognose war zwar noch nicht sicher, aber wenn sich die Temperaturen noch ein paar Tage hielten, würden sie vermutlich weiße Weihnachten bekommen.

Willes Eltern wollten aus Gävle zu ihnen zu Besuch kommen. Wäre die Situation nicht so angespannt gewesen, hätte Ellinor sich vermutlich darüber gefreut. Endlich Weihnachten in ihrem eigenen Zuhause! Sie waren schließlich erwachsen und wollten das Fest nun auch einmal nach ihren Vorstellungen feiern.

Ellinor lief vorsichtig über den Bürgersteig, der Schnee war plattgetreten und die Oberfläche rutschig, und tatsächlich erwischte sie mit dem Fuß eine Eisplatte. Einen Moment lang dachte sie, sie würde ausrutschen, doch dann konnte sie sich abfangen und weitergehen. Gleich war sie zu Hause. Albin wurde nach ihrem Spaziergang schon knatschig. Er musste ins Bett und sie ging so schnell sie konnte, den Blick auf die Füße gerichtet, um nicht noch einmal auszurutschen.

Als sie an Miriams Haus vorbeikam, sah sie hinauf und bemerkte, dass ihre Nachbarin am Fenster stand und ihr zuwinkte. Sie ging einen Schritt langsamer. Vielleicht schaffte sie es noch, ein paar Worte mit Miriam zu wechseln, bevor sie Albin hinlegte?

Sie ging auf die Haustür zu, die Miriam schon geöffnet hielt. »Ellinor«, sagte sie. »Wie schön, dich zu sehen! Ich denke so oft an Stockholm.«

»Ja, ich auch. Es war wirklich schön.«

»Ja. Möchtest du nicht kurz hereinkommen? Ich würde dich gern mit jemandem bekannt machen.«

Ellinor zögerte einen Moment, aber Miriam machte so ein verheißungsvolles Gesicht, dass sie es nicht über sich brachte, nein zu sagen. Außerdem war sie neugierig. Wer besuchte wohl ihre Nachbarin? Sie nickte und trat ein. Als sie ihre Jacke aufknöpfte, erschien eine fremde Frau im Flur.

Miriam strahlte über das ganze Gesicht. »Ellinor, das ist meine Tochter Susanne«, sagte sie stolz und legte ihrer Tochter die Hand auf den Arm. Sie war ein beträchtliches Stück größer als ihre Mutter, und das dunkelbraune, halblange Haar trug sie in der Mitte gescheitelt. Sie hatte blaue Augen und das Lächeln gab ihrem schmalen Gesicht einen warmen Ausdruck. Sie hielt ihr die Hand hin.

»Hallo, nett Sie kennenzulernen. Mutter hat schon von Ihnen erzählt.«

»Ach ja?« Ellinor lächelte verlegen. »Ganz meinerseits, aber ich dachte … Miriam, hattest du nicht gesagt …?«

»Stimmt. Susanne hat mich überrascht. Gestern Abend stand sie hier ohne Vorwarnung vor der Tür. Ich glaube, ich bin in meinem ganzen Leben noch nicht so überrascht worden.« Sie lachte auf. »Komm rein. Wir wollten gerade Kaffee trinken und ich habe heute Morgen Butterschnitten gebacken. Sie sind am besten, wenn sie noch etwas warm sind. Nicht wahr, Susanne?« Sie sah die Tochter fragend an. Dann beugte sie sich zu Albin hinunter und half ihm, den Schneeanzug auszuziehen. Der Kleine sah sie erst sehr skeptisch an, doch dann entschied er sich, die ungewohnte Assistentin zu akzeptieren. Als sie in die Küche kamen, holte Miriam schnell noch eine Tasse, während sich die beiden jüngeren Frauen schon an den Küchentisch setzten.

»Dann haben Sie es sich also anders überlegt?«, fragte Ellinor Susanne.

»Ja, meine Mutter meinte, ich müsste dieses Jahr nicht nach Hause kommen. Da Papa nun nicht mehr mit uns feiern will.« Sie schnaubte und blickte zu ihrer Mutter hinüber. »Als wäre sie selbst nicht Grund genug.«

Miriam machte eine abweisende Handbewegung. »Ach, die Flugtickets sind doch so furchtbar teuer … Ja, und jetzt ist es eben, wie es ist.«

»Genau. Es ist wie es ist. Und wir machen das Beste daraus.«

Miriam stellte die Kaffeekanne wieder in die Maschine und legte ihre Hände auf die Schultern ihrer Tochter. »Auf jeden Fall sollst du wissen, dass ich froh bin, dass du gekommen bist. Egal, was ich vorher gesagt habe. Das war das schönste Geschenk für mich zu Weihnachten.« Ihre Augen strahlten, dann wandte sie sich eilig Ellinor zu. »Ja, und du? Wie geht es dir jetzt nach unserer Reise?«

»Danke, gut. Oder …« Sie zögerte. Die Wahrheit war es ja nicht. Eigentlich ging es ihr gar nicht gut. Willes Wut war unverändert. Entweder schwieg er oder regte sich über Kleinigkeiten auf und fuhr Albin und sie sofort an.

Das war es nicht wert, so weit war sie mittlerweile. Ihre Ehe war wichtiger als jeder Job der Welt. Sie hatte gedacht, sie würden einen Kompromiss finden, eine Lösung für ihr

Problem, aber es schien unmöglich zu sein und sie hatte es nicht noch einmal angesprochen. Es gab nichts hinzuzufügen und wenn er nicht darüber sprechen wollte, blieb ihr nicht anderes übrig, als die Sache zu vergessen. Morgen würde sie Leif Brink anrufen und absagen. Er hatte gemeint, dass er vor Weihnachten Bescheid wissen müsse und sie hatte es schon ein paar Tage vor sich her geschoben. So langsam versöhnte sie sich mit dem Gedanken. Es würde schon etwas anderes auftauchen. Früher oder später. Bestimmt. Irgendwie würde sich alles finden.

Sie räusperte sich, bevor sie weitersprach. »Na ja, jetzt gibt es ja viel zu tun, Weihnachten steht vor der Tür. Viele Einkäufe, viel vorzubereiten. Übermorgen kommen auch Willes Eltern und ich versuche noch so gut es geht, das Haus zu putzen.« Sie lächelte angestrengt. »Und ihr beiden?«

»Wir werden am Heiligen Abend bei Christer sein. Jenny und Matilda vergöttern Susanne, das wird eine wunderbare Überraschung für alle.«

Ellinor nickte.

»Miriam hat von Ihrer Arbeit in den USA erzählt. Biochemie. Klingt beeindruckend. Sie sind bestimmt sehr gut in Ihrem Fach.«

»Ach was, wir sind ein ganzes Team, in diesem Beruf ist nicht viel Platz für Koryphäen. Aber auf jeden Fall ist die Vertretungsstelle verlängert worden und das nehme ich als gutes Zeichen.«

»Werden Sie dort bleiben?«

Susanne warf ihrer Mutter schnell einen Blick zu, bevor sie eine Antwort gab. »Ich denke schon. Zumindest noch für eine Weile. Die aktuelle Stelle läuft im Mai aus, mal sehen, wie es dann weitergeht.«

»Natürlich solltest du dort bleiben, solange es dir Spaß

macht«, sagte Miriam. »Frank und ich sind beide sehr stolz auf dich.«

Susanne runzelte die Augenbrauen. »Ehrlich gesagt ist es mir scheißegal, was er darüber denkt. Er hat sein Recht verspielt, auch nur irgendetwas über seine Familie zu denken. Seine Ex-Familie.«

»Aber Susanne …« Miriam machte ein unglückliches Gesicht. »Du bist immerhin noch seine Tochter …«

»Ja, leider.«

»Aber Liebes …« Miriam hielt ihr eine Hand hin. »Kannst du nicht versuchen, ihm zu verzeihen? Du weißt, wie sehr er dich liebt, und Wut macht die Dinge nicht besser. Frank hat … hat sich für ein neues Leben entschieden. Aber du musst wissen, dass er deshalb für mich kein schlechter Mensch ist. Durch ihn habe ich euch zwei, dich und Christer. Und dafür, und für all die guten Jahre, werde ich ihm immer dankbar sein.«

Susanne seufzte und streichelte ihrer Mama die Hand. »Ja, ja … Du hast schon recht. Aber viel Respekt habe ich nach dieser Geschichte nicht mehr vor ihm.«

Eine Weile kehrte Stille in der Küche ein. Albin war zur Küchenbank marschiert und versuchte, an die Platte mit den Butterschnitten zu gelangen, wo die restlichen Gebäckstücke lagen und abkühlten. Ellinor nutzte die Gelegenheit, um aufzubrechen. »Nein, nein, mein Kleiner«, sagte sie. »Jetzt ist es mit dem Kuchen essen vorbei. Zeit für den Mittagsschlaf.« Albin schrie und machte ein sehr unzufriedenes Gesicht. Ellinor erhob sich und stellte die Kaffeetasse in der Spüle ab.

»Danke für den Kaffee«, sagte sie. »Und es war nett, Sie kennenzulernen, Susanne. Vielleicht sehen wir uns noch einmal, bevor Sie wieder fliegen?« Sie nahm den jammernden Albin an die Hand und zog ihn in den Flur. Susanne begleitete sie, und kurz darauf stand auch Miriam neben ihnen. Sie hielt Ellinor eine Tüte hin.

»Ein paar Butterschnitten, für Wille zum Probieren. Männer essen sie meist sehr gern. Ja, das hast du ja vielleicht schon bei Albin gemerkt ...«

Ellinor bedankte sich und verließ das Haus. Dann lief sie schnellen Schrittes mit Albin auf dem Arm durch den Garten. Jetzt war er richtig müde, dieses quengelige Weinen kannte sie zu gut. Vermutlich wäre er einschlafen, sobald sie ihn abgelegt hatte, und wenn sie Glück hatte, schaffte sie es, Wohnzimmer, Küche und Gästezimmer zu putzen, bevor er wieder aufwachte.

Es war schon weit nach sieben Uhr, als Wille endlich nach Hause kam. In der letzten Woche hatte er jeden Abend Überstunden gemacht. Auch heute. Gegen sechs hatte er eine kurze SMS geschickt. *Wird spät.* Mehr nicht. Normalerweise hätte sie sich darüber geärgert, aber heute dachte sie, dass sie nicht einmal das Recht dazu hatte. Immerhin hatte sie den Stein ins Rollen gebracht und auch wenn sie sich die Gründe vor Augen hielt, so konnte sie doch nicht umhin, sich selbst die Schuld an der Situation zuzuschreiben. Morgen würde sie Leif Brink anrufen, und am Abend wäre die Sache dann aus der Welt. Nur noch 24 Stunden, dann konnte sie in Ruhe Weihnachten feiern.

Ellinor hörte, wie Wille seine Aktentasche abstellte und die Jacke aufhängte. Langsam stand sie auf und ging in den Flur. »Hallo!« Sie versuchte, positiv zu klingen.

»Hallo.«

»Ganz schön kalt draußen.« Sie beobachtete Wille, wie er sich die Schuhe auszog.

»Ja. Schläft Albin schon?«

»Nein. Er liegt im Bett und spielt. Du kannst ihm noch gute Nacht sagen.«

»Schön.« Wille ließ sie im Flur stehen. Sie hatte einen Kloß im Hals. Es war fürchterlich, diese Missstimmung, die in der Luft lag. Auch wenn keiner von beiden herumschrie oder Porzellan zerschmetterte, die Kälte war durch Mark und Bein zu spüren. Als hätte jemand die Zimmertemperatur auf Minusgrade gestellt. Vielleicht war es keine gute Idee, noch bis morgen zu warten? Sollte sie es ihm heute schon erzählen? Vielleicht sparte sie sich dann noch einen Abend, der mit Schweigen verging.

Ellinor ging in die Küche und begann, das Geschirr einzuräumen. Sie hatte noch warmes Essen für Wille übrig. Als die SMS kam, hatte sie seinen Teller in den Kühlschrank gestellt.

»Soll ich deine Portion aufwärmen?« Ellinor bemühte sich sehr um einen normalen Tonfall, als Wille die Küche betrat.

»Nein, nicht nötig. Ich habe mir auf dem Heimweg einen Hamburger geholt.«

»Ach so.« Ellinor stand mit dem Rücken zu ihm und wusch einen Topf ab. Er war längst sauber, trotzdem schrubbte sie mit der Bürste immer wieder über die stahlblanken Kanten. Es war, als würde der Sauerstoff langsam aus der Luft verschwinden und mit jedem Atemzug weniger werden. Sie spülte den Topf ab und griff nach einem Geschirrtuch. Während sie den nassen Stahltopf damit abtrocknete, holte sie tief Luft.

»Weißt du, Wille …«, setzte sie an. Sie wagte es nicht, ihm ins Gesicht zu sehen, sondern sah weiterhin auf den Topf, den sie in den Händen hielt. »Ich habe über uns nachgedacht, über unsere Situation und bin …«

Wille schnitt ihr plötzlich das Wort ab. »Ich auch.« Er stand an den Kühlschrank gelehnt, die Arme über der Brust verkreuzt. »Ich habe hin- und hergegrübelt …« Er seufzte. »Ich finde, du warst nicht gerade fair.«

»Ich weiß. Aber …«

Wille unterbrach sie wieder. »Ich bin noch nicht fertig.« Er legte eine kurze Pause ein. »Du hast das alles hinter meinem Rücken gemacht, mich nicht einmal gefragt. Ich

war enorm enttäuscht und wütend, als mir das klar wurde.«
Er sah ihr ins Gesicht, bevor er weitersprach, um sicher-
zugehen, dass die Kritik auch angekommen war. »Aber
auf der anderen Seite kann ich dich verstehen. Ich habe
nicht wahrhaben wollen, was der Umzug für dich bedeutet.
Zum einen war ich so konzentriert auf meinen Job. Und
zum anderen … Es war eben nicht einfach. Verdammt,
Ellinor …!« Er machte eine hilflose Geste. »Ich bin doch
kein Idiot. Oder?! Ich will nicht, dass du dich als Hausfrau
abgestempelt fühlst. Ich will nicht, dass du nur Hausfrau
bist. Aber irgendwie habe ich gedacht, das mit dem Job für
dich wird sich schon regeln. Na ja … Ich habe eingesehen,
dass es vielleicht doch nicht ganz so einfach ist.«

Ellinor starrte ihren Mann verdutzt an. Jetzt wusste sie
gar nicht mehr, was sie glauben sollte. Im Grunde waren
das, was er eben gesagte hatte, genau die Worte, auf die sie
den ganzen Herbst lang gewartet hatte. Doch sie waren das
Letzte, mit dem sie am heutigen Abend gerechnet hatte.
Sie sah ihn an. Es fiel ihm offensichtlich schwer weiter-
zusprechen.

»Es war für mich wirklich eine Lektion, die Sache mit
deinem Job. Dass du dich einfach beworben hast. Und ihn
auch noch bekommen hast.« Er zwinkerte. »Es ist nicht
gerade einfach, das kann ich dir sagen, wenn man einsehen
muss, dass man ein männlicher Vollidiot war.« Er versuchte
zu lächeln.

»Ich habe nie gesagt, dass du ein Vollidiot bist«, protestierte Ellinor.

»Nein, so direkt nicht.«

»Ich … Es war nie meine Absicht, dass …«

»Ich weiß.«

»Aber ich habe jetzt noch einmal darüber nachgedacht,
Wille. Ich habe über uns nachgedacht und die Stelle und …«

Sie wollte endlich sagen, wofür sie sich entschieden hatte, doch Wille ließ sie nicht zu Wort kommen.

»Ich auch. Und ich habe nicht nur überlegt. Ich hatte heute Abend einen Termin mit dem Personalchef, deshalb kam ich so spät. Ich habe für das Frühjahr Elternzeit beantragt.«

»Wie bitte?« Ellinor starrte ihren Mann fassungslos an. Er machte ein ernstes Gesicht.

»Aber ein Problem bleibt«, fuhr Wille fort.

»Und?«

»Weil es nicht mehr lange bis dahin ist ...« Er sah Ellinor mit großen Augen an. »Ist es nicht sicher, ob sie bis zum ersten Februar eine Vertretung für mich bekommen. Der Personalchef fragte mich, ob es eventuell auch zum ersten März gehen würde. Was meinst du?«

»Ja, also ... Ich weiß nicht, aber ich werde natürlich nachfragen ...« Ellinor verstummte, ihr fehlten die Worte. Wille wollte Elternzeit nehmen. Sie konnte die Stelle zusagen. Diese Neuigkeit war so enorm, so überwältigend, dass sie sich auf Anhieb gar nicht freuen konnte. »Aber ... was haben sie denn gesagt?«

Wille seufzte und zuckte mit den Schultern. »Im Grunde, nichts. Sie waren natürlich etwas überrascht und, wie schon gesagt, es ist ein bisschen kurzfristig, aber sonst ... Es schien eigentlich kein Problem zu sein. Ich hätte jetzt im Frühjahr das Managementprogramm durchlaufen sollen, aber es war offensichtlich auch möglich, das auf den Herbst zu verschieben. Und da komme ich ja zurück.«

»Mmh.« Ellinor biss sich auf die Unterlippe. Sie wollte nichts mehr sagen, doch das Wort stand zwischen ihnen. Der Herbst.

Wille sah ihr ins Gesicht. »Mir ist klar, dass auf die Art noch nicht alle Probleme gelöst sind«, gab er zu. »Aber lass es uns der Reihe nach angehen. Wir müssen auf lange Sicht eine Regelung finden, die für uns beide gut ist. Für uns alle drei.« Er machte einen Schritt auf sie zu. »Ellinor, vielleicht habe ich es dir in diesem Herbst zu wenig gezeigt, aber du bist mir wirklich sehr wichtig. Ich will, dass es dir gut geht, dass du glücklich bist und ich hoffe, dass dir der neue Job das gibt, was du brauchst. Auch wenn es nicht gerade der Sprung auf der Karriereleiter ist.« Ellinor schluckte. »Man kann sich ja nicht das ganze Leben lang mit anspruchsvollem Gesellschaftsrecht befassen. Jetzt bekomme ich vielleicht endlich mal Gelegenheit, mir die Zähne an einer richtig fiesen Erbstreiterei auszubeißen. Oder Leute wegen Trunkenheit am Steuer zu verteidigen. Der Traum aller Juristen.« Sie lächelte und Wille ging auf sie zu und breitete die Arme aus.

Ob es die Erleichterung war oder einfach die Wärme, die Willes Brust ausstrahlte und die Ellinors Anspannung vertrieb, war nicht klar, doch als sich der Kloß im Hals löste, liefen die Tränen.

»Ich liebe dich«, sagte sie schluchzend. »Mehr als meine Arbeit, nur dass du das weißt.«

»Ich weiß. Mir geht es genauso.« Wille hielt sie fest, während Ellinors Weinen langsam schwächer wurde. Dann schob er sie ein bisschen weg, sah ihr lange in die Augen und lächelte. »Was meinst du, meine Kleine, wollen wir morgen den Weihnachtsbaum kaufen?«

Nina warf einen Blick auf die Uhr. Shit! Jetzt rannte ihr die Zeit davon. Sie legte den Pinsel beiseite und fluchte über einen roten Fleck auf ihrer Jeans. Ausgerechnet auf die! Sie musste sich unbedingt einen Malerkittel besorgen. Und sich angewöhnen, sich vor dem Malen umzuziehen. Bei dem Gedanken musste sie grinsen. Vielleicht sollte sie sich auch noch eine Baskenmütze besorgen?

Das Kleid für den Abend hatte sie schon gebügelt und an der Kleiderschranktür im Schlafzimmer aufgehängt. Es war neu und sogar Matthias hatte anerkennend gepfiffen, als sie es ihm gezeigt hatte. Jetzt war er schon unterwegs. Er wollte mit Felicia zu einer Party eines Klassenkameraden. Nina machte sich natürlich Gedanken, welche Mutter mit Kindern in dem Alter würde das nicht tun am Silvester-abend, aber mehr, als ihren Sohn zu ermahnen, konnte sie auch nicht. Sie wusste, dass es dort Alkohol gab, aber bis-lang hatte Matthias sich nicht besonders dafür interessiert. Er hatte erzählt, dass manche über den Durst tranken. Er selbst wusste, wann Schluss war, damit hatte er sie beru-higen wollen. Was ihm nicht gelungen war. Woher sollte ein Sechzehnjähriger wissen, wann Schluss war? Trotzdem hatte sie sich beherrscht und keine Diskussion angefangen. Sie musste sich nur an ihre Teenager-Jahre erinnern, dann war ihr klar, wie das ablief. Als sie sechzehn gewesen war, hatte ihr Vater sie einmal mitten in der Nacht von der Po-lizei abholen müssen und war fuchsteufelswild geworden.

Ihre Unschuld hatte sie bereits ein paar Jahre vorher verloren.

Nachdem sie schnell geduscht hatte, streifte sie das Kleid über, zog dünne schwarze Nylonstrümpfe an und schwarze Schuhe mit glitzernden Steinen, enormen Absätzen und offener Spitze. Zu Camilla wollte sie sich ein Taxi nehmen, um sich nicht noch einmal umziehen zu müssen. Und das Make-up machten sie wie gewöhnlich zusammen.

Der Silvesterabend im Kronan war bereits Tradition. Wenn sie nicht mit Matthias feierte, war sie dort, so lange sie denken konnte. Früher mit Jens und danach in wechselnder Begleitung. Neben dem üblichen Publikum kamen an diesem Abend auch viele, die nur über Weihnachten heim nach Sävesta fuhren, weil sie nach der Schule der Stadt den Rücken gekehrt hatten. Nur die Feiertage verbrachten sie dann bei den Eltern und Verwandten. Die meisten von ihnen hatten nun selbst Familie, aber nutzten die Gelegenheit auszugehen, wenn die Großeltern sich als Babysitter anboten.

Es war schön, alle wiederzusehen, doch manchmal gab es ihr auch einen Stich. Immer wieder wurde einem sein eigenes Leben gespiegelt, wenn die anderen von ihrem erzählten. Manche saßen in noblen Büros in Stockholm, hatten ihr eigenes Unternehmen und ein großes Eigenheim in einem Vorort, wo die betuchten Leute wohnten. Aber es gab natürlich auch andere Fälle. Arbeitslose, Geschiedene, Alkoholabhängige …

Und an so einem Abend machten die Gerüchte schnell die Runde. Janne Gustafsson war wegen Trunkenheit am Steuer im Gefängnis gelandet, Maria Nordmark würde in die Schweiz ziehen, Cilla Lovén hatte von einem Afrikaner ein Kind bekommen und Jesper Kvarnbäck war schwul. Da kam alles auf den Tisch und jeder, der ein kleines bisschen aus dem Rahmen fiel, ergatterte einen bescheidenen Teil der Aufmerksamkeit der anderen.

Als sie nun im Taxi saß, überlegte sie, was wohl dieses Mal der Skandal des Jahres sein würde. Wieder eine Trennung oder etwas richtig Spektakuläres? In dem Jahr, als Cia Jonasson bei Big Brother dabei gewesen war und sich außerdem den Busen hatte operieren lassen, gab es kein anderes Gesprächsthema mehr. Auch nicht für Cia Jonasson selbst.

Bei Camilla zu Hause war alles ordentlich aufgeräumt, und auf der Fensterbank und dem Couchtisch brannten die Kerzen. Sie öffnete Nina wie gewohnt im Morgenrock. Sie umarmten sich und nach einem Schwall Komplimente für das neue Kleid schenkte Camilla ihr schnell ein Glas Cordon Negro ein. Sie stießen an und nahmen einen Schluck. Kein besonderes Gesöff. Eigentlich ziemlich eklig, aber Nina verzog keine Miene, als sie das Glas schnell wieder auf den Tisch zurückstellte.

»Und, was meinst du, wie wird der Abend?«, fragte sie.

»Super! Ich bin in absoluter Feierstimmung.«

»Kommt Ola auch?«

Camilla murmelte etwas. »Ich weiß es nicht. Hoffentlich nicht. Manchmal ruft er bei mir an, aber ich halte mich bedeckt. Und weißt du was?« Sie sah amüsiert aus. »Ich habe tatsächlich das Gefühl, es lässt nach …«

»Was?«

»Na ja, meine Gefühle für ihn. Als er das letzte Mal angerufen hat, merkte ich selbst, dass ich gar keine Lust mehr hatte, mit ihm zu sprechen. Also …« Sie seufzte. »Erst kommt die Leier von seinem blöden Bauunternehmen, dann von Katarina und den Kindern und was sie am Haus reparieren müssen und wo sie im Urlaub waren … Und im nächsten Atemzug schlägt er vor, dass wir uns treffen. Wie bitte? Ich meine, wie blöd muss man denn eigentlich sein? Wenn er mich schon als Geliebte haben will, dann könnte er mir doch wenigstens einen Pelz kaufen oder mit mir nach Paris fliegen oder Champagner aus meinen Schuhen trinken oder so was.«

Sie brachen beide in Gelächter aus, bei der Vorstellung, der Liebhaber im Fleecepullover und mit Schirmmütze mit Baufirmalogo kniete vor Camillas Neununddreißigern.

»Nein, mit Glamour hat es nicht im Entferntesten etwas zu tun, wenn man Ola Martinssons Geliebte ist«, fuhr Camilla fort, als das Gekicher verklungen war. »Weißt du eigentlich, dass wir es sogar bei ihm in den Lagerräumen gemacht haben ... Zwischen Brettern und Leisten und jeder Menge Dreck. Je mehr ich darüber nachdenke, desto sicherer bin ich mir, dass ich mit ihm abgeschlossen habe.«

»Und was kommt jetzt?«

»Ja, dann werde ich mich jetzt wohl zu einem Klöppelkurs anmelden, oder was man als alte Jungfer sonst so tut ...«

»Ich habe gehört, mit Trockenblumen zu arbeiten, soll sehr spannend sein. Und Korbflechten.«

»Haha«, sagte Camilla belustigt. »Da kannst du mich vielleicht begleiten?«

»Klingt eigentlich gar nicht so schlecht. Aber vielleicht erst in ein paar Jahren? Irgendwie bin ich noch nicht bereit, jetzt schon aufzugeben.«

»Gut, abgemacht. Darauf trinken wir!«

Schon draußen vor dem Kronan war eine Menschenmenge und Camilla und Nina traten von einem Fuß auf den anderen, um sich aufzuwärmen. Die Kälte kroch blitzschnell durch die dünnen Schuhsohlen.

Nach zehn Minuten Schlange stehen wurden sie hineingelassen und kurz darauf standen beide mit einem Glas in der Hand an der Bar und sahen sich neugierig um. Es war schon recht voll, die meisten Gäste waren aber jünger als sie. Zwanzig- und Dreißigjährige.

Den ersten, den sie ausfindig machten, war Anders Vogel. Er wohnte jetzt in Malmö und hatte sich mit einem Beratungsunternehmen in der freien Wirtschaft selbständig gemacht. An seiner Seite stand vermutlich seine Frau. Sie sah sehr durchschnittlich aus und ihr graublaues Kleid schlug am Rücken unvorteilhafte Falten. Sie winkten ihm zu, als er sie sah, doch gingen nicht hinüber. Auch als sie dieselbe Klasse besuchten, hatten sie nicht viel Kontakt gehabt.

Weiter hinten entdeckten sie Cilla Lovén, die, die einen Afrikaner geheiratet hatte. Ihr Mann war nicht in Sicht, aber man munkelte, er sei schwarz wie die Nacht.

Plötzlich stupste sie jemand so heftig in den Rücken, dass ihnen beinahe der Wein überschwappte. Nina konnte gerade noch verhindern, dass sie eine Dusche über ihr Kleid bekam.

»Hej Mädels!« Als sie sich umdrehten, stand Niklas Strömgren vor ihnen, auch ein alter Klassenkamerad, aber aus einer Parallelklasse. »Hej, seht ihr gut aus!« An seinem Blick war zu sehen, dass er bereits einiges intus hatte. »Was macht ihr denn jetzt so?«

»Wie immer.« Nina lächelte, machte aber gleichzeitig einen Schritt zurück, um seinem alkoholgetränkten Atem zu entkommen. »Ich arbeite noch im Friseursalon.«

»Friseur … Aha, da war ich schon lange nicht mehr.« Er grinste und strich sich über den kahlgeschorenen Kopf. »Und, hast du Kinder?«

»Ja, eins. Matthias ist jetzt sechzehn.«

»Sechzehn?! Hej, da hast du aber früh angefangen!« Er grinste wieder und trat näher, dann senkte er seine Stimme und sprach in einem künstlich vertraulichen Ton zu ihr. »Aber du warst doch schon immer ein bisschen …?«

»Wie *ein bisschen*?«

»Na, du weißt schon. Eine, mit der was lief.« Er begann, schallend zu lachen und stieß ihr mit dem Ellenbogen kumpelhaft in die Seite.

Nina schluckte. Obwohl es wirklich sehr lange her war und Niklas Strömgren eine totale Niete, traf sie dieser Kommentar doch. Camilla kam ihr zu Hilfe.

»Wie willst du da mitreden?«, meinte sie kurzangebunden. »Du hast doch wohl kaum zu den Jungs gehört, mit denen man auf den Feten herumgeknutscht hat.« Niklas schien sauer zu sein, war aber nicht schlagfertig genug zu kontern, da hatte Camilla Nina schon eingehakt und beiseitegezogen. »So ein Idiot«, sagte sie nur. »Manche kommen über das Teenie-Alter einfach nicht hinaus. Traurig.«

»Ja, wenn man über solche Typen stolpert, fragt man sich schon, warum man den Silvesterabend eigentlich hier verbringt.«

»Ach, reg dich über den nicht auf. Schau mal, da sind Mia und Ankan! Lass uns mal rübergehen und Hallo sagen!«

Als kurz darauf die Discothek ihren Betrieb aufnahm, war die Tanzfläche schnell rappelvoll. Der Discjockey war gut drauf und machte sich beim Publikum beliebt, indem er einen Hit nach dem anderen auflegte. Nina hatte ihren Spaß. Wenn sie tanzte, hatte sie immer gute Laune und der Wein im Blut entspannte sie, doch hatte sie nicht so viel getrunken, dass sie beschwipst war. Die Zeit verging wie im Flug. Auch wenn die Gespräche meist oberflächlich blieben, war es doch lustig, bekannte Gesichter wiederzutreffen. Als der Discjockey bekannt gab, dass es nur noch fünf Minuten bis Mitternacht waren, war Nina völlig verdutzt und lief los, um Camilla zu suchen. Sie fand sie an der Bar, wo sie mit einem Mann redete, den sie noch nie gesehen hatte.

»Camilla, los jetzt! Wir müssen noch einen Sekt organisieren, sonst haben wir nichts zum Anstoßen!«

»Ja, stimmt …« Camilla zog ein Gesicht. »Kennst du Tore noch?«, fragte sie und wies auf den Mann an ihrer Seite.

»Tore?« Nina starrten den Typen an. »Aber … du bist ja so groß geworden.« Etwas Besseres fiel ihr nicht ein. Der Mann neben Camilla hatte nichts mehr gemeinsam mit dem pickeligen kleinen Streber, den sie aus der Schulzeit in Erinnerung hatte.

»Ja.« Er lachte. »Ich habe recht spät noch einmal einen Schuss gemacht. Du siehst blendend aus.«

»Danke. Aber wir müssen uns jetzt mal beeilen. Es ist gleich zwölf.«

Sie winkte dem Barmann zu und gerade, als der gemeinsame Countdown begann, standen ihre Gläser auf der Theke.

»Zehn, neun, acht, sieben …« Nina fiel in den Chor ein. »… sechs, fünf, vier …« Sie sah sich um. Überall erwartungsvolle Gesichter. Menschen, die sich nach etwas Besserem sehnten, nach etwas Neuem, etwas Anderem. »…drei, zwei, eins!«

Um sie herum war Freudengejubel. Alle umarmten sich, ob sie sich kannten oder nicht, und wünschten sich ein gutes neues Jahr. Man stieß an und einer hatte eine Tröte dabei, deren scharfer Ton alles übertönte. Sie selbst drückte Camilla und sie sahen sich feierlich in die Augen, als sie beschlossen, dass das neue Jahr verdammt nochmal ein richtig gutes werden sollte! Dann erklangen die vertrauten Töne aus den Lautsprechern und kurz darauf sangen alle lauthals den Refrain mit von *Happy New Year*. Die ganze

Menge wiegte sich im Takt mit der Musik, und Camilla warf Nina einen entschuldigenden Blick zu, als Tore sie in den Arm nahm und sie zu tanzen begannen.

Nina ging zur Tanzfläche. Dann zog sie ihr Handy aus der Tasche, um Matthias eine SMS zu schicken. Mit großen Buchstaben tippte sie ein *FROHES NEUES JAHR!* und hinterher *Hab dich lieb!* Und zum Schluss fügte sie einen Smiley ein und unterschrieb /*Mama*.

Ihr großer wunderbarer Sohn. Sie hoffte, dass er einen schönen Abend auf dem Fest verbrachte und dass es mit Felicia gut lief, und natürlich auch, dass er nicht zu viel getrunken hatte. Sie stellte das Handy wieder aus und gerade, als sie es wieder in die Tasche zurücklegen wollte, hielt sie inne. Auf der Tanzfläche sah sie, wie Camilla ihren Kopf an Tores Brust ablegte. Sie hatte die Augen geschlossen und ein Lächeln im Gesicht. Nina hob die Hand wieder und gab noch einmal ihre PIN ein. Im Posteingang fand sie, was sie suchte. Schnell überflog sie den kurzen Text noch einmal. Dann drückte sie »Antwort senden« und sah das leere Textfenster. *Gutes neues Jahr*, schrieb sie. Und danach, nach kurzem Überlegen *Was wolltest du mir eigentlich erzählen? Melde dich, wenn du magst.* Dann schrieb sie ihren Namen darunter und schickte die SMS los. Ihr Herz pochte heftig und ihre Arme zitterten, als hätte sie etwas Schweres in der Hand. Bevor sie das Handy wieder zurückgelegt hatte, klingelte es.

»Nina?« Die vertraute Stimme, aber dennoch fremd.

»Warte kurz, es ist so laut hier«, schrie sie in den Hörer und drängte sich zwischen den Massen hindurch. Am Eingang war es ruhiger, die laute Musik hörte man hier nur entfernt. Trotzdem hielt sie den Zeigefinger vor das eine Ohr und drückte das Handy dicht gegen das andere. »Hörst du mich jetzt?«, fragte sie.

»Ja, tue ich.« Er legte eine kurze Pause ein. »Gutes neues Jahr!«, sagte er dann.

»Dir auch.«

»Ich war ganz überrascht über deine SMS. Und hab mich gefreut.«

»Vielleicht hätte ich schon früher antworten sollen …«

»Ich dachte mir, du willst es nicht.«

»Nein, das stimmt.« Nina zögerte. Sie wollte kein ernsthaftes Gespräch, aber ihr fiel auch nichts Unterhaltsames ein. »Und was machst du? Bist du zu Hause bei deiner Familie?«, fragte sie stattdessen.

»Nein. Oder doch. Ich bin zu Hause. Aber ohne Familie. Christina ist mit den Kindern auf die Kanaren geflogen.«

»Ohne dich?«

»Ja … wir haben uns getrennt. Das war das, was ich dir erzählen wollte.« Thomas erwartete offensichtlich eine Reaktion, doch als nichts kam, fuhr er fort. »Christina wollte es so. Zumindest am Anfang.«

»Hat sie einen Neuen?«

»Sie sagt, es sei nicht so, aber ich bin mir nicht sicher. Manchmal denke ich, sie hat wen. Aber das ist jetzt auch nicht mehr wichtig. Ich vermute, unsere Beziehung war sowieso vorbei.«

»Und die Kinder?«

»Für den Anfang werden wir abwechselnd im Haus bei den Kindern wohnen. Ich wohne alle zwei Wochen bei einem Freund, aber Christina hat sich jetzt eine Wohnung in der Nähe angesehen und ich denke, es wird bald eine beständige Lösung geben.«

Nina lächelte ein paar bekannten Gesichtern zu, die an ihr vorbei liefen, um auf der Straße eine Zigarette zu rauchen. »Und du?«, fragte sie leise. »Wie geht es dir jetzt?« Eigentlich wollte sie das gar nicht wissen, sie hatte schon zu oft frisch getrennte Männer getröstet. Keine dankbare Aufgabe.

»Es geht so. Die Kinder waren sehr traurig und auch wütend, aber wenn sich die Wohnungssituation klärt, denke ich, wird Ruhe einkehren. Es war einfach an der Zeit.« Er sprach zögernd weiter. »Erst wollte ich das vermeiden, aber nach der Nacht mit dir … Da ist irgendetwas mit mir geschehen. Mit dir fühlte ich so viele Dinge, die ich seit langem nicht mehr gespürt hatte. Vielleicht habe ich da gemerkt, dass meine Ehe vorbei war.«

»Wie praktisch. Dann war ich ja quasi das Sprungbrett.« Nina wollte einen Scherz machen, doch ihr Ton klang zu scharf und Thomas schien diesen Humor nicht zu teilen.

»Das war nicht so«, sagte er kurz. »Das war überhaupt nicht geplant. Du warst plötzlich einfach da. Wäre ich nicht schon in der Krise gewesen, dann wäre das auch nicht passiert. Das ist die Wahrheit und dann kam es eben so, und seitdem habe ich an dich denken müssen. So einfach ist das.« Er schwieg.

»Was hättest du gern, das ich sagen soll?«

»Vielleicht, dass du auch an mich gedacht hast. Wenn es stimmt?«

Jetzt wurde Nina still. »Doch …«, gab sie schließlich zu. »Ich hab auch an dich gedacht.«

Er musste lachen. »Dann könntest du dir unter Umständen vorstellen, mich mal wiederzusehen?«

»Vielleicht.«

»Morgen?«

»Morgen? Bist du wahnsinnig? Morgen ist Neujahr.«

»Und ich bin allein zu Haus. Die Kinder kommen erst am Dreikönigstag zurück. Ich könnte ins Auto springen und dich am Nachmittag besuchen kommen.«

Nina holte hastig Luft, und Thomas schob schnell hinter-

437

her: »Oder ist es dir lieber, wenn wir uns irgendwo anders treffen? Irgendwo Kaffee trinken oder Pizza essen?«

»Eine Tasse Kaffee … Aber du kannst gern zu mir kommen, ich glaube kaum, dass in Sävesta am Neujahrstag irgendein Café geöffnet hat.«

»Wenn ich gegen zwei komme? Oder drei?«

»Drei Uhr ist nicht schlecht. Findest du den Weg noch?«

»Lingonstig vier, nicht wahr? Ich schaue nochmal in den Routenplaner. Kein Problem.« Er klang sehr froh. »Du hast dich gemeldet …«, sagte er mit einem Lachen in der Stimme. »Ich hatte schon fast die Hoffnung aufgegeben.«

»Das wäre aber schlecht gewesen.«

»Sehr schlecht.«

»Ich bin froh, dass ich dir geschrieben habe.«

»Ich auch. Ich meine, dass du das getan hast.«

»Okay … Dann sehen wir uns morgen, abgemacht?« Nina fragte noch einmal nach. Sie konnte noch nicht recht glauben, dass sie sich darauf verlassen konnte.

»Das tun wir. Keine Frage.«

Widerwillig beendeten sie das Telefonat und als Nina das Telefon vom Ohr nahm, war es ganz warm. Sie lehnte sich an die Wand im Eingangsbereich und war noch ganz in Gedanken. Die Raucher kamen verfroren von der Straße hinein, wieder mit Nikotin versorgt. Sie lächelte ihnen zu, als sie an ihr vorbeiliefen. Lange Zeit stand sie einfach so da, bis Camilla sie endlich fand. Sie hielt noch immer Tore an der Hand.

»Hier bist du also!«, sagte sie verwundert. »Wir haben dich überall gesucht.«

»Ich habe einen Anruf bekommen. Und drinnen war es so laut, dass ich rausgehen musste, um etwas zu verstehen.«

»Wer war das denn?«

Nina sah zur Seite. »Matthias. Er wollte wissen, wie lange er noch auf seiner Fete bleiben darf. Ich habe ihm gesagt, er soll in einer Stunde zu Hause sein.«

»Ach komm, lass den Jungen doch feiern! Es ist Silvester!«

»Ja, das stimmt.«

»Dann komm mit uns hinein. Tore hat uns einen Drink versprochen.«

»Ein Gentleman …«

Tore lächelte. »Überhaupt nicht, ich suche eigentlich nur ein schnelles Abenteuer. Ihr wisst doch, wie Männer ticken?« Er zwinkerte Camilla zu und Nina musste kichern.

»Ja, wenn das so ist … Auf einen kleinen Drink. Dann werde ich mich wirklich auf den Heimweg machen. Morgen ist ja auch noch ein Tag.«

Miriam sah hinauf zum Himmel. Dieses spezielle Grau sah nach Schnee aus. Sie zog ihr Halstuch noch etwas fester, um die kleine Lücke vor ihrem Hals zu schließen, dann ging sie die Treppe von Ellinors Haus hinunter und stand auf der Straße.

Es war die Idee ihrer Nachbarin gewesen, gemeinsam über die Regelungen im Zusammenhang mit der Trennung nachzudenken. Ellinor hatte gemeint, sie müsste sich sowieso einarbeiten und dies sei eine willkommene Gelegenheit, die Dinge aufzufrischen, die sie einmal gelernt hatte. Ab dem ersten März musste sie solche Fälle professionell angehen und sie hatte bereits damit angefangen, die Literatur aus den Seminaren von der Uni noch einmal durchzugehen.

Als Ellinor den Vorschlag gemacht hatte, wollte Miriam erst nichts davon hören. Sie brauchte doch keinen Anwalt. Frank würde schon dafür sorgen, dass alles zu ihrem Besten sei. Aber Ellinor hatte sich nicht überzeugen lassen und gemeint, es sei überhaupt nicht sicher, dass Frank in jeder Hinsicht ihren Interessen den Vorrang gab. Selbst wenn er Miriam keinen Schaden zufügen wollte, so musste er doch auch an sich selbst denken. Bei einer Scheidung einen Anwalt zu konsultieren, war kein bisschen ungewöhnlich oder sonderbar, hatte Ellinor sie beruhigt. Es war eher an der Tagesordnung, um Missverständnisse und Streitigkeiten auszuräumen. Widerwillig war Miriam darauf eingegangen und nun hatten sie sich zum ersten Mal getroffen, alle Unterlagen durchgeschaut und Miriams finanzielle Situation betrachtet. Es war ihr peinlich gewesen, als ihr bewusst wurde, wie wenig Überblick sie über diese Dinge hatte. Ellinor hatte sie jedes Mal unglücklich angeschaut, wenn die Antwort wieder und wieder hieß »Das weiß ich gar nicht«. Trotzdem war es ein gutes Gefühl gewesen. Ellinors klare Fragen zeichneten ihr eine Struktur in dem ganzen Wust, sie merkte, dass es eine Ordnung in dem Chaos gab, von dem sie sich seit Franks Offenbarung immer wieder überwältigt gefühlt hatte.

Frank hatte ihr gesagt, dass sie ausziehen müsse. In eine kleinere Wohnung. Ellinor war anderer Meinung. Das Haus war abgezahlt und die Betriebskosten waren längst nicht so hoch, wie Frank behauptet hatte. Es war überhaupt nicht sicher, dass er das Recht hatte, ihr Haus zu verkaufen, wenn sie dort wohnen bleiben wollte. Miriam hörte Ellinors Worte mit Schrecken an. Eigentlich hätte sie sich freuen sollen, aber der Gedanke daran, sich mit Frank anzulegen, machte sie kreuzunglücklich. Er hatte doch gesagt, innerhalb eines halben Jahres müsse sie ausziehen. Bis dahin waren es nur noch ein paar Monate, da konnte sie doch jetzt nicht einfach Probleme machen? Ellinor hatte sie beruhigt, diese Gespräche müsste sie nicht selbst führen, das übernahm sie. Dafür hatte man seinen Anwalt. Und Frank hatte mit Sicherheit auch einen. Und sonst würde er sich einen suchen.

Miriam reckte sich und atmete lang seufzend aus. Von dem vielen Papierkram hatte sie Kopfschmerzen bekommen. Vielleicht würde ihr ein kleiner Spaziergang guttun, zu Hause wartete sowieso nichts Besonderes auf sie. Susanne war wieder in die USA zurückgeflogen und das Haus öde und leer. Langsam begann sie ihren Spaziergang.

Es war ein sonderbares Weihnachtsfest gewesen. Alle

hatten sich sehr viel Mühe gegeben, damit es wie immer schien, aber Miriam wusste, dass sie nicht die Einzige war, die an Frank hatte denken müssen. Christer hatte die Rolle des Vaters übernommen und die Weihnachtsgeschenke verteilt. Keiner hatte etwas dazu gesagt, doch die Verse, die er zu den Päckchen vorlas, klangen nicht so, wie wenn Frank sie vorgetragen hätte. Aber irgendwie wurde es trotzdem ein schöner Abend. Wie immer hatten sie am Nachmittag die selbstgemachten Plätzchen auf dem bunten Teller genossen und die Mädchen hatten sich über ihre Pullover gefreut. Das war für Miriam schon genug.

Silvester hatte sie allein verbracht. Susanne hatte ihr zwar ihre Gesellschaft angeboten, doch als sie dann telefonierte, hatte Miriam gehört, dass sie sich gern in der Stadt mit alten Freunden treffen wollte. Sie trafen sich anscheinend alle im Kronan zu Silvester und das konnte sie gut verstehen. Es war ihr wichtig, dass Susanne sich amüsierte, wenn sie zu Hause war und nicht den Silvesterabend mit ihrer alten Mutter vor dem Fernseher verbrachte. Dennoch hatte Susanne sie bestimmt zehn Mal gefragt, ob es wirklich in Ordnung wäre, wenn sie den Abend allein verbrachte. Schließlich hatte sie der Tochter glaubhaft machen können, dass es ihr nichts ausmachte. Dass sie allein zurechtkäme. Bis Mitternacht war sie wach geblieben und hatte verfolgt, wie das alte Jahr verabschiedet und das neue eingeläutet wurde. Ein großes Fragezeichen stand vor der Tür. Sie lebte von einem Tag zum nächsten.

Mitunter waren die Tage allein zu Haus elend lang. Der Garten ruhte unter dem Schnee und es gab nichts zu tun, als hier und da den Kiesweg zu harken. Sie hatte wieder angefangen zu stricken. Das hatte sie nicht mehr getan, seit Jenny kein Kleinkind mehr war. Ihre Finger waren anfangs ganz unbeholfen und steif gewesen, aber es dauerte nicht lange, dann waren ihr die Bewegungen wieder geläufig und das Stricken ging ihr locker von der Hand. Jetzt war sie schon bei der zweiten Babyjacke. Die strickte sie jetzt in ganz hellem, lieblichem Rosa. Sie hatte vor, sie auf dem Basar der Kirche zu verkaufen. Wenn sie dafür ein paar Kronen bekäme, würde es sie freuen.

Sie las wieder viel und machte ihre Kreuzworträtsel. Und backte für Christer und seine Familie. Als sie das letzte Mal mit Schneckennudeln erschienen war, die sie einfrieren konnten, hatte Veronika ihr einen fast vorwurfsvollen Blick zugeworfen. So viele aßen sie davon gar nicht, hatte sie erklärt. Danach hatte Miriam beschlossen, vorerst eine Pause einzulegen.

Jenny und Matilda brauchten nun kaum noch jemanden, der auf sie aufpasste. Manchmal kamen sie nach der Schule vorbei, aber eher selten.

Sie hatte stattdessen Ellinor angeboten, Albin zu übernehmen. Zwar würde Wille ab dem Frühjahr zu Hause sein, aber vielleicht wollten die beiden auch einmal abends ins Kino gehen? Oder ins Restaurant. Ellinor hatte ihr Angebot dankend angenommen. Sie hatten ja keine Großeltern in der Stadt und auch sonst niemanden, der ihnen unter die Arme griff.

Miriam lief weiter. Ein paar kleine Schneeflocken wirbelten durch die Luft und sie atmete einige Male tief durch. Der Schnee war auch nach Weihnachten liegen geblieben. Es war nicht viel und die dünne Schicht wurde langsam grau, aber noch immer machte er die Abende und die grauen Januartage heller. Sie stand oft schon früh auf, machte sich ihren Kaffee, zündete eine Kerze an und setzte sich im Morgengrauen vors Küchenfenster. Manchmal knabberte sie an einem Pfefferkuchen und las in einer alten Zeitung. Im Sävesta Blick verfolgte sie jetzt regelmäßig die Stellenanzeigen. Eine Anzeige vom Edeka in der Brandberggata hatte sie ausgeschnitten. *Sie haben Kassenerfahrung und sind etwa zwischen 20 und 35 Jahren alt*, so stand es in der Annonce. Wahrscheinlich würden sie laut lachen, wenn sie dort anrief. Achtundfünfzig, mit abgebrochener Sekretärinnenausbildung und als einzige Berufserfahrung ein paar Stunden zur Aushilfe im Geschenkestübchen einer Freundin. Sie wäre sicher nicht die erste Wahl unter den Bewerberinnen.

Sie hatte noch nicht viel gelesen, da fiel ihr etwas ins Auge. Auf Jeanette Falcks Grundstück hatte jemand ein Schild aufgestellt. *Zu verkaufen* stand dort in großen deutlichen Buchstaben. Bevor sie begriff, was das zu bedeuten hatte, erschien Jeanette selbst in der Tür. Sie hatte ihr rotes Haar zu einem Knoten zusammengesteckt, und der bordeauxrote Mantel, den sie trug, war so lang, dass er fast auf dem Boden schleifte. Miriam blieb auf dem Bürgersteig stehen und Jeanette winkte ihr, als sie sie sah.

»Hallo! Wie geht's?«, fragte sie fröhlich und kam auf sie zu.

»Danke, ganz gut. Ich habe gerade das Schild gesehen … Ziehen Sie schon wieder aus?«

»Ja. Heute war der Makler hier und hat das Schild mitgebracht. Die Anzeige wird am Samstag in der Zeitung stehen.«

»Ja, aber warum denn …?«

»Tja …« Jeanette machte ein nachdenkliches Gesicht. »Ich bin wohl ein eher rastloser Mensch. Ich dachte, ich würde Wurzeln schlagen, wenn ich mir ein Haus anschaffe. Aber dann ist es auf jeden Fall nicht dieses hier.« Sie wies auf das Haus hinter ihr. »Ehrlich gesagt, ist das nicht mein Leben. Aber verstehen Sie mich nicht falsch«, schob sie eilig hinterher. »Ich habe mich in der Nachbarschaft hier sehr wohl gefühlt, es ist mehr das Gefühl, hier mit den ganzen Schulden festzusitzen, das hat mir nicht behagt. Man muss an so viele Dinge denken. Die Ölwanne kann kaputtgehen, das Dach vom Schuppen, das geflickt werden muss, der Rasen ist zu mähen, das Haus zu streichen … Na ja, wem erzähle ich das …«

Miriam schwieg. Mit kaputten Ölwannen kannte sie sich auch nicht aus. »Und was haben Sie jetzt vor?«, fragte sie stattdessen.

»Ich ziehe nach Dalarna. Da oben wohnt ein guter Freund von mir in einer WG. Er wollte mich schon seit Jahren überreden mit einzuziehen. Warum eigentlich nicht? Irgendwann muss ich es mal ausprobieren. Sie betreiben ökologischen Landbau und machen sogar ihre Seife selbst. Na ja, und haben ihre Zusammenkünfte und so. Mal sehn, wie ich damit klarkomme, wo ich sonst gern alles selbst in der Hand habe.« Sie lächelte. Um ihre hellgrünen Augen zog die dünne Haut in schmalen Linien Fältchen.

»Und ihre … Tätigkeit?«

»Sie meinen Janina? Tja, in Dalarna gibt es sicherlich auch Menschen, die Orientierung suchen. Mal sehn, ob ich dazu komme, immerhin muss ich ja Mohrrüben pflanzen.« Sie lachte laut.

»Ja, und die Leute in Sävesta …?«

»Sävesta muss dann leider auf mich verzichten. Hier habe ich getan, was ich konnte. Jetzt muss jemand anders ran.«

»Aber das geht doch nicht so einfach.« Miriam machte ein unglückliches Gesicht. »Wer soll das denn … Sie sind doch nicht zu ersetzen.«

Jeanette winkte ab. »Von meiner Sorte gibt es einige. Es geht doch um Intuition, die Zeichen zu verstehen. Und das kann nicht nur ich.«

Miriam sah sie skeptisch an. »Wie meinen Sie das? Dass jeder andere mir genau die Dinge hätte sagen können, die Sie mir gesagt haben, und auch das gesehen hätte, was Sie gesehen haben?« Sie hielt kurz inne, dann fügte sie hinzu: »Frank, die Trennung …«

»Na ja, vielleicht nicht jeder …« Jeanette dachte kurz nach. »Es hatte seinen Sinn, dass wir uns begegnet sind. Alles hat seinen Sinn. Was ich gemeint habe ist, dass man die Fähigkeit zu sehen üben kann. Überlegen Sie mal: Alles war schon da. Alles. Es ist keine Hexerei.«

Miriam senkte den Blick. »Nein, natürlich nicht. Aber aus Ihrem Mund klingt die Sache so einfach.«

»Sie ist einfach. Es geht darum, welche Signale wir aussenden. Kommunikation. Ich habe nur wiedergegeben, was ich sah und was ich spürte. Jeder Mensch braucht einen Spiegel, er muss sich wahrgenommen und bestätigt fühlen. Dann liegt es an ihm, was er daraus macht.«

»Aber …« Miriam suchte nach Argumenten. »Und die Zukunft? Sie haben doch Dinge gesehen, mich vor die Entscheidung gestellt …«

»Ja. Und Sie haben sich entschieden, wie ich sehe. Das ist schön.« Jeanette sah sie lächelnd an, dann warf sie einen Blick auf die Uhr und schrie erschreckt auf. »Oh, jetzt muss ich aber schnellstens los«, rief sie. »Bis bald!« Sie drehte sich um, sodass ihr der lange Mantel um die Beine wedelte. Miriam blieb auf dem Bürgersteig stehen und sah, wie Jeanette den roten Renault aufschloss.

»Aber …«, Miriam hob noch einmal die Stimme.

»Ja?«

»Was ist denn dann mit dem Glücksrad?«

»Was soll damit sein?« Jeanette saß nun hinter dem Steuer und lehnte sich, die eine Hand am Türgriff, noch einmal hinaus.

»Wir haben doch alle drei dieselbe Karte bekommen. Ellinor, Nina und ich. Waren das auch nur …« Miriam zögerte. »Zeichen?«

»Zeichen?« Jeanette überlegte kurz. »Nein, eher … Das Schicksal.« Dann lächelte sie und zog die Wagentür wieder zu.

*N*un *war es schon beinahe dunkel geworden,* als Miriam wieder zu Hause war. Es schneite wieder kräftiger und ihr taten von dem langen Spaziergang die Beine weh. Trotzdem hatten ihr die Kälte und die frische Luft gut getan. Aus Gewohnheit öffnete sie ihren Briefkasten, der vorn an der Straße stand. Auf dem Boden lagen ein paar vereinzelte Reklameblätter. Eins vom Eismann und ein anderes von einer Jalousienfirma. Und dann war da noch ein Brief. Er war an sie adressiert und als sie die Handschrift erkannte, musste sie schlucken. Ihr erster Impuls war, ihn einfach wieder zurück in den Briefkasten zu legen, doch was würde das nützen? Langsam ging sie zurück zu ihrem Haus.

Eine Weile saß sie an ihrem Küchentisch und starrte den Umschlag an. Dann stand sie auf und holte ein Küchenmesser aus der Besteckschublade. Das Papier zerfetzte, als sie den Umschlag aufriss.

Der Brief war auf einer linierten Seite eines Collegeblocks geschrieben. An der Seite hing noch ein halb abgerissener Papierstreifen. Als hätte er es in Eile geschrieben und weggeschickt.

Sie las.

Liebe Miriam,

es fällt mir nicht leicht, dir zu schreiben. Mir ist klar, wie wütend und enttäuscht du über mich warst. Aber du sollst wissen, dass es nie meine Absicht war, dir wehzutun, auch wenn ich einsehen muss, dass ich es getan habe.

Vielleicht freut es dich, wenn ich dir erzähle, dass das Leben mit Yvonne nicht das gehalten hat, was es versprach. Yvonne war eine Leidenschaft, eine Affäre, wir hatten in den Jahren viele schöne Stunden zusammen, aber zwei Menschen passen nicht gleich zusammen, nur weil sie sich äußerlich anziehend finden. Als wir in den vergangenen Monaten versucht haben, ein Leben gemeinsam zu führen, hat sich leider herausgestellt, dass es nicht so geklappt hat, wie wir es uns vorgestellt hatten.

Das Leben besteht nicht nur aus Träumen, das habe ich lernen müssen. Ich habe nun auch mit anderen Augen gesehen, was ich an dir hatte, was mir wichtig war, unser gemeinsames Leben, und es fehlt mir.

Du und ich werden nicht mehr in brennender Liebe füreinander entflammen. Die Zeit ist vorbei – wenn es sie je gegeben hat – aber ich bin Realist genug, um den Wert einer funktionierenden Ehe zu schätzen.

Du kennst mich, Miriam. Du weißt, wer ich bin. Ich hoffe sehr, dass du mir verzeihen kannst und dass wir diese Episode gemeinsam ad acta legen können.

Ich warte auf deine Antwort.

Dein
Frank

PS: Ich habe mit Yvonne noch nicht gesprochen. Wollte erst von dir grünes Licht abwarten.

Miriam starrte auf das Papier. Franks Handschrift in blauer Kugelschreiberfarbe. Sie las den Brief noch einmal. Frank wollte also zurück zu ihr und bat sie um Vergebung und

Nachsicht. Sie sah von dem Brief auf und ließ ihren Blick aus dem Fenster schweifen. Bei Jeanette Falck war noch immer alles dunkel. Es hatte aufgehört zu schneien und die Sterne leuchteten nun wie schwache Pünktchen am Himmel. So klein, so weit weg, dachte sie noch. Dann sah sie wieder hinunter auf den Text … *wenn es sie je gegeben hat …*

Langsam faltete Miriam den Brief zusammen und steckte ihn wieder in den Umschlag. Dann stand sie auf und ging in den Flur. Sie nahm ihre Handtasche von einem Haken und holte einen Stift und einen Karton mit Briefpapier aus der Kommode unter dem Flurspiegel und ging zurück zum Küchentisch. Dann nahm sie ein Blatt heraus und legte es vor sich auf den Tisch. Saß einen Moment lang ganz still. Dann begann sie zu schreiben

Charles,
Lange habe ich gezögert, diesen Brief zu schreiben, aber nun ist die Zeit gekommen …

Als sie fertig war, legte sie den Stift beiseite und faltete das Briefpapier zweimal. Dann öffnete sie die Handtasche und holte das kleine weiße Kärtchen heraus, an das sie schon so oft gedacht hatte. Der lange schmale Umschlag war aus einem cremefarbenen Papier und sie schrieb die Adresse sehr sorgfältig mit schön geschwungenen Buchstaben.

An Frank würde sie auch schreiben. Aber nicht gleich. Er konnte warten. Es gab keine funktionierende Ehe mehr, in die er zurückkommen konnte.

Miriam versank in Gedanken. So saß sie noch da, als es an der Tür klingelte. Der Ton kam so plötzlich, dass sie aufschreckte. Sie stand auf und lief eilig zur Tür. Draußen stand Jeanette Falck.

»Entschuldigung, wenn ich störe«, sagte sie mit etwas heiserer Stimme.

»Kein Problem. Ich hatte gerade nichts Besonderes zu tun.« Miriam überlegte kurz. »Darf ich Sie hereinbitten?«

»Nein, danke. Ich bin eben erst nach Hause gekommen und gleich steht Besuch vor der Tür. Ich möchte Ihnen nur ein kleines Geschenk überreichen.«

»Ein Geschenk? Für mich? Nein, wirklich …«

Jeanette schnitt ihr das Wort ab. »Es ist ja nur eine Kleinigkeit. Aber mir kam die Idee, als wir uns unterhalten haben und als ich eben in der Stadt war …« Sie hielt ihr eine kleine Plastiktüte hin. »Es ist leider ohne Geschenkpapier, entschuldigen Sie bitte.«

Miriam nahm die Tüte und öffnete sie. Darin befand sich eine dunkelblaue Schachtel. Sie holte sie heraus und las die Aufschrift. Jeanette erläuterte ihr den Inhalt.

»Das ist das absolut klassische Kartenspiel. Sie haben es bei mir zu Hause gesehen, ich arbeite selbst damit. Ich hoffe, Sie mögen die Bilder, das ist sehr wichtig.« Sie legte eine kleine Pause ein und betrachtete Miriams erstauntes Gesicht. »Ja, und dann sollen Sie noch das hier haben«, sagte sie und gab ihr ein Buch, das sie in einer Hand hielt. »Das ist ein Lehrbuch. Darin sind alle Karten erklärt und es gibt Übungsbeispiele. Es ist ein bisschen abgenutzt«, lachte sie. »Ich habe viel darin gelesen, aber nun ist es an der Zeit, es weiterzugeben. Ich kenne alles.«

Miriam nahm es und strich über den Einband, bevor sie wieder aufsah. Bevor sie etwas sagen konnte, sprach Jeanette weiter.

»Lernen Sie die Karten kennen und nehmen Sie sich dafür Zeit.« Dann brach sie ab, weil sie ein Auto kommen sah, das plötzlich mit seinen Scheinwerfern den Lingonstig erleuchtete. »Da kommt mein Klient.« Jeanette drehte sich noch einmal zu Miriam um. »Ich bin ja noch eine Weile hier. Wenn Sie Fragen haben, könnten Sie mich gern ansprechen. Ich helfe Ihnen gern.«

»Danke.« Miriam wusste gar nicht, was sie sagen sollte.

Jeanette lächelte. »Keine Ursache«, antwortete sie und drehte sich um und ging die Treppe hinunter. Ein paar Sekunden später war sie nicht mehr als ein Schatten auf dem Weg aus dem Garten.

Miriam blieb noch in der Tür stehen. Bei jedem Atemzug kamen kleine weiße Wölkchen aus ihrem Mund. Als würde ihre Seele kleine Visitenkarten ins Weltall schicken. Über ihr war das vorher so schwache Licht der Sterne heller geworden und ihre Konturen konnte man nun deutlich vor dem schwarzen Himmel erkennen.

Es würde eine kalte Nacht werden. Aber sternenklar.

Es war ein heißer Sommer gewesen, genau wie im Vorjahr. Man sprach sogar von einem Rekordsommer. Jetzt war es schon Ende August, aber noch immer war es sengend heiß. Nina richtete sich auf und wischte sich mit dem Handrücken ein paar Schweißtropfen von der Stirn. Aus dem Gartenschlauch sprudelte das Wasser und sie stand bald barfuß in einer ordentlichen Pfütze. Sie hielt den Strahl auf die Beete im Garten, wo die Blumen von der Hitze des Tages die Köpfe hängen ließen.

Dieses Jahr war sie nicht im Urlaub gewesen, aber das machte ihr nichts aus. Sie war mit Matthias so oft es ging ans Meer gefahren. Manchmal war auch Felicia mitgekommen. Sie hatten den Picknickkorb eingepackt und waren so lange geblieben, bis die Mücken unangenehm wurden. Es waren sehr schöne Tage gewesen.

Matthias war so groß geworden. Er hatte im Sommer einen Monat in einer Fahrradwerkstatt gejobbt und sein eigenes Geld verdient. Er sprach davon, für den Führerschein zu sparen. Es war deutlich zu spüren, dass er mittlerweile sein eigenes Leben hatte. Natürlich war das auf gewisse Weise traurig, doch auf der anderen Seite auch wieder schön.

Nina zog den Schlauch von den Beeten weg und schwenkte hinüber zu dem kleinen Kräutergarten, den sie ihm Frühjahr angelegt hatte, aus dem aber nie so richtig etwas geworden war. Nur die Zitronenmelisse schien sich in ihrer sonnigen, warmen Ecke wohl zu fühlen. Sie überlegte. Vielleicht wäre im nächsten Jahr eine Urlaubsreise drin? Wenn sie es schaffte, bis dahin genügend Geld zur Seite zu legen. Sie hatten über Malaysia nachgedacht, aber die Flüge dorthin waren teuer. Wenn es nach ihr ginge, wäre ein Urlaub auf den Kanaren auch schon sehr schön. Oder noch einmal nach Griechenland. Mit Thomas würde es überall schön sein, egal wo sie landeten. Da war sie ganz sicher.

Nina hielt sich die Hand wie einen Sonnenschutz vor die Augen. Es war noch immer heiß, obwohl es schon nach sechs war und weiter hinten auf der Straße sah sie Ellinor mit langsamen schaukelnden Schritten. Nina winkte und rief ihr zu. Als Ellinor vor ihr stand, hatte sie schon den Wasserhahn ausgedreht. Aus dem Schlauch kam nun nur noch ein kleiner Rest kaltes Wasser.

»Sieht ganz schön warm aus.« Nina sah auf die gut gekleidete Frau auf der anderen Seite der Hecke. Unter dem ordentlichen grauen Jackett sah man das hellblaue Hemd. Es war bis zum Hals zugeknöpft und klebte vermutlich auf der Haut.

»Ja«. Ellinor wischte sich einen Schweißtropfen von der Oberlippe. »In der Mittagspause musste ich schon die Nylonstrumpfhose ausziehen. Es wurde einfach *zu* heiß.« Sie wies auf ihre nackten Beine, die unter dem Rock ihres Kostüms hervorlugten. »Aber besonders hübsch ist es so nicht.«

»Ach, du hast doch wenigstens braune Beine.« Nina stellte sich auf die Zehenspitzen. »Und wie geht's deinem Bauch?«

Ellinor strich sich über die kleine Kugel, die unter dem engen blauen Hemd deutlich sichtbar war. »Danke, mir ist jetzt jedenfalls nicht mehr schlecht und das tut zur Abwechslung richtig gut. Morgen haben wir einen Ultraschall-Termin.«

»Wie schön!«

»Ja. Besonders für Wille, der dann dabei ist und das Kind sehen kann. Den Herzschlag hören und so. Als wir das bei Albin zum ersten Mal gesehen haben, mussten wir beide weinen.«

»Ich weiß. Bei mir war es genauso. Jens war überhaupt nicht sentimental, er meinte, das Kind da drinnen sehe aus wie eine Krabbe. Ich kann mich noch erinnern, dass ich richtig sauer wurde, denn Krabben konnte ich während meiner Schwangerschaft überhaupt nicht riechen.« Nina zog eine Grimasse. »Und wie läuft es mit Albin in der Kinderkrippe?«

»Total gut! Es gefällt ihm wirklich. Obwohl er morgens immer ein paar Tränen vergießt, wenn wir ihn abgeben. Da wird ihm das Herz ganz schwer. Aber eigentlich fällt es mir viel schwerer als ihm.«

»Bestimmt. Und hat Wille auch wieder angefangen zu arbeiten?«

»Ja, er arbeitet jetzt fünfundsiebzig Prozent, bis das Baby kommt, dann übernehme ich die Zeit bis zum nächsten Sommer. Und dann teilen wir die Betreuung.« Ellinor klang sicher.

»Ist ja generalstabsmäßig geplant!« Nina lachte laut. »So weit im Voraus habe ich das noch nie gekonnt. Aber es ist bestimmt von Vorteil«, schob sie eilig hinterher.

»Ja.« Ellinors etwas verkniffener Gesichtsausdruck verschwand langsam wieder. »Ich will ja auch im Büro etwas Definitives sagen können. Leif war wirklich in Ordnung, wenn man die Umstände bedenkt. Das hat er sich sicher auch nicht so vorgestellt, dass ich schwanger werde, sobald der Arbeitsvertrag unterzeichnet ist …«

»Nein. Aber so ist nun mal das Leben.«

»Ja, so ist es.« Ellinor verstummte.

»Ach, Moment mal. Ich hab noch was für dich. Warte mal kurz!« Nina legte den Schlauch aus der Hand und rannte ins Haus. Eine Minute später stand sie wieder mit einem roten Zettel in der Hand vor Ellinor. »Bitte schön«, sagte sie und hielt ihn ihr hin.

»Was ist das?« Ellinor las. »Eine Vernissage … Im Salon.« Sie fuhr fort. »Aber das ist ja deine Vernissage!«

»Ja, und ›Vernissage‹ muss man sich wirklich auf der Zunge zergehen lassen.« Nina war es wohl ein bisschen peinlich. »Robert hat darauf bestanden, dass wir es so nennen.«

»Wieso, ist es denn keine?«

»Ach. Das sind doch nur ein paar Bilder. Ich werde sie einen Monat lang im Salon ausstellen. Es geht ja gar nicht darum, dass sie jemand kaufen soll oder so …« Sie wand sich. »Ich hatte nur gedacht, dass es schön wäre, sie öffentlich auszustellen. Ich habe ein paar Freunde und einige Kunden eingeladen. Es wäre schön, wenn du und Wille auch kommen könntet. Nur auf ein Glas Wein.«

»Aber das ist ja wunderbar! Und wann findet das statt? Nächsten Donnerstag. Das will ich auf keinen Fall verpassen!«

Nina zuckte mit den Schultern. »Dann herzlich willkommen.«

»Danke.« Ellinor strahlte. Dann zog sie den Ärmel ihrer Bluse hoch und warf einen Blick auf die Uhr. »Jetzt muss ich aber los. Die Familie wartet.«

»Gut, dann bis bald!« Nina nahm den Schlauch wieder in die Hand und wollte sich gerade umdrehen, um den Wasserhahn wieder aufzudrehen, als auf der gegenüberliegenden Straßenseite ein blauer Kombi vorfuhr. Ellinor, die gerade ein paar Schritte entfernt war, blieb auch überrascht stehen.

Aus dem Wagen stieg eine junge Frau. Sie schien erst verunsichert, ging dann aber auf das Haus zu, vor dem sie geparkt hatte. Einen Augenblick später klingelte sie an der Haustür. Kurz darauf wurde geöffnet und die Frau trat ein.

Nina hielt die Luft an, als sie zum Nachbarhaus über die Straße schaute. Sie konnte sehen, wie sich die beiden Personen durchs Wohnzimmer bewegten. Dann ging eine von ihnen ans Fenster und ließ die Jalousien herunter.

Ellinor und Nina warfen sich einen ernsten Blick zu. Dann mussten sie lächeln.

Madame Mira hatte Besuch bekommen.

Danke!

Ein großes Dankeschön an alle lieben Menschen, die mir halfen, die Fakten für dieses Buch zusammenzutragen. In erster Linie Magdalena Mecweld, Robert Preston, Mikael Eriksson und Åsa Larsson.

Danke an meine Familie und meine Freunde, die immer für mich da sind, sich mit mir freuen, wenn es vorwärts geht und mich aufrichten, wenn es nicht so laufen will.

Danke an meine wunderbaren Schriftstellerkollegen, die mir so bereitwillig mit Rat und Tat zur Seite stehen und mich aufmuntern. Ihr seid wahrer Luxus!

Danke an meine beiden »heimlichen Lektorinnen«, Karin Nordlander und Lasse Johansson. Karin immer positiv, Lars immer kritisch. Was täte ich ohne euch?

Danke an meine Verlegerin Eva Gedin bei Norstedts für ihre Ermunterung, ihre Unterstützung und ihre guten Ideen. Ich freue mich sehr über unsere Zusammenarbeit, die mit diesem Buch begonnen hat!

Danke an meine Lektorin Elin Sennerö, die mit Genauigkeit und viel Sprachgefühl mein Manuskript gegengelesen und verbessert hat.

Danke an alle anderen Mitarbeiter bei Norstedts, die mich so herzlich aufgenommen haben.

Und schließlich danke an den Forum Verlag für die langjährige gute Zusammenarbeit!

Die Autorin

Cecelia Ahern
Vermiss mein nicht
Roman
Band 16735

Sandy Shortt hat ihr Leben lang nach vermissten Menschen gesucht. Bis sie eines Tages selbst verschwindet – an einen geheimnisvollen Ort, den alle nur »Hier« nennen …

Fantasievoll, spannend und tief berührend macht sich Cecelia Aherns großer Roman auf die Suche nach dem Leben und der Liebe.

»Ein liebenswerter Roman, mit vielen heiteren,
aber auch melancholischen Passagen,
über eine Frau auf der Suche nach sich selbst.«
NDR

»Einfach bezaubernd!«
Für Sie

Fischer Taschenbuch Verlag

Kristín Marja Baldursdóttir
Die Eismalerin
Roman
Aus dem Isländischen von Coletta Bürling
Band 16932

»Kristín Marja Baldursdóttir erzählt von Island vor
100 Jahren so lebendig, dass man meint, mittendrin
zu sein: Man riecht förmlich Meer und Fisch
– und findet's großartig.«
Für Sie

»Eine Liebesgeschichte der ergreifendsten Art.«
Neue Presse

Karitas ist die jüngste Tochter der verwitweten Steinunn
Olafsdóttir, die es geschafft hat, dass alle sechs Kinder –
auch die Mädchen – die Schule besuchen konnten. Trotz
der harten Lebensumstände um 1900 in Island entdeckt
Karitas ihr künstlerisches Talent als Malerin. Doch als sie
den gut aussehenden Sigmar kennenlernt, steht sie vor der
folgenschwersten Entscheidung ihres Lebens.

Fischer Taschenbuch Verlag

Kate Saunders
Liebe im Spiel
Roman
Aus dem Englischen von Karin König

Band 16757

Die Hasty-Schwestern sind jung, hübsch – und pleite. Sie müssen den vom Verfall bedrohten Familiensitz Melismate retten. Klar, denken sich Rufa, Selena, Nancy und Lydia: sie stürzen sich einfach auf den Heiratsmarkt. Liebe ist sowieso ein überbewertetes Gefühl! Ein Reigen von skurrilen Landedelleuten und höchst ungeeigneten Heiratskandidaten in London sorgt für köstliche Verwirrung. Und dann ist auf einmal – Liebe im Spiel.

»Ein glorioses Buch!«
Marian Keyes

Fischer Taschenbuch Verlag

fi 16757 / 1